# ЛИ

## ДЖЕК РИЧЕР

*или*

# ЧАЙЛД

## СИНЯЯ ЛУНА

ГРАНД МАСТЕР

Москва
2020

УДК 821.111-312.4
ББК 84(4Вел)-44
Ч-15

Lee Child

**BLUE MOON**

**Чайлд, Ли.**

Ч-15    Джек Ричер, или Синяя луна / Ли Чайлд ; [перевод с
английского В. А. Гольдича, И. А. Оганесовой]. — Москва :
Эксмо, 2020. — 352 с. — (Легенда мирового детектива).

ISBN 978-5-04-109769-1

Этот мир изменчив, но изредка все становится так, как надо.

В безымянном американском городке за контроль над его жизнью борются
две криминальные группировки. Все у них идет путем — до тех пор, пока в горо-
док не приезжает Джек Ричер.

Он обучен замечать мелочи.

Сидя в ночном автобусе, Ричер приметил спящего старика, из кармана
которого торчал пухлый конверт с наличностью. А еще — какого-то молодого
паренька, с жадностью смотрящего на этот конверт.

Грабитель делает свой ход — Ричер делает свой. Шах и мат.

Старик перепуган и загнан в угол. Оказывается, молодой грабитель — это
пустяки. Его реальная проблема гораздо, гораздо серьезнее. В свое время он сделал пару ошибок — и теперь должен уйму денег одной из городских банд. Ричер
решает помочь ему...

Шансы на успех гораздо выше, если в дело вступает Джек Ричер. Это уж
будьте уверены.

УДК 821.111-312.4
ББК 84(4Вел)-44

ISBN 978-5-04-109769-1

*Джейн и Рут*
*Моему племени*

# Глава
# 01

На карте Америки город выглядел совсем маленьким — крошечная благовоспитанная точка рядом с красной ниточкой дороги, идущей через пустой полудюйм бумаги. Но на самом деле, в реальном мире, его население составляло полмиллиона жителей, около ста пятидесяти тысяч семей, а сам он занимал более сотни квадратных миль, и в нем имелось две тысячи акров парковых зон. Город тратил пятьсот миллионов долларов в год и почти столько же зарабатывал благодаря налогам и прочим поступлениям. И был он таких размеров, что полицейский департамент насчитывал тысячу двести человек.

В городе даже хватило места сразу двум группам организованной преступности. Западом управляли украинцы, а востоком — албанцы. Демаркационная линия перекраивалась столько же раз, сколько избирательные округа. Обычно она шла по Центральной улице, пересекавшей город с севера на юг, но часто делала зигзаги, чтобы включить определенные кварталы в тех случаях, когда приходилось учитывать исторические прецеденты. Переговоры были напряженными. Случались локальные войны за территорию. Возникали ссоры. Но со временем устанавливалось согласие. Достигнутые договоренности выполнялись, и довольно долго между сторонами не возникало значительных столкновений.

Так продолжалось до тех пор, пока не наступило одно майское утро. Босс украинцев припарковался в гараже на Центральной улице и зашагал на восток, на албанскую территорию. В одиночестве. Пятьдесят лет, сложен как бронзовая статуя древнего героя, высокий, массивный и плотный, он называл себя Грегори — максимально близкий для слуха американцев вариант настоящего имени. Он не был вооружен и надел обтягивающие брюки и футболку, чтобы подчеркнуть это. Карманы оставались пустыми. Ничего скрытого. Грегори повернул налево, потом направо, заходя все глубже на чужую территорию и направляясь к глухому кварталу, где, как он знал, албанцы управляли своим бизнесом из офисов, находившихся на лесопилке.

За ним начали следить с самого первого шага, когда он только пересек границу. Были сделаны предупреждающие звонки, и, когда он прибыл на место, его встречали шесть молчаливых бойцов, стоявших полукругом между тротуаром и воротами лесопилки, точно шахматные фигуры, занявшие оборонительную позицию. Грегори остановился, развел руки в стороны и, не опуская их, повернулся на 360 градусов. Брюки и футболка в обтяжку. Никаких выпуклостей. Ножа нет. Пистолета нет. Без оружия, перед шестью парнями, которые, несомненно, были «упакованы». Однако Грегори не испытывал тревоги. Он знал, что албанцы не станут на него нападать, если он их не спровоцирует. Правила вежливости никто не отменял. Этикет есть этикет.

Один из шести безмолвных парней выступил вперед. Частично блокировка, частично желание выслушать.

— Мне нужно поговорить с Дино, — сказал Грегори.

Дино был боссом албанцев.

— О чем? — спросил парень.

— У меня есть информация.

— О чем?

— О том, что ему необходимо знать, — сказал Грегори.

— Я могу дать номер его телефона.

— Это из тех вещей, о которых следует говорить с глазу на глаз, — заявил Грегори.

— Прямо сейчас? — спросил парень.

— Да.

Некоторое время охранник молчал, потом повернулся и скрылся в дверях рядом с металлическими поднимающися воротами. Оставшиеся пятеро стражей слегка сомкнули ряды, чтобы компенсировать его отсутствие. Грегори ждал. Пятеро парней настороженно и с интересом за ним наблюдали. Это была уникальная ситуация. Такое случается раз в жизни. Как увидеть единорога. Босс другой стороны. Прямо перед тобой. Прежние переговоры проходили на нейтральной территории, на поле для гольфа, за городом, по другую сторону автострады.

Грегори ждал. Через пять долгих минут парень вернулся через ту же дверь. Он оставил ее открытой и указал в ее сторону. Грегори подошел, наклонился, вошел внутрь и сразу уловил аромат сосны и услышал вой пилы.

— Нам нужно обыскать тебя, чтобы проверить, не взял ли ты с собой прослушку, — сказал первый охранник.

Грегори кивнул и снял футболку. Его торс был массивным, жестким и заросшим волосами. Никаких проводов. Парень проверил швы футболки и вернул ее. Грегори снова надел футболку и провел пальцами по волосам.

— Сюда, — сказал албанец.

Он повел Грегори внутрь ангара из гофрированного металла. Остальные пятеро следовали за ними. Они прошли в обычную металлическую дверь и оказались в помещении без окон, организованном как зал совещаний для директоров. Четыре ламинированных стола стояли в ряд, как барьер. С противоположной стороны, в середине, на стуле сидел Дино. Моложе Грегори на год или два, но шире, с темными волосами, шрамом от ножа на левой стороне лица, начинавшимся над бровью и шедшим вниз по скуле до самого подбородка, как верхняя часть восклицательного знака.

Охранник, который разговаривал с Грегори, поставил для него стул напротив Дино, обошел столы и сел справа от босса, точно верный лейтенант. Остальные пятеро разбились на тройку и двойку и расположились позади Дино. Грегори остался один на своей стороне стола, напротив семи пустых лиц. Все молчали.

— В чем причина столь приятного визита? — наконец спросил Дино.

Этикет есть этикет.

— В городе скоро сменится полицейский комиссар.

— Нам это известно, — сказал Дино.

— Он и раньше здесь служил, а теперь получил повышение, — сказал Грегори.

— Нам это известно, — повторил Дино.

— Он обещал карательные меры против нас обоих.

— Нам это известно, — в третий раз повторил Дино.

— У нас есть свой человек в его офисе.

Дино промолчал. Этого он не знал.

— Наш человек, — продолжал Грегори, — обнаружил в ящике письменного стола секретный файл на внешнем жестком диске.

— Какой файл? — спросил Дино.

— Оперативный план нашего уничтожения.

— И в чем он состоит?

— В нем мало подробностей, — ответил Грегори. — К тому же он очень схематичный. Но нам не следует беспокоиться. День ото дня и от недели к неделе наш человек будет получать кусочки головоломки. Дело в том, что у него есть источник внутренней информации.

— Откуда?

— Наш человек искал долго и упорно, пока не обнаружил еще один файл.

— И что в нем?

— Список.

— Список чего?

— Список доверенных полицейских информаторов.

— И?..

— В списке четыре имени.

— И?.. — снова спросил Дино.

— Двое из них — мои люди, — ответил Грегори.

Все долго молчали.

— Что вы с ними сделали? — наконец спросил Дино.

— Полагаю, ты вполне можешь догадаться.

И снова наступило молчание.

— Зачем ты мне это рассказываешь? — снова заговорил Дино.

— Два других имени в списке — твои люди, — сказал Грегори.

Молчание.

— Мы попали в одинаково затруднительное положение, — продолжал украинец.

— Кто? — спросил Дино.

Грегори назвал имена.

— Почему ты решил мне о них сообщить?

— Потому что мы заключили соглашение. Я — человек слова.

— Но, если мне придет конец, ты сильно выиграешь, — сказал Дино. — Тогда ты сможешь контролировать весь город.

— Мой выигрыш будет только на бумаге, — возразил Грегори. — Неожиданно я понял, что меня устраивает нынешнее положение. Где я найду честного человека, который будет управлять вашим бизнесом? Складывается впечатление, что мне не хватает людей на свой собственный.

— Сдается, у меня похожие проблемы, — заметил Дино.

— Значит, мы продолжим схватку завтра. А сегодня будем уважать договор. Я сожалею, что принес не слишком радостные новости. Я поставил себя в неприятное положение перед вами; надеюсь, это чего-то стоит. Ситуация такова, что мы оказались на одной стороне.

Дино молча кивнул.

— У меня вопрос, — продолжал Грегори.

— Задавай.

— Ты сообщил бы мне, как сделал я, если б шпион оказался вашим, а не моим?

На сей раз Дино молчал дольше.

— Да, и по тем же причинам, — наконец ответил он. — У нас договор. И если в том списке значатся имена как твоих, так и моих людей, значит, нам обоим не следует делать глупости.

Кивнув, Грегори встал. Лейтенант Дино тоже поднялся со стула, чтобы проводить его.

— Сейчас нам ничего не грозит? — спросил Дино.

— Да — с моей стороны, — ответил Грегори. — Это я могу гарантировать. С шести часов сегодняшнего утра. У нас имеется свой человек в городском крематории. Он должен нам деньги. Он согласился разжечь огонь немного раньше.

Дино кивнул, но ничего не сказал.

— А с вашей стороны нам ничего не будет грозить? — спросил Грегори.

— Да, с сегодняшнего вечера, — ответил Дино. — У нас имеется свой человек на фабрике утилизации автомобилей. Он также должен нам деньги.

Лейтенант Дино вывел Грегори через ангар наружу к маленькой металлической двери, и через несколько мгновений тот оказался под ярким майским солнцем.

* * *

В этот момент Джек Ричер находился в семидесяти милях, в автобусе «Грейхаунд лайнс», на автомагистрали между штатами. Он сидел с левой стороны, ближе к задней части салона, над колесом. Место рядом пустовало. Всего в автобусе было двадцать девять пассажиров. Обычный набор. Ничего примечательного. За исключением одного, который представлял некоторый интерес. Через проход от Ричера, опустив голову на грудь, спал мужчина лет семидесяти. Седые волосы нуждались в стрижке, серая кожа пошла складками, словно он сильно похудел. Короткая синяя куртка на молнии. Из толстого хлопка. Возможно, водонепроницаемого. Из кармана торчал толстый конверт.

Ричер узнал тип конверта. Он уже видел такие раньше. Иногда, если банкомат не работал, Джек входил в отделение банка и брал по карте наличные в кассе у стойки. Кассир спрашивал, сколько денег он хочет снять, и Ричер думал: ну, раз банкомат сломан, стоит взять больше, чтобы потом ни о чем не беспокоиться, и поэтому снимал более крупную сумму, чем обычно. Кассир спрашивал, хочет ли он получить конверт для наличных. Иногда Ричер соглашался — без всяких задних мыслей, — и банкноты складывали в конверт, в точности такой же, как тот, кончик которого торчал из кармана спавшего старика. Такая же плотная бумага, тот же размер, те же пропорции, толщина и вес. Несколько сотен долларов или тысяч, тут все зависело от достоинства банкнот.

Однако Ричер был не единственным, кто заметил конверт. Парень, сидевший впереди, также его видел. Тут не могло быть ни малейших сомнений. И очень им заинтересовался. Высокий, молодой, с жирными волосами и редкой козлиной бородкой. Двадцать с небольшим, джинсовая куртка. Почти мальчишка. Он поглядывал на старика, думал, планировал. Облизывал губы.

Автобус ехал дальше. Ричер поочередно смотрел в окно, на конверт и на парня, не сводившего с того глаз.

* * *

Из гаража на Центральной улице Грегори сразу направился обратно на безопасную украинскую территорию. Его офисы находились в задней части здания, где располагалась компания по заказу такси, напротив ломбарда, рядом со страховой конторой — все эти заведения принадлежали Грегори. Он припарковался и вошел. Его главные помощники уже ждали. Их было четверо, все взаимозаменяемые, все равнозначные для него. Не связанные семейными узами в традиционном смысле, но все родились в одних тех же городах и деревушках, побывали в одних и тех же тюрьмах на родине, что было хорошо.

Они посмотрели на него. Четыре лица, восемь широко раскрытых глаз, но только один вопрос.

На который Грегори сразу ответил.

— Полный успех, — сказал он. — Дино купился. Ну очень глупый осел, уж поверьте мне. Я мог бы продать ему Бруклинский мост. Парни, которых я назвал, — уже история. Ему потребуется день, чтобы перетасовать колоду. Удача постучалась в нашу дверь, друзья мои. У нас около двадцати четырех часов. Фланг противника не защищен.

— Да уж, что взять с албанцев, — сказал его лейтенант.

— Куда ты отправил двух наших ребят? — спросил Грегори.

— На Багамы. Там в казино работает один человечек, который должен нам деньги. У него отличный отель.

Зеленые федеральные дорожные знаки на обочине автомагистрали сообщили, что приближается город. Первая остановка на сегодня. Ричер наблюдал, как парень с козлиной бородкой выстраивает свою игру. Два неизвестных параметра — собирается ли старик с деньгами сойти здесь с автобуса? А если нет, проснется ли он, когда автобус начнет тормозить и поворачивать?

Ричер наблюдал. Автобус съехал с магистрали. Шоссе в четыре полосы продолжало идти на юг, и в свете фар поблескивал влажный после дождя асфальт. Съезд прошел гладко. Зашипели шины. Старик с деньгами продолжал спать. Парень с козлиной бородкой не сводил с него глаз, и Ричер пришел к выводу, что план уже готов. Если все делать по-умному, ему следует вытащить конверт как можно скорее, надежно спрятать и постараться покинуть автобус при первой же возможности. Даже если владелец денег проснется, немного не доехав до вокзала, сначала он ничего не заметит. Но если и заметит, вряд ли сможет сделать правильный вывод. Он решит, что конверт выпал. И потратит минуту, пытаясь отыскать его под сиденьем, а потом под тем, что впереди, предположив, что мог отбросить его ногой во сне. Только после этого он примется оглядываться по сторонам, но автобус уже остановится, люди начнут вставать, выходить и входить. Проход будет забит. И воришка без особых проблем сумеет выскользнуть наружу. Таким был бы разумный план.

Так ли задумал свою операцию парень с козлиной бородкой?

Ричер этого не узнал.

Старик с деньгами проснулся слишком рано.

Автобус сбросил скорость и остановился перед светофором, зашипев шинами; голова старика дернулась, он заморгал, похлопал себя по карману и задвинул конверт поглубже, чтобы никто его не видел.

Ричер откинулся на спинку сиденья.

Парень с бородкой поступил так же.

Автобус покатил дальше. По обе стороны дороги раскинулись поля, бледно-зеленые вестники весны. Затем появились первые коммерческие здания, где торговали всем необходимым для ферм, семейными автомобилями, занимавшими большие площади, с сотнями блестящих машин, выстроившихся в ряды под флагами и вымпелами. Затем пошли офисные парковки и гигантские загородные супермаркеты. И вскоре они въехали в город. Четыре полосы превратились в две. Впереди Ричер уже видел высокие дома. Но автобус свернул налево, покатил дальше, держась на вежливом расстоянии от районов с дорогими домами, и через полмили затормозил у вокзала. Первая остановка дня. Ричер остался сидеть на своем месте. Он купил билет до конца маршрута.

Старик с деньгами встал, вроде как кивнул себе, подтянул брюки и одернул куртку. Обычные вещи, которые делают пожилые мужчины перед тем, как выйти из автобуса.

Старик вышел в проход и, шаркая, побрел к дверям. У него не было сумки. Только он сам. Седые волосы, синяя куртка, один карман полон, другой — пуст.

У парня с козлиной бородкой появился новый план.

Он возник внезапно. Ричер практически видел, как поворачиваются шестеренки у него в голове. Вишни почти созрели. Последовательность умозаключений привела к цепочке предположений. Вокзалы никогда не строят в лучшей части города. Выйдя из автобуса, пассажиры попадают на дешевые улицы, куда выходят задние стороны домов; здесь находятся пустые парковки, где платить приходится по счетчику. И наверняка будут пустые тротуары. Двадцать с чем-то процентов против семидесяти с чем-то. Удар сзади. Обычное ограбление. Такое случается постоянно. Все предельно просто.

Парень с козлиной бородкой вскочил и поспешил вперед по проходу, в шести футах позади старика с деньгами.

Ричер встал и пошел за обоими.

# Глава
# 02

Не вызывало сомнений, что старик с деньгами знал, куда идет: он не смотрел по сторонам, чтобы понять, где находится. Покинув автобусный вокзал, сразу повернул на восток и решительно зашагал дальше. Без колебаний. Но и не особенно быстро. Медленная, неуверенная походка, плечи опущены. Он выглядел старым, усталым, вымотанным и проигравшим. У него не осталось энтузиазма. Он двигался как человек, путешествующий из одной точки в другую, и обе для него совершенно непривлекательны.

Парень с козлиной бородкой следовал за ним, отставая на шесть шагов; он явно сдерживал себя, старательно притормаживая, но получалось у него не слишком успешно. Он был поджарым и длинноногим и едва не подпрыгивал от нетерпения. Ему хотелось приступить к делу прямо сейчас. Но место было неподходящим, слишком ровным и открытым. Широкие тротуары. Впереди виднелся перекресток, где дожидались зеленого света автомобили, водители которых со скукой поглядывали по сторонам. Возможно, в машинах сидели пассажиры. Все потенциальные свидетели. Лучше подождать.

Старик с деньгами остановился у края тротуара. Он ждал, когда можно будет перейти улицу, и явно собирался идти прямо вперед. Там виднелись более старые здания, между которыми шли узкие улицы. Шире, чем переулки, находившиеся в тени, но закрытые с двух сторон трехэтажными и четырехэтажными домами.

Куда более подходящее место для ограбления.

Включился зеленый. Старик с деньгами в кармане послушно начал переходить улицу, словно окончательно смирился со всеми своими неприятностями. Парень с козлиной бородкой следовал за ним, отставая на шесть шагов. Ричер немного сократил расстояние до будущего грабителя. Он чувствовал, что решающий момент приближается.

Парень не собирался ждать до бесконечности. Он знал, что лучшее — враг хорошего. Через два квартала он исполнит задуманное.

Они шли дальше единой связкой, на приблизительно равных расстояниях; двое впереди Ричера ни на что не обращали внимания. Первый квартал выглядел неплохо, но позади все еще оставалось открытое пространство, поэтому парень с бородкой не спешил, дождался, когда старик с деньгами перейдет следующую улицу, и направился дальше вдоль второго квартала, уже достаточно закрытого от остальных. Оба конца оставались в тени. Здесь имелась пара заведений с заколоченными дверями, закрытое кафе и налоговая служба с запыленными окнами.

Идеально.

Время принимать решение.

Ричер догадывался, что парень начнет прямо сейчас, но перед нападением он должен нервно посмотреть по сторонам, в том числе бросить взгляд назад, поэтому Ричер задержался за углом поперечной улицы — одна секунда, две, три, больше не потребуется, чтобы оглянуться. Затем шагнул обратно и увидел, что парень сокращает расстояние до старика, делая длинные нетерпеливые шаги. Ричер не любил бегать, но сейчас ему пришлось.

Он немного опоздал. Парень с бородкой толкнул старика с деньгами, тот упал вперед с тяжелым стуком — руки, колени, голова, — а грабитель стремительно нагнулся, не замедляя шага, засунул руку в карман старика и вытащил конверт. Именно в этот момент появился неуклюже бежавший Ричер — шесть футов и пять дюймов костей и мышц, 250 фунтов движущейся массы против худого парня, выпрямлявшегося со своей добычей. Врезался в него, быстро повернув плечо. Грабитель пролетел по воздуху, словно манекен из аварийных испытаний, и приземлился, разбросав в стороны руки и ноги, наполовину на тротуаре, наполовину в канаве. Он не шевелился и не пытался встать.

Ричер подошел к нему и забрал конверт. Он не был запечатан. Банковские конверты обычно не запечатывают. Ричер заглянул внутрь. Стопка в три четверти дюйма толщиной. Сверху купюра в сто долларов — и такая же снизу. Он пролистал пачку. Повсюду сотни. Тысячи и тысячи долларов. Может быть, пятнадцать тысяч.

Ричер посмотрел назад. Старик приподнял голову и в панике оглядывался по сторонам. На лице появилась царапина после падения. Или у него пошла кровь из носа. Джек протянул ему конверт. Старик поднял на него глаза и попытался встать, но не смог.

Ричер подошел к нему.

— У вас что-нибудь сломано? — спросил он.

— Что случилось? — спросил старик.

— Вы можете двигаться?

— Думаю, да, — старик кивнул.

— Тогда перевернитесь, — сказал Ричер.

— Прямо здесь?

— На спину. Я помогу вам сесть.

— Что случилось? — повторил старик.

— Сначала я должен проверить, всё ли у вас в порядке. Может быть, нужно вызвать «Скорую помощь». У вас есть телефон?

— Никакой «Скорой помощи», — ответил старик. — Никаких врачей.

Он сделал вдох, стиснул зубы и после нескольких неудачных попыток сумел перевернуться на спину, как человек, которому приснился кошмар.

И с трудом выдохнул.

— Где у вас болит? — спросил Ричер.

— Везде, — ответил старик.

— Как всегда или хуже?

— Пожалуй, как всегда.

— Тогда ладно.

Ричер приложил ладонь к спине старика между лопатками, потянул его на себя, развернул и слегка переместил; в результате старик оказался сидящим на тротуаре, вытянув ноги на проезжую часть. Ричер решил, что так ему будет удобнее.

— Мама всегда говорила мне, чтобы я не играл в канаве.

— Моя тоже, — сказал Ричер. — Однако сейчас мы не играем.

Он протянул старику конверт; тот взял его и сжал всеми пальцами, словно хотел убедиться, что он настоящий. Ричер сел рядом с ним. Старик заглянул в конверт.

— Что произошло? — снова спросил он и указал на парня с бородкой. — Он хотел меня ограбить?

В двадцати футах справа от них лицом вниз лежал парень с козлиной бородкой и не шевелился.

— Он шел за вами от автобуса, — сказал Ричер. — Заметил конверт у вас в кармане.

— Вы ехали в том же автобусе? — спросил старик.

Джек кивнул.

— Я следовал за вами обоими от самого вокзала.

Старик засунул конверт в карман.

— Благодарю вас от всего сердца, — сказал он. — Вы даже не представляете... Я не могу выразить словами...

— Всегда пожалуйста.

— Вы спасли мне жизнь.

— Я рад.

— Я должен вас отблагодарить, — продолжал старик.

— В этом нет необходимости.

— Но я в любом случае не могу, — сказал тот и коснулся кармана. — Здесь платеж, который я должен сделать. Это очень важно. Нужна вся сумма. Мне очень жаль. Я приношу вам свои извинения. Я чувствую себя ужасно.

— Не стоит, — попытался успокоить его Ричер.

Справа от них, в двадцати футах, парень с козлиной бородкой встал на четвереньки.

— Никакой полиции, — сказал старик.

Парень посмотрел в их сторону. Он был ошеломлен, его слегка трясло, однако он находился от них всего в двадцати футах и, очевидно, раздумывал, не стоит ли ему попытаться снова на них напасть.

— Почему не нужно вызывать полицию? — поинтересовался Ричер.

— Они задают вопросы, когда видят большую сумму наличными.

— Вопросы, на которые вы не хотите отвечать? — уточнил Джек.

— Я просто не могу, — повторил старик.

Парень с козлиной бородкой посчитал, что все-таки лучше уйти, с трудом поднялся на ноги и побежал, и, хотя он не окончательно пришел в себя и к нему еще не полностью вернулась координация движений, двигался он достаточно быстро. Ричер не стал его преследовать. На сегодня бега достаточно.

— Мне пора, — сказал старик с деньгами.

У него были царапины на щеке и лбу, он довольно сильно разбил нос; кровь вытекла на нижнюю губу.

— Вы уверены, что с вами всё в порядке? — спросил Ричер.

— У меня нет выбора, — сказал старик. — Я очень спешу.

— Позвольте я помогу вам встать, — предложил Джек.

Сам старик встать не мог. Либо его окончательно оставили силы, либо у него были проблемы с коленями, или и то и другое. Трудно сказать. Ричер помог ему подняться на ноги. Старик стоял в канаве и смотрел в противоположную сторону улицы, сгорбившись и наклонившись вперед. Потом он с трудом развернулся на месте, но ему никак не удавалось шагнуть на тротуар. Он поставил на него ногу, но ему не хватало сил, чтобы поднять тело на шесть дюймов, — слишком большая нагрузка для коленей. На брючине остался след от падения.

Ричер встал у него за спиной, взял за локти и поднял, и старик, ставший невесомым, сделал шаг на тротуар, как человек на Луне.

— Вы сможете идти? — спросил Джек.

Старик попытался. Ему удавалось делать маленькие шаги, слабые и аккуратные, но он морщился и задыхался всякий раз, когда переносил вес на правую ногу.

— Вам далеко идти? — спросил Ричер.

Старик огляделся по сторонам, оценивая место, в котором они находились.

— Еще три квартала, — ответил он. — На противоположной стороне улицы.

— Вам придется много раз сходить с тротуара на проезжую часть и подниматься обратно, — заметил Джек.

— Я справлюсь, — заверил его старик.

— Покажите, — предложил Ричер.

Старик, как и прежде, пошел вперед, на восток, медленно, продолжая шаркать и широко разведя руки в стороны, чтобы сохранять равновесие. Он морщился и тихонько стонал. Возможно, ему становилось хуже.

— Вам нужна трость, — сказал Джек.

— Мне много чего нужно, — ответил старик.

Ричер встал справа от него, взял за локоть и принял часть его веса на ладонь. С точки зрения механики это то же самое, что трость, палочка или костыль. Сила, направленная вверх, к плечу старика. Физика Ньютона.

— Попробуйте так, — сказал Ричер.

— Вы не можете пойти со мной.

— Почему?

— Вы и без того много для меня сделали.

— Причина в другом. Вам следовало сказать, что вы не можете об этом меня просить. Что-нибудь невнятное и вежливое. Но ваши слова прозвучали слишком экспрессивно. Вы заявили, что я не *могу* пойти с вами. Почему? Куда вы направляетесь?

— Я не могу ответить на ваш вопрос.

— Вы не дойдете туда без меня.

Старик тяжело дышал, и у него шевелились губы, как будто он репетировал свои следующие слова. Потом поднял руку, коснулся царапины на лбу, на щеке и на носу. Снова поморщился.

— Помогите мне добраться до нужного квартала и перейти улицу, — наконец заговорил он. — А потом поворачивайте и отправляйтесь домой. Это будет самая большая услуга, которую вы мне окажете. Правда. Я буду вам благодарен. Я уже благодарен. Я надеюсь, вы меня понимаете.

— Нет, не понимаю, — ответил Ричер.

— Мне нельзя никого приводить с собой.

— Кто выдвинул такое требование?

— Я не могу вам сказать.

— Предположим, я просто иду в том же направлении. Вы подойдете к нужной вам двери, а я отправлюсь дальше.

— Но тогда вы узнаете, куда я иду, — возразил старик.

— Я уже знаю.

— Откуда? — удивился старик.

Ричер видел самые разные города Америки, на востоке, западе, севере и юге, всех размеров, возрастов и условий жизни. Он знал их ритм и устройство, историю, запеченную в их кирпичах. Квартал, где они сейчас находились, был одним из сотен тысяч к востоку от Миссисипи. Задние офисы, где занимаются оптовой и розничной торговлей, небольшое производство, адвокаты, специалисты по продаже недвижимости и перевозкам, турагентства. Возможно, офисы по аренде жилья в задних дворах. Все они процветали в конце девятнадцатого и начале двадцатого столетия. А теперь разрушались и пустели под воздействием времени. Отсюда заколоченные окна и закрытые кафе. Но некоторые места держались дольше других. Определенные привычки и аппетиты отличаются упорством.

— В трех кварталах отсюда на противоположной стороне улицы находится бар, — сказал Ричер. — Вы направляетесь туда.

Старик не ответил.

— Чтобы сделать платеж, — продолжал Джек. — В баре, перед обедом. Что-то вроде местного ростовщика. Пятнадцать или двадцать тысяч. Вы в беде. Я думаю, вы продали свою машину. Получили максимум наличными. Может быть, нашли коллекционера. Вероятно, у вас была старая машина. Вы поехали туда на ней и вернулись обратно на автобусе. Через банк покупателя. Кассир сложил деньги в конверт.

— Кто вы такой?

— Бар — это общественное место. Мне захотелось пить, как и многим другим людям. Возможно, у них есть кофе. Я сяду за другой стол. Вы можете сделать вид, что незнакомы со мной. И вам потребуется помощь, чтобы уйти оттуда. Скоро ваше колено начнет беспокоить вас сильнее.

— Кто вы такой? — снова спросил старик.

— Меня зовут Джек Ричер. Я был военным полицейским. И меня учили все замечать.

— У меня был «Шевроле Каприс». Старая модель. Все свое. Прекрасное состояние. Совсем небольшой пробег.

— Я ничего не понимаю в машинах, — сказал Ричер.

— Сейчас такие в цене, — со вздохом объяснил старик.

— Сколько вы за него получили?

— Двадцать две с половиной тысячи.

Ричер кивнул. Больше, чем он предполагал. Новенькие купюры, плотная упаковка.

— И вы должны всё отдать? — спросил он.

— До двенадцати часов. Затем цена начнет увеличиваться.

— Тогда нам лучше идти. Боюсь, процесс будет довольно медленным, — заметил Ричер.

— Благодарю вас, — сказал старик. — Меня зовут Аарон Шевик. Я перед вами в вечном долгу.

— Доброта незнакомых людей, — ответил Ричер. — Она заставляет мир двигаться вперед. Один парень написал об этом пьесу.

— Теннесси Уильямс, — сказал Шевик. — «Трамвай "Желание"».

— Сейчас он нам пригодился бы... Три квартала за пять центов — отличная сделка.

Они пошли дальше, Ричер делал медленные и короткие шаги, Шевик подпрыгивал и кренился в сторону — законы Ньютона работали.

# Глава

# 03

Бар находился на первом этаже самого обычного кирпичного здания в середине квартала. Побитая коричневая дверь в центре, грязные окна по обе стороны от нее. Ирландское название на зеленой, мерцающей неоном вывеске над дверью и полумертвая неоновая реклама пива «Харп», трилистник на окнах, и запыленная реклама разных сортов пива. Часть Ричер узнал, часть — нет. Он помог Шевику перейти дорогу и подняться на тротуар. Часы у него в голове показывали без двадцати двенадцать.

— Я войду первым, — сказал Ричер. — А потом вы. Как если б мы никогда не встречались. Хорошо?

— Как долго мне ждать? — спросил Шевик.

— Пару минут. Отдышитесь немного.

— Ладно.

Ричер открыл дверь и вошел в тускло освещенный зал, в котором пахло пролитым пивом и дезинфицирующими средствами. Однако заведение оказалось достаточно просторным; не огромным, но и не клетушкой. По обе стороны длинного центрального прохода, ведущего к стойке в левом дальнем углу, стояли столики на четырех человек. У бармена — толстого типа с четырехдневной щетиной — на плече висело полотенце, как символ его должности. В баре находились четверо клиентов, каждый занимал отдельный столик, и все выглядели старыми, усталыми и побитыми жизнью, как Шевик. Двое не выпускали из рук пивные бутылки с длинными горлышками, а двое крепко держали полупустые стаканы, словно опасались, что кто-то их отнимет.

Никто из них не походил на ростовщика. Может быть, этим занимался бармен; агент или посредник. Ричер вошел и попросил кофе. Бармен ответил, что у них нет кофе, что стало разочарованием, однако Джек это предвидел. Бармен держался вежливо, но Ричер подумал, что он не стал бы так вести себя, если б не размеры и уверенные манеры нового посетителя. Обычный человек наверняка получил бы в ответ что-нибудь ехидное.

Вместо кофе Ричер заказал местное пиво. Бутылка оказалась холодной и влажной, с высокой шапкой пены. Он оставил доллар из сдачи на стойке и подошел к ближайшему свободному столику на четверых, который находился в заднем правом углу, что вполне его устраивало, поскольку он мог сидеть спиной к стене и видеть весь зал.

— Только не здесь, — сказал бармен.

— Почему нет? — спросил Ричер.

— Стол заказан.

Остальные четверо посетителей подняли головы и тут же отвели глаза.

Ричер вернулся к стойке и забрал оставленный доллар. Ни тебе спасибо, ни пожалуйста — значит, без чаевых. Он прошел по диагонали к переднему столику на другой стороне, под грязным окном. Такая же геометрия, но в зеркальном отображении. За спиной у него находился угол, и Ричер мог видеть весь зал. Он сделал глоток пива, состоявшего главным образом из пены. Тут в бар, прихрамывая, вошел Шевик, который взглянул на пустой столик в пустом правом углу и с удивленным видом остановился. Затем посмотрел на бармена, четверых одиноких посетителей, Ричера и снова на пустовавший угловой столик.

Прихрамывая, Шевик направился в его сторону, но на полпути остановился, свернул к бару и заговорил с барменом. Ричер находился слишком далеко, чтобы его услышать, но догадался, что Шевик задал вопрос. Возможно: «Где такой-то и такой-то?» Вопрос сопровождался еще одним взглядом в сторону столика в правом углу. Ричеру показалось, что Шевик получил ехидный ответ. Возможно: «Я же не ясновидец». Тот вздрогнул и, отступив на нейтральную территорию, задумался, что делать дальше.

Часы в голове Ричера показывали без пятнадцати двенадцать.

Шевик, хромая, подошел к пустому столу в правом дальнем углу и остановился в сомнении. Затем сел так, как расположился бы посетитель, а не хозяин кабинета, примостился на краю стула, вполоборота, чтобы видеть дверь, словно собирался вежливо встать, когда войдет тот, кого он ждал.

Однако никто не входил. В баре царила тишина. Кто-то смачно глотал, кто-то влажно дышал, бармен вытирал стаканы. Шевик смотрел на дверь. Время шло.

Ричер встал и подошел к той части стойки, которая находилась ближе к столу Шевика, поставил на нее локти и выжидающе посмотрел на бармена, показывая, что хочет сделать новый заказ. Тот повернулся к нему спиной и сделал вид, что у него появилось срочное дело в другом конце стойки. Нет чаевых — нет обслуживания. Ничего другого Джек и не ожидал. Он получил то, что хотел, — некоторую степень уединения.

— Что? — прошептал Ричер.

— Его здесь нет, — прошептал в ответ Шевик.

— А обычно есть?

— Всегда. Он сидит за этим столиком весь день.

— Сколько раз вы это делали?

— Три.

Бармен все еще занимался своими делами в дальнем конце стойки.

— Еще пять минут, и я буду должен не двадцать две с половиной тысячи, а двадцать три с половиной, — прошептал Шевик.

— Плата за задержку — тысяча долларов?

— За каждый день.

— Тут нет вашей вины, — прошептал в ответ Ричер. — Ведь он не пришел.

— Их нельзя назвать разумными людьми.

Шевик продолжал смотреть на дверь. Бармен закончил свою воображаемую работу и, переваливаясь, двинулся по диагонали к центру стойки, враждебно вздернув подбородок, словно показывая, что готов выслушать заказ, но не намерен его выполнить.

Он остановился на расстоянии в ярд и выжидающе посмотрел на Ричера.

— Что? — спросил Ричер.

— Вы что-то хотели? — спросил бармен.

— Уже нет. Я хотел, чтобы вы прошлись туда и обратно. Вам явно необходимо двигаться. Но теперь вы с этим справились, и меня все устраивает. В любом случае спасибо.

Бармен смотрел на Ричера. Оценивал ситуацию. И она ему совсем не нравилась. Может быть, под стойкой у него имелась бейсбольная бита или пистолет, но он понимал, что не успеет до них добраться. Ричер находился от него на расстоянии вытянутой руки. Так что ответ должен был быть вербальным. А это требовало усилий. В конце концов его спас настенный телефон, который зазвонил прямо у него за спиной. Старомодный звонок. Долгий, приглушенный и скорбный, потом еще один.

Бармен повернулся и снял трубку. Телефон был классического дизайна, с большой трубкой из пластика и витым проводом — таким длинным, что он волочился по полу. Бармен послушал, повесил трубку и указал подбородком в сторону Шевика, все еще сидевшего за угловым столиком.

— Приходите сегодня вечером, в шесть часов.

— Что? — спросил Шевик.

— Вы меня слышали.

И бармен снова отошел, чтобы заняться другим воображаемым делом.

Ричер уселся за столик Шевика.

— Что он имел в виду, когда сказал, чтобы я вернулся в шесть часов? — спросил тот.

— Думаю, что человек, которого вы ждете, задержался, но позвонил, чтобы выяснить, здесь ли вы.

— Ну, не знаю, — пробормотал Шевик. — А как относительно срока в двенадцать часов?

— Не ваша вина, — повторил Ричер. — Ведь это он не пришел на встречу, а не вы.

— Он скажет, что я должен ему еще тысячу.

— Нет, ведь он не явился в назначенное время, — сказал Ричер. — И все это знают. Бармен взял трубку. Он — свидетель. Вы были здесь, а тот человек — нет.

— Мне негде взять еще тысячу долларов, — сказал Шевик. — У меня их попросту нет.

— Я думаю, что отсрочка не скажется на вашем долге. Это же очевидно. Как одно из условий заключенного контракта. Вы предлагаете законный тендер в правильном месте и в нужное время. Они не пришли, чтобы его принять. Таков один из общих принципов работы закона. Адвокат сможет лучше все объяснить.

— Никаких адвокатов, — сказал Шевик.

— Из-за них вы также тревожитесь?

— Я не могу позволить себе адвоката, — сказал Шевик. — В особенности если мне придется искать еще тысячу долларов.

— Вам не придется. Нельзя получить и то и другое. Вы пришли вовремя. А они — нет.

— Они не прислушиваются к доводам разума.

Бармен бросил на них мрачный взгляд от противоположного конца стойки.

Часы в голове Ричера показали ровно двенадцать.

— Мы не можем ждать здесь шесть часов, — сказал он.

— Моя жена будет беспокоиться, — ответил Шевик. — Мне следует пойти домой, а потом вернуться сюда.

— Где вы живете?

— Примерно в миле отсюда.

— Если хотите, я могу вас проводить, — предложил Ричер.

Шевик долго молчал.

— Нет, я не могу просить вас об этом. Вы и без того очень много для меня сделали, — наконец сказал он.

— Проклятье, получилось невнятно и вежливо, — заметил Ричер.

— Я не могу вас больше задерживать. У вас наверняка есть свои дела.

— Обычно я стараюсь не иметь никаких дел. Очевидно, это реакция на мою прошлую предельно регламентированную жизнь. В результате у меня нет определенного места, куда я направлялся бы, зато есть все время мира, чтобы туда попасть. Так что я охотно отклонюсь на одну милю в сторону.

— Нет, я не могу просить вас об этом, — со вздохом сказал Шевик.

— Регламентация моей прошлой жизни, как я уже говорил, была связана со службой в военной полиции, где меня научили многое замечать. Не просто физические улики, но самые разные вещи о людях. Как они себя ведут, во что верят... Человеческая природа и так далее и тому подобное. По большей части чепуха, но иногда оказывается существенным фактором. Сейчас вам предстоит прогулка длиной в милю по не самому приятному району, в кармане у вас больше двадцати тысяч долларов, и вы чувствуете себя странно — ведь вы уже должны были с ними расстаться, и, если потеряете их, это станет настоящей катастрофой, а вас сегодня уже пытались ограбить. И правда в том, что вы боитесь, но знаете, что я могу вам помочь, у вас все болит после нападения, вы двигаетесь не лучшим образом и понимаете, что и тут я могу вам помочь, поэтому вам следует попросить меня проводить вас до дома.

Шевик не ответил.

— Но вы хорошо воспитаны, — продолжал Ричер. — Вы хотите, чтобы я получил награду. И если я провожу вас до дома и познакомлюсь с вашей женой, вам кажется, что вы должны угостить меня обедом. Но у вас его нет. И вы смущены. Однако вам не следует смущаться. Я все понимаю. У вас материальные проблемы. Вы не обедали нормально уже пару месяцев. И у меня складывается впечатление, что при этом похудели на двадцать фунтов. У вас обвисла кожа. Поэтому мы купим по пути сэндвичи. Денежки Дяди Сэма. Вот откуда наличные у меня в кармане. Налоги, которые вы платили, когда работали. По пути мы насладимся беседой, а потом я провожу вас обратно. Вы расплатитесь с ростовщиком, и я пойду дальше своим путем.

— Спасибо вам, — сказал Шевик. — И я говорю совершенно искренне.

— Всегда пожалуйста, — ответил Ричер. — И я говорю совершенно искренне.

— А куда вы ехали?

— В какое-нибудь другое место. Часто это зависит от погоды. Я не люблю, когда холодно. Тогда можно сэкономить на теплой крутке.

Бармен снова посмотрел в их сторону, но он все еще находился далеко.

— Пойдемте, — предложил Ричер. — Здесь человек может умереть от жажды.

# Глава
# 04

Аарон Шевик шел на встречу с сорокалетним албанцем по имени Фисник, который обычно сидел за столом в дальнем углу бара. Он являлся одним из двух людей, упомянутых Грегори, боссом украинцев. Дино позвонил ему домой и предложил зайти на лесопилку до того, как он приступит к работе в баре. В голосе Дино не прозвучало даже намека на угрозу; более того, босс был веселым и энергичным, как если б собирался похвалить и признать заслуги Фисника. Быть может, расширить его возможности, или сообщить о бонусе, или и то и другое... Может быть, его ждало повышение и новый статус в организации...

Однако все получилось иначе. Фисник в превосходном настроении вошел через маленькую дверь рядом с поднимающимися воротами; через минуту его привязали при помощи клейкой ленты к деревянному стулу, и запах сосны внезапно напомнил ему о гробе, а рев пилы прозвучал как звуки агонии. Сначала ему просверлили колени беспроводной дрелью «ДеВольт», используя сверло в четверть дюйма диаметром. А потом двинулись дальше. Он ничего им не рассказал, потому что говорить было нечего.

Его молчание приняли за признание стоика. Такова была их культура. Он заслужил некоторое неохотное восхищение за силу духа, но этого оказалось недостаточно, чтобы остановить сверло. Фисник умер примерно в то время, когда Ричер и Шевик вышли из бара.

\* \* \*

Первую половину мили они шли мимо заброшенных кварталов, вроде того, где расположился бар, потом оказались на открытом месте, где прежде находились пастбища площадью в десять акров, пока не вернулись домой солдаты со Второй мировой войны. Пастбища застроили ровными рядами небольших одноэтажных домиков, на разных уровнях из-за расположения лугов. За эти семьдесят лет у всех домов по нескольку раз меняли крыши, так что не осталось даже двух одинаковых; у некоторых появились пристройки и новая виниловая обшивка. Часть домов могла похвастаться аккуратно подстриженными лужайками, но встречались и заросшие травой и сорняками дворы, однако в остальном над этой частью города витал призрак послевоенного единообразия — маленькие парковки, узкие дороги, крутые правые повороты с расчетом на возможности рулевого управления «Фордов», «Шевроле», «Студебеккеров» и «Плимутов» 1948 года...

Ричер и Шевик зашли в кафе возле бензоколонки, и Джек купил три сэндвича с куриным салатом, три пачки чипсов и три бутылки содовой. Ричер нес пакет в правой руке, а левой помогал Шевику, и они медленно продвигались вперед по перенаселенному району. Оказалось, что дом Шевика находится в глубине, в тупике, где имелось место для полного разворота автомобиля, едва ли шире самой дороги. Как на конце старомодного термометра.

Дом стоял слева, за белым забором из штакетника, сквозь который проросли ранние розы. Когда-то он был ухоженным, но с тех пор прошло немало времени. Пыльные окна, длинная лужайка...

Ричер и Шевик вышли на бетонную дорожку, ширины которой едва хватало для них двоих. Шевик достал ключ, но не успел вставить его в замок, как дверь открылась. На пороге стояла женщина. Миссис Шевик, тут не могло быть никаких сомнений. Между ними существовала очевидная связь. Седая, сгорбленная, сильно похудевшая, также около семидесяти лет, но голова высоко поднята, а в ясных глазах все еще горит огонь. Она посмотрела на лицо мужа. Царапины на лбу и щеке, запекшаяся кровь на губе...

— Я упал, — сказал Шевик. — Споткнулся на тротуаре и разбил колено. И больше ничего. Вот джентльмен, который оказался настолько добр, что помог мне.

Непонимающий взгляд женщины на секунду переместился на Ричера и тут же вернулся к мужу.

— Нам нужно привести тебя в порядок, — сказала она.

Она отступила назад, и Шевик вошел в коридор.

— А ты... — начала жена, но замолчала, смутившись перед незнакомцем.

Очевидно, она хотела спросить: «А ты заплатил тому парню?» Но некоторые проблемы лучше не доверять чужим людям.

— Это сложно, — сказал Шевик.

Некоторое время все молчали.

Ричер протянул пакет с едой, купленной в кафе.

— Мы принесли обед, — сказал он. — Подумали, что в данных обстоятельствах нам не стоит заходить в магазин.

Миссис Шевик снова посмотрела на него, все еще не понимая, что происходит, а потом у нее в глазах появилась обида. Смущение. Стыд.

— Он знает, Мария, — сказал Шевик. — Он был детективом в армии и прочитал меня, как открытую книгу.

— Ты ему рассказал?

— Он сам понял, — ответил Шевик. — У него отличная подготовка.

— А что сложно? Что произошло? Кто тебя ударил? Этот мужчина?

— Какой мужчина?

Мария посмотрела Ричеру в глаза.

— Этот, с обедом, — сказала она. — Он — один из них?

— Нет, — ответил Шевик. — Вовсе нет. Он совершенно с ними не связан.

— Тогда почему он пришел с тобой? Он тебя провожал? Он похож на тюремного охранника, — заявила Мария.

— Когда меня... — начал Шевик, но остановился и поправился: — Когда я споткнулся и упал, он проходил мимо и помог мне подняться. А потом я понял, что не могу идти самостоятельно, и он снова помог. Он меня не преследовал. И не провожал. Он здесь, потому что я здесь. Ты не можешь получить одно без другого. Не сейчас. Потому что я повредил колено. Все очень просто.

— Но ты же сам сказал, что все *сложно*, — возразила Мария.

— Нам лучше зайти в дом, — сказал Шевик.

Его жена некоторое время стояла неподвижно, потом повернулась и повела их в дом, который внутри выглядел так же, как и снаружи. Старый, ухоженный, но только не в последнее время. Маленькие комнаты, узкие коридоры... Они вошли в гостиную, где стояли диванчик для двоих и два кресла; имелись розетки и провода, но телевизора не было.

— Итак, все-таки что сложно? — снова спросила миссис Шевик.

— Фисник не пришел, — сказал Шевик. — Обычно он сидит там весь день. Но не сегодня. Он лишь передал по телефону, что я должен вернуться туда в шесть часов.

— Ну и где сейчас деньги?

— У меня.

— Где?

— В кармане.

— Фисник заявит, что теперь мы должны ему еще тысячу долларов, — сказала миссис Шевик.

— Этот джентльмен так не думает.

Женщина снова посмотрела на Ричера и перевела взгляд на мужа.

— Нам нужно пойти и привести тебя в порядок. — Потом она снова взглянула на Джека, указала в сторону кухни и сказала: — Пожалуйста, положите обед в холодильник.

Холодильник оказался практически пустым. Ричер открыл дверцу и обнаружил тщательно вымытое пространство, где стояли несколько бутылок, содержимому которых было не менее полугода. Он поставил пакет на среднюю полку, вернулся в гостиную и стал ждать. На стенах висели семейные фотографии, сгруппированные как в журналах. Самыми старыми оказались три потемневших от времени черно-белых снимка в изящных рамках.

На первом перед домом стоял солдат со своей невестой, так решил Ричер. На нем новенькая форма цвета хаки. Рядовой. Вероятно, слишком молодой, чтобы сражаться во Вторую мировую. Вероятно, отслуживший трехлетний срок в Германии уже после ее окончания. Вероятно, призванный снова на войну в Корее. На женщине платье в цветочек, доходившее до икры. Оба улыбаются. Обшивка дома у них за спиной блестит на солнце. Они стоят на голой земле.

На второй фотографии у них под ногами ухоженная лужайка, которой, наверное, уже год, а у женщины на руках ребенок. Те же улыбки, такая же блестящая на солнце обшивка. Молодой отец уже снял военную форму; он одет в брюки из искусственной ткани, с завышенной талией, и белую рубашку с коротким рукавом. Молодая мать сменила платье в цветочек на тонкий свитер и бриджи. Ребенок полностью завернут в шаль, так что видно только лицо, бледное и не слишком четкое.

На третьей фотографии они снова втроем, лет через восемь. За их спинами высокие растения закрывают половину дома, под ногами сочная густая трава. Мужчина через восемь лет уже не такой подтянутый и худой, он слегка раздался в поясе и плечах, волосы поредели и зачесаны назад. Женщина стала еще более хорошенькой, чем прежде, но у нее усталое лицо — женщины на фотографиях пятидесятых годов часто так выглядели.

Восьмилетняя девочка, стоявшая перед ними, была совершенно определенно Марией Шевик. Что-то в форме лица и прямом взгляде говорило о том, что это она. Девочка выросла, родители постарели и умерли, и Мария унаследовала дом. Так решил Ричер. Следующие несколько фотографий подтвердили его догадку. Они были сделаны в потускневших цветах «Кодака», но в том же месте. Та же часть стены. Та же традиция. На первой из новой серии миссис Шевик в возрасте двадцати лет рядом с более прямым и стройным мистером Шевиком, которому также около двадцати; молодые ясные лица, контрастные тени — счастливые широкие улыбки.

Вторая группа фотографий располагалась дальше, слева направо — та же пара с младенцем на руках; ребенок рос, начал ходить, девочка четырех лет, восьми. Сами Шевики менялись вместе с модой на прически семидесятых годов, большие и пышные; блузки в обтяжку с широкими рукавами.

В следующем ряду Ричер увидел девочку-подростка, потом выпускницу школы и молодую женщину. Затем она стала старше, а «Кодак» — новее. Сейчас ей уже около пятидесяти, решил Ричер. Как же называлось это поколение? Должно же оно иметь свое название... Все остальные имели. Кажется, дети послевоенного бума рождаемости.

— А, вот вы где, — сказала миссис Шевик у него за спиной.

— Я любовался вашими фотографиями, — признался он.

— Да...

— У вас есть дочь, — заметил Ричер.

— Да, — повторила она.

В этот момент вошел мистер Шевик. Кровь исчезла с его губы, царапины блестели от желтой мази. Он причесался.

— Давайте поедим, — предложил мистер Шевик.

На кухне стоял маленький стол с алюминиевой окантовкой, ламинированная столешница которого заметно потускнела за долгие годы контакта с тряпкой, но когда-то была яркой и искрящейся; рядом с ним — три одинаковых виниловых стула. Возможно, мебель купили еще в детстве Марии Шевик, для ее первых взрослых обедов. Ножик и вилка, пожалуйста и спасибо. Теперь, через много лет, она предложила Ричеру и мужу садиться, выложила сэндвичи из кафе на фарфоровые тарелки, чипсы — в фарфоровые чашки, а содовую налила в мутные стеклянные бокалы. Затем посмотрела на Ричера и сказала:

— Должно быть, вы считаете нас очень глупыми. Если мы умудрились попасть в такое положение.

— Вовсе нет, — ответил тот. — Возможно, вам просто очень не повезло. Или вы оказались в отчаянном положении. Я не сомневаюсь, что вам пришлось прибегнуть к крайним мерам. Вы продали телевизор. И много других вещей. Полагаю, заложили дом. Но этого оказалось недостаточно. Вам пришлось искать альтернативные источники средств.

— Да, — подтвердила миссис Шевик.

— Я уверен, что у вас были серьезные причины.

— Да, — снова сказала она.

Больше миссис Шевик ничего не стала говорить. Они с мужем принялись за еду — очень медленно, по одному кусочку сэндвича, потом немного чипсов — и глоток содовой. Словно наслаждались необычным вкусом. Или беспокоились о пищеварении. В кухне стало тихо. Сюда не доносился шорох шин проезжавших автомобилей и другие уличные звуки. Стены частично покрывал кафель, как в метро, выше шли обои с цветами, как на платье матери миссис Шевик, но более бледные и не такие дерзкие. На полу лежал линолеум с вмятинами от острых каблуков, снова ставший гладким после многочисленных уборок. Электрические бытовые приборы в последний раз меняли, когда президентом был Никсон. Но Ричер подумал, что столешницы так и остались прежними. Бледно-желтый пластик с изящными волнистыми линиями, похожими на пульсации сердца на мониторе в больничной палате.

Миссис Шевик закончила свой сэндвич. Допила содовую. Стряхнула остатки чипсов с влажных кончиков пальцев. Вытерла салфеткой губы. И посмотрела на Ричера.

— Благодарю вас, — сказала она.

— Не за что, — ответил он.

— Вы считаете, что Фисник не попросит еще тысячу долларов?

— Не должен. Но это не то же самое, что он не станет.

— Я думаю, нам придется платить.

— Я готов с радостью обсудить этот вопрос с Фисником, — предложил Ричер. — От вашего имени. Если хотите. Я мог бы привести ему целый ряд аргументов.

— И я уверена, что они были бы весьма убедительны. Но мой муж сказал, что вы здесь проездом. Завтра вас тут не будет. А мы останемся. Скорее всего, безопаснее заплатить.

— Но у нас нет еще тысячи долларов, — вмешался Аарон Шевик.

Его жена не ответила. Она вертела на пальце кольцо, может быть, подсознательно, — тонкое золотое обручальное кольцо и небольшое колечко на помолвку с бриллиантом. Она думает о ломбарде, понял Ричер. Наверное, рядом с автобусным вокзалом, на дешевой улице. Но ей потребуется нечто больше, чем обручальное кольцо и маленький бриллиант, чтобы получить тысячу долларов. Возможно, у нее остались вещи матери, которые лежат на втором этаже в ящике туалетного столика. Может быть, они получили наследство от умерших тетушек и дядюшек, булавки, кулоны и часы, подаренные им после выхода на покой...

— Мы пересечем этот мост, когда окажемся перед ним, — сказала миссис Шевик. — Может быть, он поведет себя разумно. Вдруг он не станет просить больше денег?

— Они неразумные люди, — возразил мистер Шевик.

— У вас есть прямые свидетельства? — спросил у него Ричер.

— Только косвенные. Фисник в самом начале объяснил мне про штрафы. У него в телефоне были фотографии и короткое видео. Меня заставили их посмотреть. В результате мы все платежи делали вовремя. До настоящего момента.

— А вы не думали обратиться в полицию?

— Конечно, думали. Но мы добровольно заключили контракт. Мы взяли взаймы их деньги и приняли условия. И одно из них заключалось в том, что мы не обращаемся в полицию. Мне показали наказание, заснятое на телефон Фисника. В целом мы решили, что рисковать не стоит.

— Вероятно, разумное решение, — сказал Ричер, хотя думал иначе.

Он считал, что Фиснику следовало нанести удар в горло, а не уважать заключенный с ним контракт. Возможно, после этого треснуть его лицом о стол, в том, самом дальнем углу в баре. Но, с другой стороны, Ричер не был голодающим согбенным стариком семидесяти лет. Наверное, они приняли разумное решение.

— В шесть часов многое прояснится, — сказала миссис Шевик.

\* \* \*

В течение следующих нескольких часов они избегали этой темы, беседуя о своей жизни, как при обычных вежливых разговорах. Миссис Шевик действительно унаследовала дом от родителей, которые купили его вслепую, охваченные всеобщим стремлением стать средним классом, по биллю о льготах солдатам Второй мировой войны. Она сама родилась год спустя, как и лужайка на фотографии, и выросла здесь, а в тот год, когда ее родители умерли, познакомилась с будущим мужем, квалифицированным станочником из тех же мест. Через год у них родилась дочь, ставшая вторым поколением. Она хорошо училась в школе и нашла работу. Дочь так и не вышла замуж, и у нее не было детей, но что с того? Ричер заметил, что тон их рассказа изменился, когда дело дошло до настоящего времени. Он стал унылым, каким-то напряженным, словно о некоторых вещах они не могли говорить.

Часы у него в голове показали пять. Он проходил милю за пятнадцать минут, большинству людей для этого требовалось двадцать, но он понимал, что у Шевика дорога займет почти час.

— Время пришло, — сказал Ричер. — Нам пора.

# Глава
# 05

Ричер снова помог Шевику спуститься с тротуара, перейти на противоположную сторону улицы и подняться на тротуар. Как и в прошлый раз, он вошел в бар первым. По той же причине. Незнакомый мужчина, входящий перед целью, в десять раз менее подозрителен на подсознательном уровне, чем незнакомец, который идет сразу вслед за ней. Человеческая природа. По большей части ерунда, но иногда оказывается существенным фактором.

За стойкой стоял тот же толстый тип. Но теперь в зале находились девять новых посетителей. Две пары и пятеро одиночек, занимавших отдельные столы. Один из них сидел на том же месте шесть часов назад. Другой одиночкой оказалась женщина лет восьмидесяти. Она держала в руках стакан с прозрачной жидкостью — скорее всего, не водой.

Столик в дальнем правом углу был занят.

За ним сидел крупный мужчина лет сорока с такой бледной кожей, что в тусклом свете казалось, будто она испускает сияние. Бледные глаза, белые ресницы и белые брови. Волосы цвета кукурузных рыльцев подстрижены так коротко, что блестят. Толстые белые запястья лежат на краю стола, большие белые пальцы — на пухлой бухгалтерской книге. Иностранный алфавит. Не русский. Что-то другое.

Ричер сел, не сделав заказ. Через минуту вошел прихрамывающий Шевик и посмотрел на дальний столик в правом углу. И снова удивленно остановился. Затем сделал несколько шагов в сторону и сел за стол Ричера.

— Это не Фисник, — прошептал он.

— Вы уверены? — спросил Ричер.

— У Фисника смуглая кожа и черные волосы.

— Вы когда-нибудь видели этого типа?

— Никогда, всегда приходил Фисник.

— Может быть, он заболел и сюда звонили именно по этой причине, — предположил Ричер. — Ему требовалась замена, но он не мог ее найти до шести часов.

— Может быть.

Джек промолчал.

— Что? — прошептал Шевик.

— Вы уверены, что никогда не видели этого парня?

— А что?

— В таком случае и он вас никогда не видел. У него есть лишь строка в бухгалтерской книге.

— Что вы предлагаете?

— Раз так, я вполне могу быть вами. Я расплачусь с этим типом за вас, а заодно урегулирую детали.

— Вы имеете в виду, если он попросит еще денег? — уточнил Шевик.

— Я могу попытаться его убедить. Многие люди в конечном счете поступают правильно.

Теперь уже Шевик ничего не ответил.

— Я должен быть уверен в одном, — сказал Ричер. — В противном случае я буду выглядеть глупо.

— В чем именно?

— Это последний платеж? Двадцать две с половиной тысячи, и всё?

— Да, такова сумма нашего долга.

— Дайте конверт.

— Это безумие.

— У вас был трудный день. Расслабьтесь немного.

— Мария правильно сказала, — заметил Шевик. — Завтра вас здесь не будет.

— Я не оставлю вас с этой проблемой. Он либо согласится, либо нет, — продолжал убеждать его Ричер. — Если не согласится, ваше положение не станет хуже. Но решать вам. Меня устроит любой вариант. Я не ищу неприятностей. Я люблю спокойную жизнь. Но вы сможете сэкономить себе прогулку до стола в углу и обратно. Ваше колено все еще выглядит не лучшим образом.

Несколько долгих мгновений Шевик сидел неподвижно и молчал. Потом вытащил из кармана конверт и быстрым незаметным движением протянул Ричеру, который взял его. Толщиной три четверти дюйма. Тяжелый. Джек положил конверт в карман и сказал:

— Сидите спокойно.

Он встал и зашагал в сторону дальнего угла. Ричер считал себя современным человеком, рожденным в двадцатом веке, живущим в двадцать первом, но он также знал, что в голове у него имеется открытый портал, червоточина, ведущая в примитивное прошлое человечества, где в течение миллионов лет каждое живое существо могло оказаться хищником или соперником, а потому его следовало быстро и точно оценивать. Кто находится на верхней ступеньке пищевой цепочки? Кому следует подчиниться?

Он сразу понял, что громила, сидевший за угловым столиком, будет серьезным соперником, если до этого дойдет и они перейдут от словесных действий к физическим. Нет, не предельно серьезным. Нечто среднее между большим и маленьким вызовом. Почти наверняка он прошел подготовку, если только не служил в армии США, где учат самым грязным методам рукопашной борьбы в мире, хотя никогда не признаются в этом публично. Кроме того, противник был крупным, заметно моложе и выглядел так, словно у него имелся немалый опыт в подобных делах. Ричер понял, что его едва ли удастся легко напугать. Он явно привык одерживать победы.

Древняя часть мозга Джека приняла информацию на подсознательном уровне и выдала «желтое» предупреждение, однако это его не остановило. Сидевший за столом громила, в свою очередь, наблюдал за ним, делая свои атавистические оценки. Кто является высшим животным? Парень выглядел весьма уверенным в себе. Как если бы считал свои шансы предпочтительными.

Ричер сел на стул, на котором шесть часов назад осторожно пристроился Шевик. Место для посетителей. Вблизи мужчина, сидевший на месте принимающей стороны, выглядел несколько старше, чем издалека. Сорок с лишним. Может быть, между сорока и пятьюдесятью. Заметно старше. Серьезный мужчина с точки зрения возраста, но впечатление несколько портил призрачный цвет кожи. Пожалуй, это было самой заметной его чертой. И еще татуировки, неумело сделанные и неровные. Тюремные чернила. Скорее всего, не в американской тюрьме.

Громила взял бухгалтерскую книгу, открыл и подвинул на край стола, затем с некоторым затруднением посмотрел на нее, как если бы держал карты слишком близко к груди.

— Как тебя зовут? — спросил он.

— А тебя? — поинтересовался Ричер.

— Мое имя не имеет значения.

— Где Фисник?

— Фисника заменили. И теперь ты будешь иметь дело со мной.

— Мне нужно кое-что побольше, чем твои слова. Речь идет о важной сделке и значительной сумме. Фисник одолжил мне деньги, и я должен ему их вернуть.

— Я уже сказал, что вместо Фисника ты теперь будешь вести все дела со мной. Его клиенты стали моими клиентами. Если ты должен деньги ему, значит, теперь ты должен мне. Это не бином Ньютона. Как тебя зовут?

— Аарон Шевик, — ответил Ричер.

Его собеседник, прищурившись, посмотрел в книгу. И кивнул.

— Это последняя выплата? — спросил он.

— Я получу расписку? — задал свой вопрос Ричер.

— А Фисник давал тебе расписки?

— Ты не Фисник. Я даже не знаю твоего имени.

— Мое имя не имеет значения, — повторил громила.

— А для меня имеет, — заявил Джек. — Я должен знать, кому плачу.

Не-Фисник постучал пальцем, белым, точно кость, по блестящей голове.

— Твоя расписка здесь, — сказал он. — Больше тебе ничего не надо знать.

— Но завтра ко мне может прийти Фисник, — возразил Ричер.

— Я уже сказал тебе дважды: вчера ты принадлежал Фиснику, а сегодня ты мой. И завтра все еще будешь моим. Фисник стал историей. Фисник ушел. Вещи меняются. Сколько ты должен?

— Я не знаю, — сказал Ричер. — Это говорил мне Фисник. У него есть формула.

— Какая формула?

— О выплатах, штрафах и дополнениях. С округлением до сотни плюс пятьсот долларов на административные расходы. Такими были его правила. Я никогда не мог их понять. И не хотел, чтобы он думал, будто я собираюсь недоплачивать. Я предпочитал отдавать ему столько, сколько он говорил. Так безопаснее.

— И сколько, думаешь, ты должен?

— Сейчас? — уточнил Ричер.

— Твой последний платеж.

— Я бы не хотел, чтобы ты подумал, что я собираюсь тебе недоплатить. Ведь ты унаследовал бизнес Фисника. Я полагаю, что условия останутся теми же.

— Тогда назови мне оба числа, — предложил Не-Фисник. — Что ты посчитал сам, а потом — сколько получится по формуле Фисника. Может быть, я сделаю тебе скидку, а разницу мы поделим. Как начальное предложение.

— У меня получилось восемьсот долларов, — сказал Ричер. — Но Фисник, скорее всего, насчитал тысячу четыреста. Как я уже говорил. Округление до целой сотни плюс пятьсот.

Его собеседник, прищурившись, посмотрел в книгу. Потом кивнул, медленно, с мудрым видом, полностью соглашаясь.

— Но скидки не будет, — сказал он. — Я решил ее не делать. Я возьму с тебя тысячу четыреста.

Он закрыл книгу и положил ее на стол.

Ричер засунул руку в карман, быстро отсчитал четырнадцать сотенных банкнот из пачки Шевика и протянул через стол. Бледный тип проверил их уверенными движениями, сложил и убрал в карман.

— Теперь мы в расчете? — спросил Ричер.

— В полном, — сказал Не-Фисник.

— Расписка?

Громила снова постучал пальцем по своей голове.

— А теперь проваливай, — сказал он. — До следующего раза.

— В каком смысле? — спросил Ричер.

— Тебе потребуется новый заем.

— Надеюсь, что нет.

— Неудачникам вроде тебя всегда нужны деньги, — заявил новый ростовщик. — Ты знаешь, где меня найти.

Ричер немного помолчал.

— Да, — сказал он. — Я знаю. Можешь не сомневаться.

Он задержался на несколько секунд, потом встал и медленно, глядя прямо перед собой, вышел из бара, пока не оказался на тротуаре.

Через минуту появился хромавший Шевик.

— Нам нужно поговорить, — сказал Ричер.

# Глава
## 06

Шевик все еще владел сотовым телефоном. Он объяснил, что не продал его, потому что аппарат был старым и почти ничего не стоил, избавиться от него получилось бы заметно дороже, а потому он продолжал им пользоваться. К тому же иногда возникали моменты, когда телефон был необходим. Ричер сказал, что сейчас наступил именно такой момент, и попросил Шевика вызвать такси. Тот возразил, что он не может себе этого позволить, но Ричер ответил, что может, по крайней мере один раз.

За ними приехала старая «Краун Виктория» с отслаивающейся оранжевой краской, полицейским прожектором и рулежной фарой на крыше. Не самое привлекательное транспортное средство. Однако оно функционировало. Со стонами и вилянием они преодолели милю, отделявшую их от дома Шевика. Ричер снова помог старику пройти по узкой бетонной дорожке, и вновь дверь открылась до того, как Шевик успел вставить ключ в замочную скважину. Миссис Шевик посмотрела на него. Такси? Из-за колена? Но тогда зачем вместе с тобой вернулся этот мужчина?

И самое главное: мы должны еще тысячу долларов?

— Все снова сложно, — сказал Шевик.

Они опять направились на кухню. Плита оставалась холодной. Никакого обеда — они сегодня уже ели. Все уселись за стол. Шевик рассказал свою часть истории. Вместо Фисника пришел другой мужчина, жутковатого вида бледный незнакомец с большой черной книгой. Ричер предложил выступить в качестве посредника.

Миссис Шевик перевела взгляд на Джека.

— Я практически уверен, что он украинец. У него на шее тюремная татуировка. Совершенно определенно кириллица.

— Я не думаю, что Фисник был украинцем, — сказала миссис Шевик. — Фисник — это албанское имя. Я смотрела в словаре.

— Он сказал, что Фисника заменили. И все дела, которые кто-либо вел с Фисником, теперь переходят к нему, а клиенты Фисника стали его клиентами. Он сказал: если вы были должны деньги Фиснику, теперь вы должны их мне. Повторил несколько раз. Сказал, что это не бином Ньютона.

— Он хотел получить еще одну тысячу долларов? — спросила миссис Шевик.

— Он открыл бухгалтерскую книгу так близко к груди, что ему самому было неудобно ее читать, — сказал Ричер. — Сначала я не понимал, почему он так делает, и решил, что просто не хочет, чтобы я видел записи. Он спросил, как меня зовут, и я ответил: «Аарон Шевик». Он посмотрел в свою книгу и кивнул. И мне это показалось странным.

— Почему? — спросила миссис Шевик.

— Каковы шансы, что он открыл книгу на букве «Ш»? Одна двадцать шестая[1]. Возможно, но маловероятно. Тогда я стал думать, что он прятал ее вовсе не из-за записей — просто не хотел, чтобы я увидел, что в ней ничего нет. Такова моя догадка. И он доказал, что она верна. Он спросил, сколько я должен. Он попросту не знал. У него не было данных Фисника. И он принес не его бухгалтерскую книгу, а держал в руках совершенно пустую.

— И что все это значит? — спросила миссис Шевик.

— Это значит, что происходит не рутинная внутренняя реорганизация. Они не посадили Фисника на скамейку запасных, чтобы выставить на поле замену. Речь о враждебном поглощении со стороны. Там полностью сменился менеджмент. Я проанализировал все, что говорил тот тип. И все понял. Кто-то другой занял место Фисника в организации.

— Подождите, — сказала миссис Шевик. — Я слышала по радио. Кажется, на прошлой неделе. У нас появился новый полицейский комиссар. Он утверждает, что в нашем городе действуют две враждующие банды: украинцы и албанцы.

---

[1] В английском алфавите 26 букв.

— Ну вот, еще одно подтверждение. — Ричер кивнул. — Украинцы частично забирают бизнес у албанцев. Теперь вы имеете дело с новыми людьми.

— Они хотели получить лишнюю тысячу долларов? — снова спросила миссис Шевик.

— Они смотрят в будущее, а не в прошлое, — ответил Ричер. — Они готовы списать старые долги Фисника. Все или частично. Потому что у них нет другого выхода. Они не знают, кто и сколько должен. Они не располагают необходимой информацией. Так почему бы не списать? Ведь деньги принадлежали не им. И это не их клиенты. Они лишь хотят получить их в дальнейшем. Вот и всё. Они сейчас работают на будущее. Хотят обеспечить себя на многие годы вперед.

— Вы ему заплатили? — спросила миссис Шевик.

— Он спросил, каков мой долг, и я рискнул: сказал, тысяча четыреста долларов. Он посмотрел на пустую страницу, торжественно кивнул и согласился. Ну, я и отдал ему тысячу четыреста долларов. Тогда он сказал, что я могу идти, и подтвердил, что я полностью расплатился.

— И где остальные деньги? — спросила миссис Шевик.

— Здесь, — сказал Ричер.

И вытащил из кармана конверт, который стал лишь немногим менее толстым. Там все еще лежали двести одиннадцать банкнот. Двадцать одна тысяча сто долларов. Ричер положил деньги на стол, посередине. Равноудаленно. Шевик и его жена смотрели на них и молчали.

— Мы живем во вселенной, полной случайностей. Иногда синяя луна[1] поворачивается в нужную сторону. Как в данном случае. Кто-то начал войну, и вы оказались величиной, противоположной сопутствующему ущербу.

— Только если Фисник не появится на следующей неделе и не пожелает получить все деньги плюс еще семь тысяч, — заметил мистер Шевик.

---

[1] Английская идиома *once in a blue moon* («однажды при синей луне») переводится на русский как «после дождичка в четверг», «когда рак на горе свистнет», «раз в год по обещанию» — т. е. крайне редко, почти никогда.

— Он не появится, — сказал Ричер. — Фисника заменили. И сообщил об этом украинский гангстер с тюремной наколкой, из чего следует, что Фисник почти наверняка мертв.
Или полностью выведен из игры. Он не появится на следующей неделе. И ни в какой другой день. А у новых парней
нет к вам ни малейших претензий. Они так сказали. Вам не
грозит опасность.

Наступило долгое молчание.

— Благодарю вас, — сказала миссис Шевик.

Тут зазвонил мобильный телефон Шевика; тот, прихрамывая, вышел в коридор и включил связь. Ричер услышал
слабый пластиковый писк. Мужской голос, решил он. Слов
Джек разобрать не смог. Какой-то длинный поток информации. Потом ответ Шевика, громкий и четкий, с расстояния
в десять футов, дальше тихое согласие, усталое и лишенное
удивления, однако Ричер уловил разочарование. Затем Шевик задал вопрос.

— Сколько? — спросил он.

Слабый пластиковый писк что-то ответил.

Шевик закрыл телефон, немного постоял на месте, потом, все так же хромая, вернулся на кухню, сел за стол, сложил перед собой руки и посмотрел на конверт. Его взгляд
не был пристальным. Скорее в нем смешались сладость и
горечь. Равноудаленно. На очень сильно удаленном расстоянии от всех других чувств.

— Они хотят еще сорок тысяч долларов, — сказал он.

Его жена закрыла глаза, а потом поднесла руки к лицу.

— Кто хочет? — спросил Ричер.

— Не Фисник, — сказал Шевик. — И не украинцы. Ни
те, ни другие. Совсем другая история. Это причина, по которой мы брали деньги взаймы с самого начала.

— Вас кто-то шантажирует? — спросил Ричер.

— Нет, ничего подобного. Я бы очень хотел, чтобы все
было так просто. Могу лишь сказать, что нам приходится
оплачивать счета и сейчас мы получили очередной. Теперь
мы должны найти сорок тысяч долларов. — Он снова посмотрел на конверт. — Часть суммы у нас уже есть благода-

ря вам. — Он погрузился в вычисления. — Технически нам нужно еще восемнадцать тысяч девятьсот долларов.

— К какому сроку?

— К завтрашнему утру.

— А вы их найдете?

— Мы не можем найти даже восемнадцать центов.

— Почему так быстро?

— Некоторые вещи не могут ждать.

— Что вы собираетесь делать?

Шевик не ответил.

Его жена убрала руки от лица.

— Пойдем к мужчине с тюремной наколкой, — ответила она. — У нас нет выбора. Мы опустошили все наши запасы.

— А вы сможете вернуть ему деньги? — спросил Ричер.

— Мы подумаем об этом, когда придет время, — ответила миссис Шевик.

Все молчали.

— Я сожалею, что больше не могу вам помочь, — сказал Джек.

Миссис Шевик посмотрела на него.

— Вы можете, — сказала она.

— В самом деле?

— Более того, вы должны. Мужчина с тюремной наколкой думает, что вы — Аарон Шевик. Вы должны получить у него для нас деньги.

# Глава
# 07

Они проговорили еще тридцать минут. Ричер и Шевики снова и снова возвращались к деталям с разных сторон. Некоторые факты удалось установить довольно быстро. Фиксированные точки. Решающие факторы. Им нужны деньги. Без вопросов. Без обсуждений. Они совершенно необходимы к утру. Никаких отклонений от возможного курса. Никакой гибкости.

И они отказывались что-либо объяснить.

Сбережения всей их жизни подошли к концу. Дом Шевикам уже не принадлежал. Недавно они получили ссуду под залог дома — заключили договор, специально разработанный для пожилых людей, по которому те могли жить в нем до самой смерти, но право владения перешло к банку. Полученную ими значительную сумму они уже потратили. И больше банк им ничего не даст. Их кредитные карты были использованы на максимум и аннулированы. Они взяли в долг под страхование жизни и отказались от стационарного телефона. Продали машину и все вещи, имевшие хоть какую-то ценность. Остались только личные безделушки. Их фамильные ценности состояли из пяти золотых обручальных колец в девять карат, трех маленьких колец с бриллиантами и золотых часов с треснувшим стеклом. Ричер прикинул, что даже в самый счастливый момент жизни самый добросердечный ростовщик в мире даст за них двести долларов. И никак не больше. Или даже сотню в неудачный день. Меньше капли в ведре.

Они начали иметь дело с Фисником пять недель назад. Узнали про него от соседей. Это был слух, а не рекомендация. Имя, связанное со скандалом. Какая-то зловещая история про кузена жены соседа, который занял деньги у гангстера в баре. Его звали Фисник, представляете? Шевик сумел сузить радиус поисков, основываясь на деталях и разговорах, после чего стал один за другим проверять все бары подряд в данном районе, краснея и смущаясь под удивленными взглядами; тем не менее у каждого следующего бармена он спрашивал, не знает ли тот человека по имени Фисник, пока на четвертой попытке толстяк с отвратительными манерами не указал ему большим пальцем в сторону углового столика.

— И как это было устроено? — спросил Ричер.

— Совсем просто, — ответил Шевик. — Я подошел к его столику, остановился перед ним, и он стал меня разглядывать, потом предложил сесть. Я принял его приглашение. Сначала ходил вокруг да около, а потом просто сказал, что мне нужны деньги и я знаю, что он может дать в долг. Фисник спросил, сколько я хочу получить, и я ответил. Он объяснил условия договора и показал фотографии. Я посмотрел видео и дал ему номер моего счета. Через двадцать минут деньги пришли в мой банк. Их каким-то не оставляющим следа способом перевели через корпорацию в штате Делавэр.

— А я представлял сумку с деньгами, — сказал Ричер.

— Возвращать деньги мы должны были наличными, — сказал Шевик.

Джек кивнул.

— Два в одном, — сказал он. — Решение двух задач сразу. Ростовщичество и отмывание. Они отправляют грязные деньги, а получают чистые с улицы. Ко всему прочему высокий процент. При отмывании денег в большинстве случаев процент теряется, а не выигрывается. Полагаю, парни совсем не дураки.

— Только не исходя из нашего опыта, — сказал Шевик.

— Как вы думаете, украинцы будут лучше или хуже?

— Наверное, хуже. Закон джунглей это уже доказал.

— И как вы рассчитываете вернуть деньги?

— Это проблема завтрашнего дня. — Шевик пожал плечами.

— Вам больше нечего продать, — заметил Ричер.

— Ну, какое-нибудь решение найдется.

— Разве что в ваших мечтах.

— Нет, в реальности. Мы кое-чего ждем. У нас есть основание думать, что это случится довольно скоро. Нам пришлось сильно затянуть пояса.

Но они категорически отказались рассказать, чего именно ждут.


* * *

Двадцать минут спустя ничем не обремененный Ричер пересек улицу четырьмя быстрыми шагами, поднялся на тротуар и открыл дверь бара. Внутри было светлее, чем раньше, снаружи стемнело, и стало заметно более шумно —

ведь в баре собралось значительно больше посетителей, в том числе группа из пяти мужчин, сидевших за столиком на четверых и погрузившихся в какие-то приятные воспоминания.

Белокожий ростовщик по-прежнему сидел за столиком в дальнем углу.

Ричер направился прямо к нему. Гангстер не спускал с него глаз. Джек попытался вспомнить их предыдущий разговор. Он знал, что должен следовать определенным условностям. Ростовщик и тот, кто берет взаймы. Ричер старался держаться дружелюбно — так ему казалось, — свободные непринужденные движения, никаких угроз окружающим. Он сел на тот же стул.

— Аарон Шевик, верно? — спросил украинец.

— Да, — ответил Ричер.

— Что привело тебя ко мне так скоро?

— Мне нужен заем.

— Так быстро? Ты только что рассчитался.

— Возникли новые обстоятельства.

— Я же говорил, — сказал бледный парень. — Неудачники вроде тебя всегда возвращаются.

— Я помню, — не стал спорить Ричер.

— Сколько ты хочешь?

— Восемнадцать тысяч девятьсот долларов.

Белокожий ростовщик покачал головой.

— Столько не могу, — сказал он.

— Почему нет?

— Это слишком большой скачок от восьми сотен в прошлый раз.

— От тысячи четырехсот, — поправил его Ричер.

— Из них шестьсот — гонорар и процент. Исходная сумма всего восемьсот долларов.

— Так было тогда. Сейчас все по-другому. Мне нужна именно такая сумма.

— А тебе можно доверять?

— Раньше всегда было можно. Спроси у Фисника.

— Фисник уже история, — сказал ростовщик.

И замолчал.

Ричер ждал.

— Может быть, есть вариант, при котором я смогу тебе помочь, — наконец заговорил белокожий. — Однако ты должен понимать, что я рискую и это отразится на цене. Тебя устраивает такой сценарий?

— Пожалуй, да, — сказал Ричер.

— И еще должен сказать, что я люблю круглые числа. Не могу дать восемнадцать тысяч девятьсот. Только двадцать. Плюс тысяча сто мне, за обслуживание. И ты получишь сумму, которая тебе нужна. Хочешь узнать проценты?

— Пожалуй, да, — повторил Ричер.

— Со времен Фисника все изменилось. Мы перешли в эру инноваций. Цены у нас стали динамическими. Мы увеличиваем и снижаем проценты в зависимости от спроса и предложения и тому подобных вещей, а также многое зависит от нашего мнения о заемщике. Насколько он надежен? Можем ли мы ему верить? Такого рода вопросы.

— Ну и как обстоит дело со мной? — спросил Ричер. — Процент растет или понижается?

— В твоем случае я намерен начать с самого верха, где риск максимален. Правда состоит в том, что ты мне не очень нравишься, Аарон Шевик. Меня преследует неприятное чувство. Сегодня ты получишь двадцать тысяч, а через неделю принесешь двадцать пять. За каждую неделю или даже несколько дней просрочки твой долг вырастет на двадцать пять процентов плюс тысяча долларов за день или часть дня. После первого срока возврата все суммы должны быть выплачены по первому требованию. Отказ или неспособность выполнить мои условия может привести к очень неприятным последствиям. Я хочу, чтобы ты осознал их прямо сейчас и сказал об этом вслух. Такие вещи нельзя написать на бумаге и поставить подпись. У меня есть фотографии, на которые ты должен посмотреть.

— Прекрасно, — сказал Ричер.

Белокожий тип прикоснулся к экрану телефона. Появилось меню, альбомы, слайд-шоу. Он показывал фото не в портретном, а в ландшафтном режиме, что было вполне естественно, ведь все объекты лежали. Большинство были примотаны клейкой лентой к железному остову кровати в комнате с побеленными стенами, ставшими серыми от времени и сырости. Некоторым выковыривали глаза ложкой, других касались электрической пилой, постепенно входившей в тело все глубже, обжигали раскаленным железом, сверлили при помощи беспроводных электроинструментов, которые были четко видны на фотографиях — желтые и черные, тяжелые и вибрирующие, и сверла уходили на две трети в слабую плоть.

Очень неприятные фотографии.

Ричер видел вещи и похуже. Но на одном телефоне, пожалуй, это был рекорд.

Он вернул телефон. Ростовщик снова повозился с меню, пока не нашел нужное место. Он перешел к серьезному бизнесу.

— Ты понял условия контракта?

— Да.

— Ты с ними согласен?

— Да.

— Банковский счет?

Ричер назвал цифры, которые сообщил ему Шевик. Белокожий тип набрал их прямо в телефоне и нажал на большую прямоугольную кнопку зеленого цвета в нижней части. Стартовую кнопку.

— Деньги появятся на твоем банковском счете через двадцать минут.

Затем он снова повозился с меню, неожиданно поднял телефон и использовал его как камеру, сфотографировав Ричера.

— Благодарю вас, мистер Шевик. С вами приятно иметь дело. Встретимся ровно через неделю.

Он снова постучал по своей колючей голове белым, как кость, пальцем, повторяя прежний жест. Что-то о памяти. С угрожающими намеками.

«Как пожелаешь», — подумал Ричер.

Он встал и вышел из бара в темноту. У тротуара стоял автомобиль. Черный «Линкольн» с работающим на холостом ходу двигателем. За рулем бездельничал водитель, который откинулся на спинку сиденья, широко расставив локти и колени, как все шоферы лимузинов; он отдыхал.

Рядом с машиной, опираясь о багажник, стоял какой-то тип, одетый так же, как водитель и бледный ростовщик из бара. Черный костюм, белая рубашка, черный шелковый галстук. Что-то вроде формы. Скрестив руки на груди, он ждал. Этот тип выглядел как белокожий ростовщик, сидевший в углу бара, после того как провел месяц на солнце, и от его кожи не исходило сияние. Светлые, коротко подстриженные волосы, сломанный нос, следы шрамов на бровях.

«Не самый лучший боец, — подумал Ричер. — Очевидно, он пропускал слишком много ударов».

— Ты — Шевик? — спросил парень.

— А кто спрашивает? — поинтересовался Ричер.

— Люди, которые только что дали тебе взаймы деньги.

— Похоже, ты уже знаешь, кто я такой.

— Мы намерены отвезти тебя домой.

— Предположим, я не хочу никуда с вами ехать.

— Часть сделки, — сказал парень.

— Какой сделки?

— Нам нужно знать, где ты живешь.

— Зачем?

— Страховка.

— Проверьте меня, — предложил Ричер.

— Мы проверили.

— И?..

— Тебя нет в телефонной книге. Ты не владеешь недвижимостью, — продолжал парень в черном костюме.

Ричер кивнул. Шевики отказались от стационарного телефона. А их домом владел банк.

Он промолчал.

— А миссис Шевик существует в природе? — спросил настырный тип.

— Зачем вам это знать?

— Может быть, нам следует поговорить с ней, пока мы будем смотреть, где ты живешь. Мы любим наблюдать за нашими клиентами. И любим дружить семьями. Мы поняли, что это помогает бизнесу. А теперь садись в машину.

Ричер покачал головой.

— Ты меня неправильно понял, — заявил Черный Костюм. — У тебя нет выбора. Это часть сделки. Ты взял у нас деньги.

— Ваш молочно-белый друг объяснил мне условия контракта, причем с большими подробностями. Плата за управление, динамические цены, штрафы... Он даже поделился со мной визуальной информацией. А затем спросил, принимаю ли я его условия; я сказал «да, принимаю», и мы заключили договор. Вы не можете добавлять после этого дополнительные условия вроде поездки ко мне домой и знакомства с семьей. В момент переговоров я не стал бы возражать, но контракт — это улица с двухсторонним движением. Предмет обсуждения и соглашения. Он не может меняться в одностороннем порядке. Таков базовый принцип.

— Хорошо излагаешь, — заявил тип в черном костюме.

— Надеюсь, — сказал Ричер. — Иногда я беспокоюсь из-за своего избыточного педантизма.

— Что?

— Вы имеете полное право предложить подвезти меня, но не можете настаивать на моем согласии.

— Что?

— Ты слышал.

— Ладно, я предлагаю тебя подвезти. Последний шанс. Садись в машину, — прорычал Черный Костюм.

— Скажи «пожалуйста», — потребовал Ричер.

Тот долго молчал.

— Пожалуйста, садись в машину, — наконец проворчал он.

— Ладно, — ответил Джек. — Раз уж ты так вежливо попросил.

# Глава
# 08

Самый безопасный способ перевозить враждебного заложника — заставить его сесть за руль и не дать пристегнуть ремень. Парни из «Линкольна» этого не сделали. Они выбрали второй лучший вариант — посадили Ричера сзади, за пустым передним пассажирским сиденьем, чтобы он не мог атаковать того, кто находился непосредственно впереди. Тип, который вел переговоры, занял место с другой стороны, за водителем, вполоборота к Ричеру.

— Куда ехать? — спросил он.

— Развернитесь, — сказал Джек.

Водитель сделал U-образный разворот от одного тротуара до другого, задел бордюрный камень передним колесом и покатил дальше.

— Прямо вперед пять кварталов, — сказал Ричер.

Водитель так и сделал. Он был версией первого парня, только не такой бледный. Белокожий, конечно, но не ослепительно. Такие же короткие золотистые волосы и большие розовые уши, торчавшие перпендикулярно голове. На тыльной стороне левой руки Ричер заметил шрам от ножа, скорее всего полученный при обороне. Из-под правого рукава выглядывала потускневшая татуировка, похожая на паука.

Шины «Линкольна» постукивали на разбитом асфальте и булыжном покрытии мостовой. Они миновали пять кварталов и оказались у перекрестка со светофором. Там, где остановился Шевик, перед тем как перейти дорогу. Им предстояло покинуть старый мир и отправиться в новый. Плоская, открытая местность. Бетон и гравий. Широкие тротуары. В темноте все выглядело иначе. Впереди находился автобусный вокзал.

— Прямо, — сказал Ричер.

Водитель проехал на зеленый свет. Они миновали автобусный вокзал и покатили дальше, держась на вежливом расстоянии от районов с высокой арендной платой. Через полмили оказались у того места, где автобус сворачивал с главной магистрали.

— Направо, — сказал Ричер. — В сторону автострады.

Он заметил, что двухполосная дорога шла через город, называясь Центральной улицей, потом расширилась до четырех полос и получила номер, как шоссе штата. Впереди появился огромный супермаркет. Чуть дальше находились парковки.

— Проклятье, куда мы едем? — спросил громила, сидевший сзади. — Здесь никто не живет.

— Поэтому мне тут нравится, — ответил Ричер.

Дорога стала ровной. Шины тихонько шипели. Впереди ни одной машины. Джек не знал, что происходит сзади, но не мог рисковать и оборачиваться.

— Объясните мне еще раз, зачем вы хотите увидеть мою жену, — сказал он.

— Обычно это оказывается полезным, — ответил парень, сидевший сбоку.

— В каком смысле?

— Мы выплачиваем банковскую ссуду, потому что тебя беспокоит твой кредитный рейтинг и доброе имя, а также положение в общине, — сказал парень. — Но сейчас ты лишился всего. Можно считать, что ты в сточной канаве. О чем тебе теперь беспокоиться? Что может заставить тебя вернуть деньги?

Они проехали мимо парковок. Все еще никакого движения. На некотором расстоянии впереди находился большой автосалон. Проволочная ограда, ряды темных силуэтов, флажки, которые в лунном свете казались серыми.

— Звучит как угроза, — сказал Ричер.

— Дочери также годятся, — заметил парень сбоку.

Никаких машин.

Ричер ударил своего соседа в лицо. Совершенно неожиданно. Внезапный взрыв мышечной энергии. Без предупреждения. Свайный молоток с максимальной скоростью и поворотом внутри ограниченного пространства машины. Голова громилы ударилась о раму окна у него за спиной, и на стекло брызнула кровь из носа.

Ричер перезарядил батарейки и ударил водителя. С такой же силой. И с тем же результатом. Наклонился вперед и провел прямой правой в ухо. Голова дернулась в сторону, ударилась о стекло и отскочила — в это время подоспел второй прямой правой в то же ухо, а потом третий, окончательно погасивший свет. Водитель упал на рулевое колесо.

Ричер мгновенно сложился в нише под задним сиденьем.

Через секунду машина ударилась в ограду автосалона на скорости сорок миль в час, раздался оглушительный грохот и вой банши — это взорвались воздушные подушки, Ричера прижало к спинке переднего сиденья, которое рванулось вперед и врезалось в подушку безопасности как раз в тот момент, когда «Линкольн» влетел в первую из выставленных на продажу машин, в ближайшем конце длинного ряда под флажками. Ударил ее сильно, прямо в блестящий бок; ветровое стекло рассыпалось, задняя часть поднялась в воздух, а потом рухнула на землю. Двигатель заглох, и машина застыла в тишине и неподвижности, если не считать яростного шипения пара под разбитым капотом.

Ричер выбрался обратно на сиденье. Он принял главную силу удара на спину и сейчас чувствовал себя так, как выглядел лежавший на тротуаре Шевик. Все тело у него болело.

*Обычная боль или хуже?*

Пожалуй, обычная, решил он. Подвигал головой, шеей, плечами и ногами. Ничего не сломано, ничего не разорвано. Совсем неплохо.

Чего никак нельзя было сказать о его спутниках. Водитель получил удар в лицо подушкой безопасности, а потом — головой своего напарника, которого швырнуло вперед, точно копье, прямо сквозь ветровое стекло, где он и остался лежать лицом вниз, сложившись в поясе на смятом капоте. Ноги стали ближайшей частью его тела по отношению к Ричеру. Он не двигался. Как и водитель.

Джек распахнул дверь со своей стороны, услышал скрежет рвущегося металла и выполз из машины, после чего захлопнул дверцу. Никакого движения на шоссе. Как сзади, так и впереди, если не считать приближавшихся и мигавших фар, до которых оставалось около мили. Машина подъезжала все ближе. В минуте от них, со скоростью шестьдесят миль в час. «Линкольн» врезался в микроавтобус «Форд», который оказался сдавлен с одной стороны. Изогнут, как банан. На ветровом стекле висел баннер: «Никаких аварий». «Линкольн» превратился в рухлядь. Он полностью сложился гармошкой, от багажника до ветрового стекла. Как реклама безопасности в газете. Если не считать громилы, лежавшего на капоте.

Фары приближались. А со стороны города появились другие. Ограда, окружавшая новые автомобили, была разорвана, как в рисованном мультике. Рваные завитки проволочной сетки аккуратно завернулись в одну сторону, словно их засосало в зону пониженного давления. Длина дыры в ограде составляла восемь футов. Исчезла почти вся секция. Интересно, есть ли на ней сенсоры движения, подумал Ричер. Соединенные с беззвучной сигнализацией. И с полицейским департаментом. Возможно, таково требование страховой компании. Внутри, несомненно, было чем поживиться.

Пора уходить.

Ричер шагнул в дыру в ограде. Его тело потеряло гибкость и болело, покрылось многочисленными синяками, но продолжало функционировать. Стараясь держаться подальше от дороги, спотыкаясь, он побрел параллельно ей, через поля и пустые парковки. Но сначала отошел на пятьдесят футов, чтобы свет фар не мог его захватить, пока автомобили находились на значительном расстоянии. Некоторые двигались медленно, другие — быстро. Может быть, полицейские, может быть, нет. Он обогнул дальнюю сторону первой офисной парковки, потом второй, после чего свернул и зашагал в сторону гигантской парковки супермаркета, намереваясь выйти через нее на дорогу.

* * *

Грегори узнал новости почти сразу, от вахтера, работавшего в приемном отделении больницы и являвшегося членом украинской сети осведомителей. Тот вышел покурить и тут же позвонил боссу. Двое парней Грегори только что прибыли в приемный покой на носилках. Сигнальные огни и сирены. Один в очень плохом состоянии, другой — еще в худшем. Оба, вероятно, умрут. Ходили разговоры об автомобильной аварии возле дилера «Форда».

Грегори призвал своих главных помощников, и через десять минут они собрались вокруг стола в помещении за диспетчерской такси.

— Нам известно лишь, что сегодня вечером двое наших парней отправились в бар, чтобы проверить адрес одного из клиентов кредитного бизнеса албанцев, — сказал правая рука Грегори.

— Сколько времени занимает проверка адреса? — спросил тот. — Они должны были давно ее закончить. Скорее всего, тут что-то совсем другое. Два эпизода не связаны между собой. Не может быть проблем с проверкой адреса. Проклятье, кто живет возле дилера «Форда»? Никто. Значит, они довезли клиента до дома, записали адрес, может быть, сделали снимок, после чего поехали к дилеру «Форда». Зачем? Должно быть, у них имелась какая-то причина. И почему они разбились?

— Может быть, они кого-то преследовали, — предположил один из его помощников. — Или их туда заманили, ударили и столкнули с дороги. Ночью там обычно пусто.

— Ты думаешь, это Дино? — спросил Грегори.

— Вы должны спросить, почему именно эта пара, — продолжал тот же помощник. — Может быть, за ними следили с того момента, как они подъехали к бару? Что вполне разумно. Возможно, Дино хочет нам кое-что показать. Мы украли его бизнес. Мы ведь ждем реакции с его стороны.

— После того, как он догадается, — заметил Грегори.

— Может быть, теперь он в курсе.

— И сколько он будет показывать нам свое недовольство?

— Возможно, ограничится этим. Два бойца за двух бойцов. Мы оставляем себе его бизнес. Так он отступит с честью. Дино — реалист. У него не так уж много вариантов. Он не может начать войну, ведь за нами следят копы.

Грегори ничего не ответил. В комнате стало тихо. Никаких звуков, кроме приглушенного бормотания диспетчера такси, доносившегося из переднего офиса. Через закрытую дверь. Фоновый шум. Никто не обращал на него внимания. Если б они прислушались, то узнали бы, что позвонил водитель такси — сообщить, что довез пожилую леди до супермаркета и намерен использовать свободное время, пока та занимается покупками, чтобы немного заработать и отвезти нового пассажира домой, к старым типовым домам к востоку от центра города. Мужчина шел пешком, но выглядел вполне цивилизованно, и у него имелись наличные. Может быть, сломался его автомобиль. Четыре мили туда и четыре обратно. Он успеет вернуться еще до того, как пожилая леди пройдется вдоль рядов с выпечкой. Никаких проблем.

* * *

В этот момент Дино получил более раннюю, но менее полную версию новостей. Прошел час, прежде чем она добралась до него по цепочке. В ней ничего не говорилось о разбившемся автомобиле. Большая часть дня ушла на то, чтобы избавиться от Фисника и его сообщника. Реорганизацией занялись слишком поздно. Нечто вроде запоздалой мысли. В бар отправили замену, чтобы подхватить бизнес Фисника. Выбранный ими человек подъехал к бару немногим позже восьми вечера и сразу увидел у входа украинских бойцов, которые охраняли бар. Он обошел здание и проник внутрь через пожарный выход, чтобы заглянуть в зал. На месте Фисника в дальнем правом углу сидел украинец и разговаривал с крупным мужчиной, выглядевшим растрепанным и бедным. Очевидно, это был клиент.

Албанец, приехавший заменить Фисника, решил перегруппироваться и отступить. Он позвонил. Человек, с которым он связался, передал его сообщение дальше. Тот отправил его по цепочке. Плохие новости доставляются медленно. Они добрались до Дино только через час, и он собрал своих главных помощников на лесопилке.

— Существует два возможных сценария, — сказал Дино. — Либо история со списком полицейского комиссара — правда и они самым подлым и гнусным образом воспользовались моментом и захватили наш бизнес, — или вранье и они планировали эту комбинацию с самого начала и обманули нас, а мы сами расчистили для них дорогу.

— Полагаю, мы должны надеяться, что имеет место первый вариант, — сказал его правая рука.

Дино довольно долго молчал.

— Боюсь, нам придется сделать вид, что мы им верим, — наконец заговорил он. — У нас нет выбора. Мы не можем начать войну. Не сейчас. Нам придется оставить им ростовщичество. У нас нет реальных рычагов, чтобы его вернуть. Но мы сдадим его с честью. Мы должны взять два за два. И ни в коем случае не меньше. Убейте двоих украинцев, и мы будем в расчете.

— Каких именно? — спросил правая рука.

— Мне все равно, — заявил Дино.

Но потом он передумал.

— Нет, их нужно выбрать очень тщательно. Мы должны найти способ получить преимущество.

# Глава
# 09

Ричер вышел из такси неподалеку от дома Шевиков и зашагал по узкой бетонной дорожке. Дверь открылась до того, как он успел позвонить в звонок. На пороге стоял Шевик, за спиной которого горел свет; в руке он держал телефон.

— Деньги пришли час назад, — сказал он. — Благодарю вас.

— Не за что, — ответил Ричер.

— Вы задержались. Мы подумали, что вы уже не вернетесь, — сказал Шевик.

— Мне пришлось выбрать окольный путь, — объяснил Джек.

— Почему?

— Давайте войдем в дом. Нам нужно поговорить.

На этот раз они устроились в гостиной. Фотографии на стенах, отсутствующий телевизор. Шевики сели в кресла, Ричер — на диванчик.

— Все прошло примерно так же, как у вас с Фисником, — сказал он. — Вот только ростовщик меня сфотографировал. Однако нельзя исключать, что это даже к лучшему. Ваше имя, мое лицо. Небольшая путаница не помешает. Но будь я настоящим клиентом, мне бы такое не понравилось. Совсем. У меня появилось бы ощущение, что на мое плечо лег костлявый палец, и я почувствовал бы себя уязвимым. Но когда я вышел из бара, история получила продолжение. На улице торчали два парня, пожелавшие отвезти меня домой, чтобы выяснить, где я живу. Посмотреть на мою жену, если она у меня есть. Еще один костлявый палец. Быть может, даже целая рука.

— Что произошло потом? — спросил Шевик.

— Втроем мы достигли другой договоренности, ни в коей мере не связанной с вашим именем или адресом. На самом деле то, что случилось, сильно сбивает с толку. Я хотел, чтобы появился элемент тайны. Их боссы заподозрят послание, но у них не будет уверенности в том, кто за ним стоит. Скорее всего, они подумают на албанцев. И никак не свяжут с ним вас.

— Что случилось с теми людьми? — спросил Шевик.

— Они стали частью послания, — ответил Ричер. — Ну, типа, это Америка. Не отправляйте на важное дело придурка, который был седьмым во время боев в подпольном бойцовском клубе Киева. Отнеситесь к делу серьезно. Покажите немного уважения.

— Они видели ваше лицо.

— Они его не вспомнят. С ними приключился несчастный случай. Их сильно помяло, и в воспоминаниях будет отсутствовать последний час или два. Ретроградная амнезия, так это называется. Довольно распространенная вещь при подобных физических травмах. Если, конечно, они сначала не умрут.

— Значит, всё в порядке? — спросил Шевик.

— Не совсем.

— Что-то еще?

— Они не слишком разумные люди.

— Мы знаем.

— Как вы намерены возвращать деньги? — спросил Ричер.

Они не ответили.

— Вам нужно отдать им двадцать пять тысяч ровно через неделю. Опаздывать нельзя. Они и мне показали фотографии. Вряд ли Фисник был хуже. Вам необходим план.

— Неделя — это долгий срок, — сказал Шевик.

— На самом деле нет, — возразил Ричер.

— Может произойти что-то хорошее, — заговорила миссис Шевик.

И ничего больше.

— Вам лучше рассказать мне, чего вы ждете, — попросил Ричер.

* * *

Конечно, дело было в их дочери. Взгляд миссис Шевик бродил по стене, пока она говорила. Они дали ей имя Маргарет, однако с самого детства называли Мэг. Она росла умным счастливым ребенком, полным обаяния и энергии, любила других детей, любила детский сад. И начальную школу. Мэг любила читать, писать и рисовать. Она все время улыбалась и болтала. Она могла убедить любого сделать все, что угодно. Она могла бы продать лед эскимосам, сказала ее мать.

И точно так же она любила среднюю и старшую школы. Она пользовалась популярностью и всем нравилась. Она участвовала в спектаклях, пела в хоре, бегала и плавала. Получила диплом, но не пошла в колледж. Она обладала хорошими книжными знаниями, но не это являлось ее главной силой. Мэг была душой любой компании. Ей требовалось находиться на людях, улыбаться, болтать, всех очаровывать.

Подчинять их своей воле, если уж быть честными до конца. Она обожала иметь цель.

Мэг поступила на работу с испытательным сроком в представительском бизнесе и бегала по городу от одного офиса к другому, налаживая связи с общественностью, стараясь максимально использовать возможности местного бюджета. Она работала очень много, сделала себе имя, ее повысили, и к тому времени, когда ей исполнилось тридцать, она получала больше денег, чем ее отец, всю жизнь проработавший механиком. Десять лет спустя, когда ей исполнилось сорок, дела все еще шли хорошо, но она чувствовала, что ее подъем стал замедляться. Ускорение уменьшилось. Она уже видела свой потолок. Мэг сидела за письменным столом и думала: «И всё?»

Нет, решила она. Мэг хотела одержать еще одну большую победу. И не просто большую. Она находилась не в том месте и прекрасно это понимала. Она знала, что ей необходимо переехать. Скорее всего, в Сан-Франциско, где сосредоточены деньги и новые технологии. Где необходимо объяснять сложные вещи. Она не сомневалась, что рано или поздно ей придется туда отправиться. Или в Нью-Йорк. Но она колебалась. Шло время. А потом удивительным образом Сан-Франциско сам пришел к ней, если можно так выразиться.

Она узнала, что существует нескончаемая игра, которую ведут люди, занимающиеся недвижимостью, и бухгалтеры из сектора высоких технологий, где главный приз получал тот, кто угадывал, в каком месте будет следующая Кремниевая долина, чтобы оказаться там раньше других. По какой-то причине ее родной город соответствовал всем тайным признакам. Началась массовая реставрация, появились нужные люди, нужные здания, энергия и скоростной Интернет. Первые разведчики уже начали разнюхивать ситуацию.

Мэг через подругу подруги познакомилась с парнем, который знал другого парня, — и тот организовал интервью с основателем совершенно нового предприятия. Они встретились в центре города, в кафе. Ему было двадцать восемь, и он только что прилетел на самолете из Калифорнии. Какой-то родившийся за границей компьютерный гений, придумавший новое медицинское программное обеспечение и приложение для мобильных телефонов. Миссис Шевик призналась, что она никогда не понимала, что именно делал этот продукт, если не считать того, что с его помощью люди становились богатыми.

Мэг предложили должность старшего вице-президента по связям с общественностью и местным вопросам. Компания была новой, едва оперившейся, и зарплату ей назначили не слишком высокую. Не намного больше, чем она получала прежде. Но к должности прилагался огромный пакет социальных льгот. Фондовые опционы, замечательный пенсионный план, золотая медицинская страховка и европейский автомобиль купе. И еще довольно странные штуки прямо из Сан-Франциско вроде бесплатной пиццы, сладостей и массажа. Мэг все это понравилось. Но самым выгодным являлся фондовый опцион. Она могла стать миллиардером. В буквальном смысле. Вот так все и началось.

Поначалу все шло превосходно. Мэг отлично справлялась, поддерживала темп, и два или три раза в течение первого года казалось, что они смогут добраться до самой вершины. Но этого не случилось. Как и во второй год. Все шло хорошо, они оставались на подъеме, но количество так и не перешло в качество. На третий год наступило ухудшение. Инвесторы начали нервничать. Финансирование уменьшилось. Но они держались, стараясь экономить изо всех сил. Сдавали в аренду два этажа своего здания. Обходились без бесплатных пицц и сладостей. Массажные столы сложили и убрали. Они работали больше, чем прежде, бок о бок, в стесненных условиях, все еще полные упорства и решимости.

А потом выяснилось, что Мэг заболела раком.

Или, точнее, она обнаружила, что это произошло шесть месяцев назад. Мэг была слишком занята, чтобы ходить по врачам. Она думала, что теряет вес из-за того, что слишком много работает. Но ошиблась. Ей поставили плохой диагноз. Очень опасный вид рака, который успел зайти достаточно далеко. Единственной надеждой оставался новый вид лечения. Очень экзотический и дорогой, но первые результаты, внушавшие надежду, уже были получены. Казалось, они приводили к улучшению. Процент успеха повышался. Других шансов не существовало, сказали врачи. Мэг удалось найти место в программе, и ее записали на первую серию сеансов со следующего утра.

И тут начались неприятности.

— Возникли проблемы с ее страховкой, — сказала миссис Шевик. — Номер счета не работал. Мэг готовили к химиотерапии, а все вокруг бегали и спрашивали ее полное имя, дату рождения и номер социального страхования. Это был кошмар. Они позвонили в страховую компанию, но там никто не понимал, что происходит. Наконец сумели отыскать ее историю — они же знали, что Мэг является их клиентом. Однако код не срабатывал. Всякий раз высвечивалась ошибка. Они сказали, что дело в компьютерах. Мол, ничего страшного и к завтрашнему дню все будет исправлено. Но больница заявила, что ждать больше нельзя. Нас заставили подписать бумаги, в которых говорилось, что мы заплатим по всем счетам, если страховка их не покроет. Они сказали, что это технический вопрос, с компьютерами такое случается постоянно. И заверили нас, что всё будет в порядке.

— И, полагаю, они солгали, — проговорил Ричер.

— Наступил конец недели, Мэг предстояло еще два сеанса, а потом пришел понедельник, и мы всё узнали.

— Что вы узнали? — спросил Джек, хотя мог и сам догадаться.

Миссис Шевик покачала головой и вздохнула, а потом помахала рукой возле лица, словно была не в силах произнести нужные слова. Словно не могла больше говорить. Ее муж подался вперед, опираясь локтями о колени, и продолжил рассказ:

— На третий год существования компании инвесторы начали испытывать беспокойство. Дела обстояли даже хуже, чем они думали. Хуже, чем думали все. Владелец многое скрывал. От всех, в том числе от Мэг. За кулисами его предприятие разваливалось. Он перестал платить по счетам. Ни цента. Не возобновил договор по медицинскому страхованию сотрудников компании и не сделал никаких выплат. Он их попросту игнорировал. Вот почему страховка Мэг была аннулирована. Мы узнали об этом на четвертый день после начала сеансов химиотерапии.

— Тут нет ее вины, — сказал Ричер. — Совершенно точно. Это было мошенничество или нарушение контракта. Должен существовать способ все исправить.

— Да, целых два, — сказал Шевик. — Один — это правительственный фонд страхования «без виновников», второй — общий фонд страховых обществ «без виновников»; оба созданы именно для таких случаев. Естественно, мы сразу к ним обратились. В данный момент они выясняют, как распределяется ответственность между ними, и примут решение, компенсировав нам то, что мы потратили, после чего возьмут на себя расходы на лечение. Мы ждем решения со дня на день.

— Но вы не можете делать паузы в лечении Мэг, — сказал Ричер.

— Ей требуется очень серьезное лечение, — продолжал мистер Шевик. — Три или четыре сеанса в день. Химиотерапия, облучение, постоянное сканирование, разные виды лабораторных исследований. И она не может рассчитывать на программу социального обеспечения, потому что все еще считается работающей и имеет достойную заработную плату. Прессу наша проблема не заинтересовала. Где тут история? Дети в чем-то нуждаются, родители готовы заплатить... Где кульминация? Возможно, нам не следовало подписывать бумаги. Может быть, тогда открылись бы другие двери. Однако мы всё подписали. И теперь уже слишком поздно об этом жалеть. Естественно, больница хочет, чтобы счета были оплачены. Речь не идет об отделении «скорой помощи». Расходы нельзя просто списать. Их приборы стоят миллионы долларов. Им приходится покупать радиоактивные кристаллы. Они требуют деньги вперед. Так обычно бывает в подобных случаях. Деньги на бочку. И они ничего не станут делать до тех пор, пока не получат их. А нам нечего возразить; остается лишь держаться изо всех сил, пока счета не начнет оплачивать кто-то другой. Возможно, завтра. У нас еще есть семь шансов до окончания недели.

— Вам нужен адвокат, — сказал Ричер.

— У нас нет на него денег, — ответил Шевик.

— Наверняка существует соответствующий закон, и вы можете получить юридические услуги бесплатно.

— У нас уже есть три таких адвоката. Они пытаются привлечь общественный интерес. Компания ребятишек. Они еще беднее, чем мы.

— Семь шансов до окончания недели. Звучит как строка из песни в стиле кантри.

— Ничего другого у нас нет.

— Ну, это почти план.

— Спасибо вам.

— А у вас есть план Б? — спросил Ричер.

— Нет, — ответил Шевик.

— Вы можете попытаться выждать. Меня здесь уже не будет. Моя фотография не поможет.

— Вы намерены уехать?

— Я нигде не задерживаюсь больше чем на неделю.

— У них есть наша фамилия. Я уверен, что они смогут нас найти. Наверняка имеются какие-то старые документы. На следующем уровне после телефонного справочника.

— Расскажите про адвокатов, — попросил Ричер.

— Они работают бесплатно, — ответил Шевик. — Насколько хорошими они могут быть?

— Звучит как строка из другой песни кантри.

Шевик промолчал. Его жена посмотрела на Ричера.

— Их трое, — заговорила она. — Трое милых молодых людей. Из благотворительной компании, которая занимается общественным правом. Они выполняют свой долг. С наилучшими намерениями, я уверена. Но жернова закона крутятся медленно.

— План Б может состоять в привлечении полиции, — сказал Ричер. — Через неделю, если ничего не произойдет, отправляйтесь в полицейский участок и расскажите им всё.

— Насколько хорошо они будут нас защищать? — спросил Шевик.

— Думаю, не слишком.

— И как долго?

— Не очень долго.

— Но мы сожжем все мосты, — сказала миссис Шевик. — Если того, на что мы рассчитываем, не произойдет, эти люди будут нужны нам еще сильнее. К кому еще мы сможем обратиться, когда придет следующий счет? Если мы пойдем в полицию, то лишимся возможности делать новые займы.

— Ладно, — сказал Ричер. — Без полиции. Семь шансов. Я сожалею о Мэг. Действительно сожалею. И очень надеюсь, что она справится.

Он встал и почувствовал себя слишком большим в тесном пространстве гостиной.

— Вы уходите? — спросила миссис Шевик.

Ричер кивнул.

— Я сниму номер в отеле, — сказал он. — Может быть, зайду к вам утром. Чтобы попрощаться перед отъездом. Если же нет — я был рад с вами познакомиться и желаю удачи.

И ушел, оставив их сидеть в полупустой комнате. Закрыл за собой входную дверь и зашагал по узкой бетонной дорожке к улице, потом по тротуару, мимо припаркованных автомобилей и темных тихих домов, а после того, как оказался на главной дороге, свернул в сторону города.

# Глава
# 10

К западу от Центральной улицы бок о бок стояли два ресторана, третий находился на северной стороне квартала, четвертый — на южной, а пятый — сзади, напротив следующей улицы. Все пять процветали. В них всегда было много посетителей. Квартал городских гурманов. Это вполне устраивало службу доставки и прачечные. Одна остановка, пять клиентов. Очень удобно.

И так же удобно собирать с них деньги. Квартал принадлежал украинцам, поскольку находился к западу от Центра. Они приходили, чтобы стребовать мзду за защиту, регулярно, как часы. Одна остановка, пять клиентов. Им нравилось. Они являлись поздно вечером, когда в кассах было полно денег. До того как владельцы успевали заплатить кому-то другому. Двое парней — всегда вместе, темные костюмы и черные шелковые галстуки, бледные пустые лица. Они не произносили ни единого слова. Никогда. Технически трудно доказать незаконность происходящего. На самом деле никто ничего не говорил даже в самом начале, много лет назад, если не считать выражения субъективного эстетического мнения, а в ответ — встревоженный и сочувственный шепот.

«У вас превосходное место. Будет очень обидно, если с ним что-то случится».

Вежливый разговор. После чего им предлагали купюру в сто долларов, в ответ они качали головой, пока на свет не появлялась еще одна сотня, которая приветствовалась кивком. После первой встречи наличные обычно лежали в конверте на стойке метрдотеля. Обычно его отдавали молча. Формально вполне добровольное действие. Ни разу не прозвучало скрытых требований или предложений. Тысяча долларов за прогулку по кварталу. Почти легально. Хорошая работа, если удается ее получить. Естественно, за нее шла борьба. Естественно, выигрывали большие псы. Старшие лейтенанты, ищущие спокойной жизни.

Но в тот вечер они ничего не получили.

Двое припарковали свой автомобиль у тротуара на Центральной улице и начали с двух находившихся здесь заведений, а потом стали обходить квартал против часовой стрелки, сделали третью остановку на северной стороне, четвертую на боковой улице, пятую — на южной. После чего продолжали идти дальше, рассчитывая завернуть за последний угол, завершить свои дела и вернуться к машине.

Они так и сделали. Но не заметили пары важных деталей. Впереди, у начала следующего квартала, возле тротуара стоял эвакуатор с включенным указателем поворота; кабина направлена в противоположную сторону, двигатель работает на холостом ходу. Примерно на одном с ним уровне по противоположному тротуару в их сторону быстро шел мужчина в темном плаще. Что это значило? Они не стали спрашивать. Они были лейтенантами, стремящимися к спокойной жизни.

Сборщики дани обошли вокруг капота своего автомобиля — пассажир с одной стороны, водитель с другой. Распахнули двери, не синхронно, но близко к тому. В последний раз огляделись по сторонам, все еще стоя у машины и высоко подняв подбородки — вдруг кто-то сомневается, что они владеют кварталом.

Парни не заметили, что эвакуатор начал медленное движение назад, прямо в их сторону. Они не заметили, как мужчина в плаще сошел с тротуара и быстро, по диагонали, направился к ним.

Они уселись на свои места — зад, колени, ноги, — но не успели захлопнуть дверцы, как из темноты с одной стороны появилась тень. Мужчина в плаще подошел с другой — оба с маленькими полуавтоматическими пистолетами калибра .22 в руках, у каждого к стволу прикручен длинный глушитель. Послышались — *блат-блат-блат* — выстрелы с близкого расстояния в головы сидевших в машине гангстеров, находившиеся на уровне пояса стрелков. Оба сборщика упали вперед и внутрь, подальше от пистолетов. Их простреленные головы ударились друг о друга возле часов на приборной панели, словно сражались за свободное пространство.

Двери автомобиля захлопнулись, к нему подъехал эвакуатор; стрелки подошли, чтобы его встретить. Водитель эвакуатора спрыгнул на тротуар, они втроем загрузили машину с телами на эвакуатор, сели в него и не торопясь уехали. Обычное дело. Сломавшееся транспортное средство, лишенное достоинства, тащат с поднятым багажником по улицам. В окна ничего не видно. Об этом позаботилось земное тяготение. Оба украинца лежали в узком пространстве под приборными щитками. Пока еще мягкие и гибкие. Трупное окоченение наступит только через несколько часов.

Эвакуатор покатил в сторону дробильной установки, там машину отцепили и оставили на пропитанной бензином земле. К ней подъехал большой экскаватор, у которого вместо ковша спереди были гигантские вилочные копья. Он поднял машину и повез ее к прессу, где ее опустили на стальной пол в коробке с тремя сторонами, размером не слишком превосходящей сам автомобиль. И экскаватор отъехал. Четвертая сторона встала на место. Закрылась крыша.

Взревели двигатели, защелкала гидравлика, и стены коробки начали неумолимо сжиматься, со скрипом, стонами и скрежетом; за каждой стояла сила в сто пятьдесят тонн. Потом они замерли и с гудением вернулись на прежние места. На месте автомобиля остался куб смятого металла со стороной примерно в ярд. Некоторое время он неподвижно стоял на массивной железной решетке — чтобы стекло все лишнее: бензин, масло, тормозная жидкость и то, что оставалось в воздушном кондиционере. Плюс другие жидкости, как в данном случае. Затем подъехал брат первого экскаватора, с когтем вместо вил. Подцепив куб, он отвез его к пирамиде из сотни таких же.

И только после этого мужчина в плаще позвонил Дино. Полный успех. Два за два. Честь сохранена. Они вполне эффективно поменяли ростовщический бизнес на квартал ресторанов. Потеря в близкой перспективе, но это могло принести прибыль в будущем. Нога у двери. Они получили зону высадки, которую сначала придется защищать, но постепенно можно будет перейти к расширению. И ко всему прочему еще и доказательство того, что карты можно менять.

Дино улегся спать счастливым.

* * *

Ричер обрадовался, что ему повезло с такси на парковке супермаркета. Частично из-за экономии времени. Он решил, что Шевики беспокоятся. Также такси избавило его от дополнительных усилий — ведь его тело покрывали синяки и ссадины, которые дорого ему обошлись. Он утратил гибкость, и обратная дорога в город получилась болезненной.

Чувство направления подсказало ему, что лучшим маршрутом будет тот, с которым он был уже знаком. Обратно мимо бара и автобусного вокзала и дальше по Центральной улице, где через пару кварталов к югу находились сразу несколько отелей. Ричер не знал города. Он шел быстрее, чем ему хотелось бы, старался контролировать осанку, держать голову поднятой, а плечи — расправленными, чувствуя все источники боли, сражаясь с ними, отбрасывая прочь и не отступая ни на дюйм.

Возле бара никого не было. Ни припаркованной машины, ни надменных бойцов. Ричер осторожно приблизился к грязному окну и заглянул внутрь, мимо запыленной рекламы местного пива. Белокожий тип продолжал сидеть в дальнем углу. Все такая же светящаяся кожа. Рядом с ним никого. Ни одного злополучного клиента, чья жизнь пошла под откос.

Ричер зашагал дальше; его тело постепенно расслаблялось, начало двигаться лучше. Через несколько старых кварталов он оказался возле перекрестка со светофором; миновал автобусный вокзал, глядя в небо, чтобы отыскать неоновые отблески. Его интересовали здания со светящимися названиями. Они могли быть банками, страховыми компаниями или студиями местного телевидения. Или отелями. Или всем вышеназванным. Всего их было шесть. Шесть башен, гордо вздымавшихся над городом. Самый центр. Гордое название.

Бо́льшая часть неонового сияния находилась слева, на юго-западе. Ричер решил срезать угол и направился прямо туда. Свернул налево, пересек Центральную улицу, главную магистраль города, которая в его сознании была ничуть не лучше улицы с баром, но в нее вложили много денег, и она выглядела более привлекательно. Уличные фонари работают. Чистые кирпичные стены. Он нигде не увидел заколоченных окон. По большей части офисы. Не обязательно связанные с коммерцией. Самые высокие цели. Муниципальные услуги и тому подобное. Консультанты по семейным вопросам. Штабы местных политических партий. И все темные, за исключением одного.

Здание на противоположной стороне улицы, в дальнем конце квартала, было ярко освещено. Его фасад отделали в соответствии со старыми традициями. На окне реклама. Прямо на стекле, большими буквами, в старомодном стиле, шрифтом печатных машинок морской пехоты времен детства Ричера. Рекламная надпись гласила: «Публичное право».

Их трое, сказала миссис Шевик.

Из конторы под названием «Публичное право».

Три милых молодых человека.

За окном виднелось современное рабочее пространство, отделанное светлым деревом, старомодные папки с бумагами на письменных столах, за которыми сидели три парня. Молодые, тут не могло быть сомнений. Ричер не мог сказать, насколько они милые. У него еще не было мнения на сей счет. Все трое одинаково одеты: желтовато-бежевые джинсы и голубые рубашки с пуговицами на воротнике.

Ричер перешел улицу и вблизи увидел на стекле имена. Такой же шрифт, только помельче. Джулиан Харви Вуд, Джино Веттеретто, Исаак Мехай-Байфорд. Ричер подумал, что для трех парней у них слишком много имен. И после каждого еще целая куча букв. Разные докторские степени. Один из Стэнфорда, второй из Гарварда, третий из Йеля[1].

Ричер открыл дверь и вошел.

# Глава

# 11

Все трое удивленно подняли головы. Один был брюнетом, второй — блондином, третий — кем-то посередине. Всем немногим меньше тридцати. Все выглядели усталыми. Тяжелая работа допоздна, пицца и кофе. Словно они вновь оказались в юридической школе.

[1] Названия престижнейших университетов США.

— Чем мы можем вам помочь? — спросил брюнет.

— И кто вы такой? — спросил Ричер. — Джулиан, Джино или Исаак?

— Я — Джино.

— Рад познакомиться, Джино, — сказал Ричер. — Вы, случайно, не знакомы с пожилой парой Шевиков?

— А что? — поинтересовался Джино.

— Я провел с ними некоторое время и узнал про их проблемы. Они рассказали, что им помогают три адвоката из «Публичного права». И я предположил, что это вы. Более того, я практически в этом уверен. Ну сколько подобных адвокатов может позволить себе город таких размеров?

— Если они — наши клиенты, тогда, как вы должны понимать, мы не вправе обсуждать их дела, — заявил блондин.

— А вас как зовут? — поинтересовался Ричер.

— Я — Джулиан.

— А я — Исаак, — добавил ни брюнет, ни блондин.

— Ричер, приятно с вами познакомиться. Итак, Шевики являются вашими клиентами?

— Да, — ответил Джино. — И мы не можем о них говорить.

— Давайте рассмотрим гипотетический пример. В деле, аналогичном делу Шевиков, каковы шансы, что один из фондов «без виновников» выплатит им деньги в течение семи дней?

— Мы и в самом деле не можем обсуждать с вами этот вопрос, — повторил Исаак.

— Чисто теоретически, — сказал Ричер. — В качестве абстрактной иллюстрации.

— Это сложно.

— И в чем проблема?

— Если говорить абстрактно, такие дела начинаются просто, но предельно осложняются, когда члены семьи выступают в роли гарантов. Подобный шаг обычно существенно уменьшает срочность. В буквальном смысле. И сразу отодвигает решение. Фонды имеют дело с десятками тысяч запросов. Возможно, сотнями тысяч. Если им становится известно, что пациент получает необходимое лечение, они помечают его соответствующим кодом, который понижает его важность. Его, конечно, не переносят в самую нижнюю часть списка, но откладывают в долгий ящик и в первую очередь рассматривают более срочные случаи.

— Значит, Шевики совершили ошибку, когда подписали бумаги? — спросил Ричер.

— Мы не можем обсуждать Шевиков, — заявил Джино. — Это конфиденциальная информация.

— Теоретически. Гипотетически. Будет ли ошибкой для гипотетических родителей подписать такой договор?

— Конечно, — ответил Исаак. — Подумайте об этом с бюрократической точки зрения. Пациент получает лечение. Для бюрократа не имеет значения, как именно. Он знает лишь одно: ему не грозит негативная реакция со стороны общественности, а значит, он может не спешить. Гипотетические родители должны были стоять на своем и ничего не подписывать.

— Полагаю, они просто не могли отказаться, — сказал Ричер.

— Я согласен, это было бы трудно в данных обстоятельствах, — согласился Исаак. — Но тогда бюрократу пришлось бы достать чековую книжку. Прямо в тот самый момент. У него не осталось бы выбора.

— Это вопрос образования, — вмешался Джино. — Люди должны знать о своих правах. А когда наступает такая ситуация, уже поздно. Твой ребенок лежит на носилках, и тебя переполняют эмоции.

— Произойдет ли что-нибудь в ближайшие семь дней? — спросил Ричер.

Никто не ответил.

Что уже само по себе было ответом.

— Проблема в том, — через некоторое время заговорил Джулиан, — что у них появилось время для споров. В правительственный фонд поступают деньги налогоплательщиков, и этот закон не слишком популярен. Правительство захочет, чтобы платил страховой фонд. А тот складывается из денег держателей акций. От него зависят размеры бонусов. Поэтому страховой фонд будет отбрасывать платежи обратно правительству, а те — им, и это может продолжаться достаточно долго.

— До каких пор? — спросил Ричер.

— Пока пациент не умрет, — ответил Исаак. — А это большой приз для страхового фонда. Потому что тогда спор переходит на другой уровень. Суррогатное контрактное соглашение было заключено между фондом «без виновников» и пациентом. Что тут возмещать? Человек, который умер, деньги не тратит. Уход обеспечивался щедростью близких родственников. Такое случается постоянно. Пожертвования на лечение членов семьи так распространены, что у Внутренней налоговой службы есть целый отдел, который ими занимается. Но это совсем не то же самое, что купить акции у корпорации. Ты не выигрываешь, если со временем происходит рост фондов. Тут подсказка в самом названии. Речь о пожертвовании, о даре, который делается добровольно. И его не следует возмещать. В особенности родителям, которые не участвовали в исходном аннулированном соглашении. Все дело в правовом принципе. Прецеденты туманны. Дело может дойти до Верховного суда.

— Значит, в ближайшие семь дней рассчитывать не на что? — спросил Ричер.

— Мы будем счастливы, если они получат что-то через семь лет, — ответил Исаак.

— Они в долгах перед ростовщиками.

— Бюрократов такие вещи не волнуют.

— А вас? — спросил Ричер.

— Наши клиенты не подпускают нас к своим финансовым делам, — ответил Джулиан.

Джек кивнул.

— Они не хотят, чтобы вы сожгли их последние мосты, — сказал он.

— Так они сами говорят. — Джулиан кивнул. — В данной ситуации очевидной стратегией будет подача гражданского иска против нарушившего закон нанимателя. Здесь проиграть невозможно. Однако это никогда не делается в случаях, похожих на дело Шевиков, потому что подобные действия выставят обвиняемого мошенником, тем самым разорив его, что не позволит выигравшему истцу получить причитающиеся ему деньги.

— И они больше ничего не могут сделать? — спросил Ричер.

— Мы обратились в суд с петицией от их имени, — сказал Джино. — Но процесс был сразу остановлен, как только суд узнал, что их дочь получает лечение.

— Я понял, — подвел итог Ричер. — Будем рассчитывать на лучшее. Кое-кто сказал мне, что неделя — это очень долго. Спасибо за помощь. Я ее очень высоко ценю.

Он вышел из офиса на улицу и остановился на углу, чтобы уточнить направление. «Направо и налево. И я окажусь там, где нужно».

Он услышал, как дверь у него за спиной открылась, повернулся и увидел, что к нему идет Исаак. Не блондин и не брюнет. Рост примерно пять футов и девять дюймов, массивный, как кабан. В брюках с отворотами.

— Я — Исаак, вы помните? — спросил он.

— Исаак Мехай-Байфорд, — ответил Ричер. — Доктор права из Стэнфордского юридического. Крутая школа. Мои поздравления. Но я полагаю, что вы родились на другом побережье.

— В Бостоне. Мой отец служил в полиции. Вы мне немного его напомнили. Он также замечал детали.

— Теперь я начинаю чувствовать себя старым.

— Вы полицейский?

— Я был полицейским. Когда-то давно. В армии. Это считается?

— Возможно. Вы можете дать мне совет.

— Какой? — поинтересовался Ричер.

— Как вы познакомились с Шевиками? — спросил Исаак.

— Я помог мистеру Шевику выбраться из неприятного положения сегодня утром. Он повредил колено. Я проводил его до дома. Они рассказали мне свою историю.

— Его жена мне периодически звонит. У них мало друзей. Я знаю, что они делали, чтобы раздобыть деньги. Скоро у них уже не останется места для маневра.

— Думаю, у них его уже нет. Точнее, не будет через семь дней.

— У меня есть безумная собственная теория.

— О чем?

— Или я просто себя обманываю...

— И какова же ваша теория? — снова спросил Ричер.

— Последнее, что сказал Джулиан. О гражданском иске против нанимателя. Нет смысла подавать его, потому что активы корпорации ничего не стоят. Обычно это хороший совет. И в данном случае тоже. Вот только у меня нет такой уверенности.

— Почему?

— Некоторое время назад глава корпорации пользовался здесь невероятной популярностью. Все о нем говорили. Ирония судьбы в том, что Мэг Шевик превосходно исполняла обязанности специалиста по связям с общественностью. Существенная часть — это мифы о высоких технологиях, огромная работа молодых предпринимателей, активное позитивное влияние иммигрантов: как он попал в нашу страну без всего, но сумел добиться успеха... Однако я слышал и негативные вещи. Тут и там, фрагменты, слухи, по большей части не связанные между собой... Всё с чужих слов, ничем не подтвержденных, но от людей, которые должны знать правду. Мне почему-то захотелось разобраться, как сводятся в единое целое все фрагменты за спиной общественного мнения. Так вот, выяснилось, что существуют три главные темы. Он действовал сам по себе, легко обходил этические проблемы, и складывалось впечатление, что у него больше денег, чем должно было быть. Моя безумная личная теория состоит в том, что если соединить все точки в единственно возможном порядке, получится, что он постоянно снимал сливки — простая задача для человека, которому плевать на этику. Тогда и возник настоящий цунами из наличных. Я думаю, он не смог устоять перед искушением. И считаю, что спрятал миллионы долларов инвесторов под собственным матрасом.

— И это объясняет, почему его компания так легко и быстро пошла ко дну, — сказал Ричер. — У него не осталось резервов. Он все украл, и его финансовые отчеты находились в полнейшем беспорядке.

— Дело в том, что деньги всё еще на месте, — продолжал Исаак. — Или бо́льшая их часть. Или какая-то. По-прежнему спрятаны под матрасом. И тогда гражданский иск становится вполне разумным решением. Против него лично, а не против компании.

Ричер ничего не ответил.

— Адвокат во мне говорит, что шансы один против ста, — продолжал юрист. — Но я не хотел бы, чтобы Шевики пошли ко дну, не использовав все возможности. Однако не знаю, как это сделать. Вот почему и прошу у вас совета. Настоящая адвокатская фирма наняла бы частного детектива. Он нашел бы этого человека и проверил документацию. Через два дня мы знали бы всё наверняка. Но у нашего проекта отсутствует такая статья расходов. И нам слишком мало платят, чтобы мы могли сами обратиться к частному детективу.

— А зачем его разыскивать? — спросил Ричер. — Он исчез?

— Нам известно, что он все еще в городе, но залег на дно. Я сомневаюсь, что сумел бы найти его самостоятельно. Он очень умен и, если я прав, также невероятно богат. Не самое лучшее сочетание. Это снижает шансы на успех.

— Как его зовут?

— Максим Труленко, — сказал Исаак. — Он украинец.

# Глава
# 12

Первые слухи из квартала гурманов дошли до Грегори примерно через час после того, как исчезли его люди. Ему позвонил бухгалтер с ежедневным докладом и предупредил, что задерживается из-за того, что два вполне определенных сборщика еще не пришли. Грегори спросил, какие именно, и бухгалтер ответил, что это парни, которые занимаются пятью ресторанами. Сначала Грегори ничего такого не подумал. Они были взрослыми людьми.

Но потом с ним связался его правая рука и сообщил, что двое их парней уже довольно давно перестали отвечать на телефонные звонки, а их машины нет там, где она должна быть; после чего был кинут клич флоту такси, водители получили описание автомобиля, и на этот раз ответ пришел мгновенно. Два разных человека сказали одно и то же. Некоторое время назад они видели, как похожую машину увозил эвакуатор. Передние колеса катились по земле, задние находились на эвакуаторе средних размеров. Они заметили в кабине эвакуатора три силуэта. Сперва Грегори ни о чем не догадался. Машины ломаются.

— А почему они перестали отвечать на телефонные звонки? — спросил он через некоторое время.

И в голове у него прозвучал голос Дино: «У нас есть свой человек на фабрике утилизации автомобилей. Он также должен нам деньги».

— Он решил сделать счет четыре-два, — сказал Грегори. — А не два-два. Должно быть, он сошел с ума.

— Ресторанный квартал стоит меньше, чем ростовщический бизнес, — сказал его заместитель. — Быть может, это послание.

— Он что, дипломированный бухгалтер? — прорычал Дино.

— Он не может позволить себе выглядеть слабым, — заявил его помощник.

— Как и я, — сказал Дино. — Четверо за двоих — это слишком. Передай нашим: я хочу, чтобы к утру мы взяли у них еще двоих. И сделай это эффектно.

* * *

Ричер повернул направо, потом налево и оказался возле треугольника из трех высоких отелей, каждый из которых принадлежал одной из национальных сетей; два находились к востоку от Центральной улицы, и один — к западу. Он сделал случайный выбор — и провел пять минут своей жизни у стойки, где предъявил паспорт в качестве удостоверения личности и банковскую карту в качестве способа оплаты; потом подписал свое имя дважды, в двух разных местах, по двум разным причинам. В прежние времена было проще попасть в Пентагон.

Ричер взял карту города в вестибюле и поднялся на лифте в номер, оказавшийся самым обычным, но в нем была кровать и ванная комната, а больше ему ничего и не требовалось. Он сел на кровать и развернул карту. Город имел форму груши, рассеченной улицами и проспектами, стягивавшимися вверх по мере приближения к далекой автомагистрали. Ричер решил, что дилер автомобилей «Форд» и сельскохозяйственной техники должен находиться примерно на стебле. Отели располагались в более широкой части. В городе имелись картинная галерея и музей. Район с домом Шевиков пристроился на полпути к восточной окраине. На картинке он выглядел как крошечный отпечаток пальца, заключенный в квадрат.

Где спрячется умный и богатый парень?

Нигде. К такому выводу пришел Ричер. Город был большим, но недостаточно для того, чтобы спрятаться по-настоящему. Этот человек был знаменит. Он нанял на работу вице-президента по связям с общественностью. О нем говорили все. Вероятно, его фотографии постоянно появлялись в газетах. Мог ли такой человек в один вечер превратиться в отшельника? Невозможно. Он должен есть, по меньшей мере. Должен выходить и покупать еду или заказывать ее на дом.

Его узнали бы. И пошли бы разговоры. Через неделю к его дому стали бы устраивать туристические экскурсии на автобусах.

Если только парни, которые приносили ему домой продукты, не держали язык за зубами.

Население Украины составляло около сорока пяти миллионов. Часть из них жили в Америке. Причин считать, что все они знают друг друга, не было. И только в том случае, если у Макса Труленко существовала связь с кем-то из земляков, у него имелась возможность спрятаться в городе такого размера. Единственная гарантия успеха — находиться под защитой верной и бдительной силы. Как тайный агент на конспиративной квартире, нетерпеливо выглядывающий в окно, когда приходят и уходят осмотрительные курьеры.

«Семь шансов до конца недели», — подумал Ричер.

Он сложил карту и засунул ее в задний карман. Затем спустился на лифте в вестибюль и вышел на улицу. Джек проголодался. Последний раз он ел с Шевиками. Сэндвич с куриным салатом, пакет картофельных чипсов и банка содовой. Совсем немного и довольно давно. Свернув, он зашагал по Центральной улице и уже через квартал понял, что почти все места, где он мог поесть, закрыты, поскольку был поздний вечер.

Что его вполне устраивало. К тому же в большинство мест он заходить не хотел.

Ричер пошел на север по Центральной улице, туда, где, по его представлениям, толстая часть груши начинала сужаться, потом повернул обратно на юг, присел на скамейку у автобусной остановки и принялся наблюдать за движением. Получилось довольно медленно. По большей части улица оставалась пустой. Между проезжавшими машинами возникали длительные промежутки. Мимо проходили пешеходы, часто группами по четыре или пять человек; тут все зависело от возраста. Иногда — участники поздних вечеринок в ресторане, направлявшиеся домой; временами — люди, старавшиеся оставаться в модном тренде: они сознательно опаздывали на какие-то мероприятия.

В целом движение делилось практически поровну на восток и запад от Центральной улицы, судя по общему течению. Но оно было больше, чем просто движение, в нем чувствовалась какая-то энергия. Что-то влекло людей вперед.

Кроме того, Ричеру на глаза попадались одиночки, шагавшие в том или другом направлении. Всякий раз мужчины — некоторые смотрели на тротуар, другие прямо перед собой, словно их смущала мысль, что кто-то их заметит. И все спешили попасть в какое-то определенное место.

Ричер встал со скамейки и зашагал на восток, следуя за течением. Впереди он увидел, как симпатичная четверка нырнула в дверь справа. Подойдя, обнаружил, что за ней находится бар, обставленный как федеральная тюрьма. Все бармены были одеты в оранжевые комбинезоны. Единственный представитель обслуживающего персонала не в комбинезоне, крупный парень, сидевший на стуле возле двери, был в черных брюках и черной рубашке. Албанец, почти наверняка. Ричер знал эту часть мира и даже провел там некоторое время. Парень выглядел как недавний переселенец. На лице у него застыло самодовольное выражение. Он обладал властью и наслаждался этим.

Ричер пошел дальше, следуя за решительно настроенным мужчиной, который старался не привлекать к себе внимания, и увидел, как тот входит в дверь без надписи; одновременно оттуда вышел другой мужчина, раскрасневшийся и довольный. «Азартные игры», — подумал Ричер. Не проституция. Он знал разницу. Не зря тринадцать лет служил в военной полиции. Он подумал, что вошедший мужчина рассчитывает отыграться за вчерашний проигрыш, а тот, что вышел, только что выиграл столько, что теперь сможет расплатиться с долгами и у него еще останется, чтобы купить букет цветов и обед на двоих. Если он не решит испытать судьбу и попытается продолжить победную серию. Трудное решение. Почти моральный выбор. Что теперь делать?

Ричер наблюдал.

Парень выбрал цветы и обед.

Джек пошел дальше.

\* \* \*

Албанцы собирали деньги поздно вечером, потому что их заведения начинали работать не слишком рано и кассы заполнялись около полуночи. Их метод кардинально отличался от того, что происходило по другую сторону Центральной улицы. Они не входили внутрь. Никакого угрожающего присутствия. И темных костюмов. Они сидели в машинах. Их просили не тревожить клиентов заведений, которые они контролировали. Их могли принять за полицейских или агентов. Плохо для бизнеса и не отвечает ничьим интересам. Посыльный приносил конверт, передавал его в открытое окно автомобиля и быстро возвращался в заведение. Тысячи долларов за поездку вокруг квартала. Отличная работа, если ты сможешь ее получить.

Двумя кварталами восточнее и одним севернее игорного клуба Ричер увидел три заведения, стоявших рядом и принадлежавших одной семье. Бар, работавший всю ночь, супермаркет и магазин по продаже алкоголя. Деньги здесь собирала пара ветеранов, ушедших на покой гангстеров, к которым относились с огромным уважением. Они привычно перемещались от одной двери к другой, всякий раз преодолевая около тридцати футов. Один сидел за рулем, другой — у него за спиной. Отработанный метод. Заднее окно приоткрыто на два дюйма. Конверт отправлялся в пустоту. Никакого контакта. Никто не подходил слишком близко. Затем водитель выжимал педаль газа, срабатывала передача, автомобиль преодолевал следующие тридцать футов и оказывался возле двери, где очередной конверт падал в пустоту. И так далее. Вот только в тот вечер во время третьей остановки — у винного магазина — они получили не конверт, а толстый черный глушитель на дуле пистолета.

## Глава

# 13

Это был «Хеклер и Кох МП5», пистолет-пулемет. Очевидно, его переключили на стрельбу тройками — именно столько пуль получил сидевший сзади сборщик, вслепую, но не на-обум; направление вниз выбрано в надежде попасть в руки, ноги или грудь. Между тем водителя ждал такой же подарок, но главным образом в голову, из другого «Хеклера», появившегося с противоположной стороны.

После чего двери автомобиля распахнулись, водителя передвинули на пустое место рядом, а мужчина, вышедший из винного магазина, уселся сзади. Двери захлопнулись, и машина тронулась с места. Все места теперь были заняты, вот только пассажиры испытывали разные чувства: двое очень довольны всем, один мертв, другой умирал.

* * *

К этому моменту Ричер находился на расстоянии двух кварталов на другой стороне Центральной улицы. Он уже понял, по какому принципу проходит демаркационная линия между албанской и украинской территориями, и нашел то, что искал, — бар с маленькими круглыми столиками, как в кабаре, и сценой в задней части зала, на которой выступало трио из гитариста, басиста и барабанщика; на столиках лежало вечернее меню. Кроме того, Ричер увидел кофейный автомат. За дверью на стуле сидел парень. Черный костюм, белая рубашка, черный галстук, белая кожа, светлые волосы. Наверняка украинец.

«Все отлично, — подумал Ричер. — То, что нужно, и ничего лишнего».

Он выбрал столик в дальней части зала, примерно посередине, и уселся спиной к стене, краем левого глаза контролируя вышибалу на стуле, правым — трио музыкантов, игравших блюзы пятидесятых годов в джазовом стиле. Они оказались очень хороши. Мягкие, округлые звуки гитар, деревянные удары басовых струн, негромкий шорох рабочего барабана. Никакого вокала. Бо́льшая часть посетителей пила вино. Некоторые ели пиццы размером с чайное блюдце, обычные или с пепперони. Ричер проверил меню. Они назывались персональными. Обычные или с пепперони. Девять долларов.

К нему подошла официантка, которая вполне соответствовала музыке пятидесятых. Миниатюрная, похожая на мальчика, около тридцати лет, аккуратная и стройная, одетая в черное, с короткими темными волосами, живыми глазами и застенчивой, но заразительной улыбкой. Она вполне могла появиться в черно-белом фильме на фоне джазового сопровождения. Наверное, чья-то дерзкая младшая сестра.

Опасно продвинутая. Вероятно, мечтавшая носить брюки на работу.

Ричеру она понравилась.

— Могу я вам что-нибудь принести? — спросила официантка.

— Меня тревожит недоедание, — сказал он.

Она улыбнулась и ушла, а оркестр заиграл скорбную интерпретацию старой песни Хаулин Вулфа *Killing Floor*. Гитара вела линию вокала, спотыкающимися жемчужными нотами объясняя, что ему следовало ее бросить после второго раза и уехать в Мексику. Между тем в бар продолжали заходить посетители, всегда парами или большими компаниями и никогда поодиночке. Они послушно останавливались у двери, как и Ричер, чтобы охранник смог их рассмотреть. Тот оглядывал их одного за другим, встречался глазами и предлагал войти, едва заметно кивая. Они проходили мимо него, а он скрещивал руки на груди и откидывался на спинку стула.

Через две песни официантка принесла еду и поставила тарелки на столик. Ричер ее поблагодарил.

— Не за что, — ответила она.

— А бывает, что тип у двери кого-то не пускает?

— Ну, это зависит от того, кто приходит.

— И кого он останавливает?

— Полицейских. Хотя они не заходили сюда уже несколько лет.

— И почему же полицейских не пускают?

— Это всегда плохая идея. Что бы ни случилось, если ветер меняется, все сводится к взяткам, коррупции, оказывается подставой или еще какими-нибудь отвратительными вещами. У полицейских свои бары.

— Значит, он годами никого не останавливает, — подвел итог Ричер. — Тогда я не понимаю, зачем он вообще здесь сидит.

— А почему вы спрашиваете?

— Мне любопытно.

— Вы полицейский?

— А потом окажется, что я похож на вашего отца.

Официантка улыбнулась.

— Он намного меньше вас.

Она отвернулась, бросив на Ричера напоследок взгляд, и почти подмигнула, а потом ушла. Оркестр продолжал играть. Джек догадался, что охранник у двери считал посетителей, чтобы владельцы бара не скрывали свои доходы. Он был кукушонком в чужом гнезде. Скорее всего, размер платы за защиту высчитывали в процентном соотношении. Ну, и еще он обеспечивал безопасность. Чтобы подсластить сделку. Чтобы все чувствовали себя лучше.

Официантка вернулась до того, как Ричер закончил есть, и принесла чек в черном виниловом бумажнике. Она заканчивала работу. Джек округлил счет, добавил десятку на чай и расплатился наличными. Она ушла. Ричер закончил есть, но задержался за столиком, наблюдая за парнем у двери. Потом встал и направился прямо к нему. Другого способа покинуть бар не существовало. Войти в дверь — и выйти так же через нее.

Ричер остановился на одном уровне со стулом.

— У меня срочное сообщение для Максима Труленко, — сказал он. — Я хочу, чтобы ты выяснил, как я могу с ним связаться. Я приду завтра в это же время.

И вышел на улицу. В двадцати футах справа от него из двери для персонала появилась официантка. В тот же самый момент. Чего он не ожидал.

Она остановилась на тротуаре. Миниатюрная, похожая на мальчика, закончившая работу.

— Привет, — сказала она.

— Еще раз спасибо, что присмотрели за мной; я надеюсь, вы приятно проведете оставшуюся часть вечера, — ответил Ричер, мысленно считая минуты.

— И вы. Спасибо за щедрые чаевые.

Она стояла в семи футах, немного напряженно, слегка приподнявшись на цыпочки. Работали все элементы языка тела.

— Я попытался решить, какие чаевые хотел бы получить, если б работал официанткой, — сказал Ричер.

— Этот образ мне никогда не выкинуть из головы.

Джек мысленно считал время, потому что ждал двух вещей. Должно было произойти либо что-то, либо ничего. Ничего, если имя Максима Труленко для них пустой звук. Или, наоборот, значило много, поскольку стояло в самом верху списка самых важных клиентов.

Время покажет.

— И кто же вы, если не полицейский? — спросила официантка.

— Сейчас я между двумя работами, — ответил Ричер.

Если имя Труленко есть в их списке, то стандартный протокол для типа у двери — немедленный телефонный звонок или текстовое сообщение. Потом — либо в соответствии с инструкциями, либо из-за того, что это в любом случае является частью протокола — он выйдет из бара и попытается остановить и задержать Ричера или сфотографировать его. А лучше всего — дождаться, когда появится группа поддержки. Можно не сомневаться, что у них полно машин. А патрулировать нужно не такую уж большую территорию — половину города в форме груши.

— Я вам сочувствую, — сказала официантка. — Надеюсь, вы что-нибудь скоро найдете.

— Благодарю вас, — ответил Ричер.

Парню в баре потребуется сорок секунд, чтобы сделать звонок или обменяться сообщениями, собраться с духом и выйти из бара. В таком случае он должен появиться прямо сейчас.

Если имя Труленко что-то для него значит.

Но, может быть, и ничего.

— А какую работу вы ищете? — спросила официантка.

Из дверей бара вышел охранник.

Ричер шагнул к краю тротуара и повернулся. В результате образовался тупоугольный треугольник: официантка оказалась слева от него, парень из бара — справа, за спиной — пустое пространство.

Охранник не сводил глаз с Ричера, но обратился к официантке.

— Беги по своим делам, малышка, — сказал он.

Джек посмотрел на нее. Она что-то произнесла одними губами, обращаясь к нему. Быть может: *Посмотри, куда я пойду*. И побежала по своим делам. Не в буквальном смысле. Повернулась и поспешно перешла улицу, а Ричер дважды оглянулся через плечо, очень быстро. Получилось как два кадра из фильма: в первый раз она находилась на расстоянии в половину квартала, направляясь на север по противоположному тротуару; во второй он увидел, что она исчезла. Очевидно, вошла в какую-то дверь. Ближе к концу квартала.

— Я должен узнать твое имя, прежде чем смогу связаться с Максом Труленко. Возможно, нам с тобой стоит сначала поговорить, выяснить, откуда ты его знаешь, — просто чтобы он не волновался.

— И когда мы можем это сделать? — спросил Ричер.

— Можно прямо сейчас, — ответил охранник. — Заходи, я угощу тебя кофе.

«Остановить и задержать, — подумал Джек. — Пока не появится группа захвата». Он посмотрел налево и направо вдоль улицы. И не заметил приближавшегося света фар. Ничего. *Пока* ничего.

— Благодарю, но я только что поужинал. И больше ничего не хочу. Я вернусь завтра в это же время.

Парень вытащил телефон.

— Я могу отправить ему твое фото, — предложил он. — В качестве первого шага. Так будет быстрее.

— Нет, спасибо, — сказал Ричер.

— Мне нужно, чтобы ты ответил, откуда знаешь Макса.

— Все знают Макса. Одно время он был здесь настоящей знаменитостью.

— Ты можешь передать сообщение для Макса через меня.

— Оно предназначено только для его ушей.

Парень ничего не ответил. Ричер проверил оба конца улицы. Ничего. *Пока* ничего.

— Нам не следует начинать с разногласий. Любой друг Макса станет и моим другом. Но, если знаком с Максом, ты должен понимать, что мы обязаны тебя проверить. Ты ведь и сам не хотел бы для него меньшего.

Ричер окинул взглядом улицу и увидел, что вдалеке появилась пара метавшихся фар, которые приближались со стороны юго-западного угла квартала со скоростью, являющейся предельной для системы подвески. Лучи фар дергались, поднимались и опускались, заднюю часть машины заносило, потом лучи выравнивались.

Они мчались в их сторону.

— Мы еще встретимся, — сказал Ричер. — Я надеюсь.

Он повернулся, перешел улицу и зашагал на север, в противоположную сторону от приближавшейся машины. И увидел другой автомобиль, который вывернул из-за северо-западного угла квартала. Такие же мечущиеся лучи фар. Только с другого направления. Машина шла на высокой скорости. Прямо на него. Вероятно, в каждой находились по два человека. Достаточное количество, и очень быстрая реакция. Дефкон-2[1]. Значит, Труленко важен и правила будут такими, какими пожелают украинцы.

В данный момент Ричер был мясом в ярком световом сэндвиче.

*Посмотри, куда я пойду.*

Дверной проем ближе к концу квартала.

Он повернулся, приподнял плечи, стараясь защититься от света, и увидел несколько дверных проемов, расположенных один за другим и выделявшихся в пляшущих тенях. Бо́льшая часть дверей принадлежала небольшим магазинам; за окнами царила серая пыльная мгла, словно бизнес давно умер. Некоторые двери, попроще, из дерева, очевидно, вели в жилые квартиры, но ни одна не была приоткрыта на пару дюймов и нигде он не увидел света в щелях.

Ричер шагал на север, потому что официантка ушла на север, а из теней одна за другой выступали новые двери, но все они были серыми и плотно закрытыми.

---

[1] Шкала готовности вооруженных сил США. Уровень 2 предшествует максимальной боевой готовности.

Машины приближались. Свет фар становился ярче, и Ричер перестал изучать дверные проемы, решив, что неправильно понял официантку. И в этот момент его мозг начал анализировать сценарий с двумя парнями с юга и двумя с севера. Все четверо, несомненно, вооружены, но едва ли у них есть дробовики; скорее всего, только пистолеты, наверняка с глушителями. Тут все зависело от того, какие договоренности у них с местной полицией. Иными словами, не пугайте избирателей. Однако, вопреки всем инстинктам, призывавшим к осторожности, они не захотят разочаровать своих боссов.

Машины остановились.

Ричер оказался между ними.

Правило номер один, высеченное в камне с самого раннего детства, когда он впервые понял, что может либо испытывать страх, либо заставить других бояться, состояло в том, чтобы бежать в сторону опасности, а не от нее. В данном случае он мог выбирать: вперед или назад. Ричер помчался вперед, на север, куда и так двигался, чтобы не пришлось сбиваться с шага. И поворачиваться. Так быстрее и резче. Глядя вперед и глядя назад. Он продолжал двигаться. Инстинктивная, но разумная тактика. В том смысле, чтобы выжать максимум из очень плохой раздачи. По меньшей мере искажение картины для преследователей. То, что яйцеголовые назвали бы изменением пространства сражения. Парни впереди будут испытывать дополнительное давление по мере его приближения. А тем, что сзади, придется стрелять с большего расстояния. И то и другое уменьшит эффективность их действий; она станет менее пятидесяти процентов, если ему немного повезет. Потому что громилы сзади будут опасаться попасть в своих. Ведь их напарники окажутся совсем рядом с целью. Преследователи у него за спиной вообще могут добровольно устраниться от участия в схватке.

Выжать максимум из очень плохой раздачи.

Ричер поспешил вперед.

Услышал, как открываются двери автомобилей.

Он продолжал бежать, видя, как слева в свете фар появляются и исчезают из поля зрения двери магазинчиков, все запертые и серые. Пока кое-что не изменилось. Неожиданно вместо очередного дверного проема Ричер обнаружил переулок. Справа тротуар шел дальше, но слева, в темном восьмифутовом открытом пространстве, начинался узкий проход, вымощенный как городской тротуар. Пешеходная дорога. Не частная. Куда она вела? Ему было все равно. Там царила темнота, значит, он гарантированно в более удобном месте, чем посреди пустой улицы, ярко освещенной четырьмя фарами.

Ричер свернул в переулок.

И услышал за спиной шаги.

Он побежал быстрее. Когда первое здание, вдоль которого мчался Джек, закончилось, переулок стал более широким и превратился в узкую улицу. По-прежнему темную. Шаги за спиной не стихали. Ричер старался держаться ближе к домам, где тени были гуще.

Впереди, в темноте, открылась дверь.

Чья-то рука схватила его за плечо и втащила внутрь.

# Глава
# 14

Дверь бесшумно закрылась у него за спиной, и через три секунды он услышал, как ленивой трусцой мимо пробежали преследователи. Наступила тишина. Кто-то потянул Ричера в темноту. Маленькая, но сильная рука. Они перешли в другое пространство. Другая акустика. Другой запах. Другая комната. Ричер услышал шорох пальцев, ищущих на стене выключатель.

Загорелся свет.

Ричер заморгал.

Официантка.

*Посмотри, куда я пойду.*

Переулок, а не дверной проем. Или переулок, ведущий к дверному проему с приоткрытой дверью.

— Ты здесь живешь? — спросил Ричер.

— Да.

Официантка все еще не переоделась после работы. Брюки из черной джинсовой ткани, черная рубашка с пуговицами на воротнике. Миниатюрная, похожая на мальчишку, короткие темные волосы, глаза полны тревоги.

— Спасибо, что пригласила меня в гости, — сказал Ричер.

— Я пыталась придумать, каких чаевых хотела бы, — сказала она. — Если б была незнакомцем, на которого искоса поглядывал охранник.

— А он поглядывал?

— Должно быть, ты разворошил их гнездо.

Ричер промолчал. Они находились в уютной комнате, отделанной в приглушенных тонах, полной старых, но приятных предметов; некоторые были куплены в ломбардах, вычищены и исправлены, другие собраны из деталей сломанных. Рама от какой-то машины поддерживала кофейный столик. Такая же история с книжной полкой. И тому подобное. Повторное использование. Он читал об этом в журнале. Результат Ричеру понравился. Приятная получилась комната. И тут в голове у него прозвучал голос: «Будет очень стыдно, если с ней что-нибудь случится».

— Ты на них работаешь, — сказал он. — Тебе не следовало предоставлять мне убежище.

— Нет, не на них, а на пару, владеющую баром, — возразила она. — Охранник у дверей — это цена за разрешение вести бизнес. Ничего не изменилось бы, если б я работала в другом месте.

— Однако у меня сложилось впечатление, что он считает, будто может тобой командовать.

— Они все так считают. И это одна из причин, по которой я пригласила тебя зайти.

— Спасибо тебе, — повторил он.

— Не стоит благодарности.

— Меня зовут Джек Ричер. И я очень рад с тобой познакомиться.

— Эбигейл Гибсон. Но все называют меня Эбби.

— А меня называют Ричер.

— Я очень рада с тобой познакомиться, Ричер.

Они вполне официально пожали друг другу руки. У нее были маленькие, но сильные пальцы.

— Я сознательно разворошил их гнездо, — сказал Ричер. — Хотел выяснить, насколько быстро и жестко они отреагируют на кое-какие мои слова.

— Какие именно?

— На имя Максима Труленко. Ты когда-нибудь о нем слышала?

— Конечно. Его только что объявили банкротом. Его компания занималась какими-то компьютерными делами. Некоторое время он был здесь очень известным человеком.

— Я хочу его найти.

— Зачем?

— Он должен деньги.

— Ты — коллектор? Ты же говорил, что сейчас у тебя нет работы, — заметила Эбби.

— Все бесплатно, — ответил Ричер. — Временно. Для пожилой пары, с которой я познакомился. Пока я лишь изучаю ситуацию. Просто пробую воду.

— Теперь уже не имеет значения, должен ли он кому-то деньги. У него ничего не осталось. Он банкрот.

— Существует теория, что он прячет под матрасом кучу наличных.

— Такие теории существуют всегда.

— Я думаю, что в данном случае так и есть, — возразил Ричер. — В чистом виде логическое предположение. Если б он действительно разорился, его уже нашли бы. Но никто не знает, где он, значит, деньги у него есть. Потому что сейчас у него имеется лишь один шанс уйти с радаров — платить украинцам, чтобы они его спрятали. А для этого требуются наличные. Следовательно, он совсем не банкрот. И если я сумею отыскать его в ближайшее время, возможно, у него еще что-то останется.

— Для той пожилой пары, — сказала Эбби.

— И я надеюсь, что денег окажется достаточно, чтобы решить их проблемы.

— Единственный способ не быть найденным — не разориться... Звучит как предсказание из печенья. Но я полагаю, что сегодня оно окажется правдивым.

Ричер кивнул.

— Две машины, — сказал он. — Четверо парней. Они дорого стоят.

— Тебе не следует связываться с этими людьми, — сказала Эбби. — Я видела их вблизи.

— Но ты с ними связалась. Ты открыла мне дверь.

— Это другое дело, — возразила она. — Они никогда не узнают. Здесь сотни дверей.

— А почему ты открыла свою?

— Ты знаешь почему.

— Может быть, они хотели лишь немного поболтать, — предположил Ричер.

— Я так не думаю, — спокойно сказала Эбби.

— Ну, возможно, разговор получился бы неприятным, но не более того, — продолжал он.

Она не ответила.

— Ты знаешь, что они могли поступить гораздо хуже, — сказал Ричер. — Поэтому открыла дверь.

— Я видела их вблизи, — повторила Эбби.

— И что они сделали бы?

— Они не любят, когда люди суют нос в их бизнес. Я думаю, они обошлись бы с тобой очень жестоко.

— Ты видела, как подобные вещи случались прежде?

Она не ответила.

— В любом случае, — произнес Ричер, — еще раз спасибо.

— Тебе что-нибудь нужно?

— Мне пора уходить. Ты уже достаточно для меня сделала. Я снял номер в отеле.

— Где?

Ричер рассказал, и Эбби покачала головой.

— Это к западу от Центральной улицы, — сказала она. — Там у них везде глаза и уши. Твое описание уже разослали по всему городу.

— Похоже, они отнеслись к этой истории очень серьезно.

— Я тебе говорила, — сказала Эбби. — Они не любят, когда люди суют нос в их бизнес.

— Сколько их всего?

— Достаточно. Сейчас я собираюсь сварить кофе. Ты будешь?

— Конечно.

Эбби повела его на кухню, оказавшуюся маленькой — вещи в ней так же плохо сочетались друг с другом, как в гостиной, — но чистой и уютной. Она вытряхнула остатки старого кофе из фильтра, сполоснула кофейник и заварила кофе. Вскоре послышалось фырканье и причмокивание, и кухня наполнилась сильным ароматом кофе.

— Я вижу, что кофе не мешает тебе спать, — заметил Ричер.

— Это мое время, — сказала Эбби. — Я ложусь, когда встает солнце. И сплю целый день.

— Звучит разумно.

Она открыла стенной шкаф и достала две белые фарфоровые чашки.

— Я в душ. Наливай себе кофе, если он будет готов до моего возвращения.

Через минуту Ричер услышал шум воды, а еще через некоторое время — негромкое жужжание фена. Кофеварка фыркала и хлюпала. Эбби вернулась до того, как сварился кофе. Она стала розовой и влажной, и от нее пахло мылом. Эбби надела платье до колена, похожее на мужскую рубашку, но более длинную и приталенную. Вероятно, под ней ничего не было. Обычная одежда после работы. Уютный вечер дома. Они разлили кофе по чашкам и перешли в гостиную.

— Ты не ответил на мой вопрос, — сказала Эбби. — Впрочем, у тебя не было шанса...

— На какой вопрос?

— Какой работой ты хотел бы заниматься?

В ответ Ричер рассказал ей свою краткую биографию. Сначала все было понятно, но потом стало сложнее. Сын морского пехотинца, детство на пятидесяти различных военных базах, Уэст-Пойнт, служба в военной полиции в сотне различных мест, сокращение армии после окончания холодной войны, которое и привело к близкому знакомству с гражданской жизнью. Прямой и честный рассказ. А дальше начались путешествия, не такие прямые и понятные, как жизнь в армии. Отсутствие работы, отсутствие дома, отсутствие покоя. Всегда в движении. Он владеет только одеждой, которая на нем. Нет конкретного места, куда он направляется, и все время мира, чтобы туда добраться. Некоторым людям такое трудно понять. Но Эбби, казалось, поняла, потому что не стала задавать обычных глупых вопросов.

Ее собственная история оказалась намного короче, ведь она была моложе. Родилась на окраине Мичигана, выросла в пригороде в Калифорнии, любила книги, философию, театр, музыку, танцы, эксперименты и актерскую игру. Приехала в этот город студенткой — и осталась. Временная работа официанткой растянулась на десять лет. Сейчас ей тридцать два года. Она старше, чем выглядит. Но сказала, что счастлива.

Они несколько раз возвращались на кухню, чтобы налить еще кофе, потом оказались на противоположных концах дивана, где Ричеру удалось удобно устроиться, а Эбби сидела, скрестив ноги, скромно спрятав концы платья-рубашки между обнаженными коленями. Ричер знал совсем немного о философии, театре, танцах, экспериментах и актерской игре, но он читал книги, когда у него появлялась возможность, поэтому ему удавалось соответствовать. Пару раз выяснилось, что они читали одни и те же книги. Аналогичная история с музыкой. Эбби называла это своей фазой ретро. Ричер сказал, что ему кажется, будто это происходило вчера. Они немного посмеялись.

В два часа ночи Ричер решил, что может снять номер в албанском отеле. Всего в одном квартале к востоку. Почти в таком же хорошем. Он вполне мог позволить себе потерять заплаченные деньги. Его больше раздражала потеря пяти минут собственной жизни. У стойки. Он никогда не сможет их вернуть.

— Если хочешь, — предложила Эбби, — ты можешь остаться здесь.

Ричер практически не сомневался, что на ее платье-рубашке стало на одну расстегнутую пуговицу больше, чем раньше. Джек считал, что может полагаться на свое восприятие действительности. Он был наблюдательным человеком и уже много раз изучил чрезвычайно привлекательный вид, предоставленный ему Эбби. Однако новый понравился ему еще больше.

— Я не вижу комнаты для гостей, — заметил он.

— У меня ее нет, — ответила Эбби.

— Это будет эксперимент, касающийся образа жизни?

— Как противоположность чему?

— Обычным причинам.

— Я полагаю, это смесь.

— Меня устраивает, — сказал Ричер.

# Глава
# 15

Ночь прошла, но два сборщика Дино так и не появились. После винного магазина — никаких следов. Их телефоны не отвечали. Никто не видел автомобиль. Они попросту исчезли. Конечно, такое было невозможно. Но никто не стал будить Дино. Вместо этого они начали поиски. Проверили все соседние дома. Никаких результатов. До семи утра, когда на их собственной лесопилке рабочий, занимавшийся погрузкой готовой древесины во внутреннем дворе, отъехал в сторону с очередной порцией и обнаружил у последних стволов кедра два тела.

Только после этого они разбудили Дино.

Задний двор от основного подъезда отделяла проволочная ограда в восемь футов высотой. Двое их сборщиков свисали с ограды вниз головами. Им вспороли животы. Кишки вывалились на грудь, лицо и землю под ними. К счастью, уже после смерти. У обоих обнаружили смертельные огнестрельные ранения. Голова одного почти полностью исчезла.

Машину не нашли. Никаких следов, ничего.

Дино собрал совещание в заднем офисе лесопилки. Всего в пятидесяти ярдах от жуткой находки. Как боевой генерал, решивший сам оценить местность.

— Должно быть, Грегори спятил. Исходно мы были жертвами, нам всякий раз доставались короткие соломинки, а теперь он хочет еще раз ткнуть нас носом: четверо наших ребят за двоих украинцев! Бред! До какой степени несправедливой, по его представлениям, должна быть расплата? Проклятье, о чем он думает?

— И почему так жестоко? — спросил его правая рука. — Драматично, с вывалившимися внутренностями? Мне кажется, в этом ключ ко всему.

— Ты думаешь? — спросил Дино.

— Скорее всего. Их акция была совершенно неуместной. И необязательной. Как будто их возмутили наши действия. Словно они хотели отомстить. Как если б у нас появилось преимущество.

— Но это не так, — Дино покачал головой.

— Может быть, мы чего-то не знаем... А если мы и в самом деле получили какое-то преимущество, просто нам пока неизвестно какое?

— И что прошло мимо нашего внимания?

— Все дело в том, что мы не знаем.

— Мы получили лишь квартал ресторанов.

— Возможно, в них есть что-то особенное. Может быть, они приносят хороший доход. Возможно, благодаря ресторанам мы получаем более легкий доступ к людям. Там обедают все важные персоны. Вместе с женами и тому подобное. Куда еще им идти?

Дино не ответил.

— Почему еще они могли так разозлиться? — спросил правая рука.

Дино продолжал молчать.

— Возможно, ты прав, — наконец заговорил он. — Может быть, квартал ресторанов стоит дороже, чем ростовщичество... будем надеяться. Нам повезло, а они возмутились. Но в любом случае четверо за двоих — это недопустимо. Мы не можем так это оставить. Скажи нашим парням: к закату мы должны сравнять счет.

* * *

Ричер проснулся в восемь утра теплым, расслабленным, миролюбивым и частично переплетенным с Эбби, которая продолжала спать. Рядом с ним она казалась совсем маленькой, почти на фут ниже, а весила в два раза меньше. Однако была быстрой, гибкой и сильной в движениях. И совершенно определенно склонной к экспериментам. Ее выступление было настоящим искусством, тут не могло быть ни малейших сомнений. Ричер чувствовал себя совершенно счастливым; он глубоко дышал и смотрел в незнакомый потолок с трещинами в штукатурке, подобными системе рек на карте, его множество раз красили, и сейчас они выглядели как зажившие раны.

Ричер осторожно высвободился из объятий Эбби и голым направился в ванную комнату, а потом на кухню, где поставил вариться кофе. Вернувшись в ванную комнату, принял душ, собрал свои вещи, разбросанные по всей спальне, и оделся. Затем достал третью белую фарфоровую чашку из шкафа, налил себе первую чашку кофе нового дня и сел за маленький столик, стоявший у окна. Солнце уже взошло и сияло на голубом небе. Красивое утро. С улицы доносились негромкие звуки, шум проезжавших автомобилей и голоса. Люди суетились, собирались на работу, готовились начать новый день.

Ричер встал, налил еще одну чашку кофе и уселся на прежнее место. Через минуту появилась обнаженная Эбби, которая зевала, потягивалась и улыбалась. Она взяла чашку с кофе, прошлепала по полу и села к Ричеру на колени. Обнаженная, мягкая и благоухающая. Что еще оставалось делать мужчине? Через минуту они вернулись в постель.

Получилось даже лучше, чем в первый раз. С постоянными экспериментами. Целых двадцать минут, от начала и до конца. Потом они, задыхаясь, упали на постель. «Совсем неплохо для старика», — подумал Ричер. Эбби устало прижалась к его груди, и он понял, что она полностью расслабилась. Что-то вроде абсолютного животного удовлетворения. Но присутствовало и кое-что еще. Нечто большее. Эбби чувствовала себя в безопасности. Ей было тепло и спокойно. И она наслаждалась этими ощущениями, как будто праздновала их.

— Вчера вечером, — сказал Ричер. — В баре. Когда я спросил у тебя про парня у двери, ты в ответ поинтересовалась, не полицейский ли я.

— Ты полицейский, — пробормотала она.

— Был полицейским, — уточнил он.

— Ну, первое впечатление оказалось правильным. Я уверена, что это навсегда останется с тобой.

— Ты хотела и надеялась, что я окажусь полицейским?

— А зачем мне?

— Из-за типа у двери. Может быть, ты думала, что я могу что-то с ним сделать? — предположил Ричер.

— Нет, — ответила она. — Надежды — это пустая трата времени. Полицейские ничего с ними не делают. Никогда. Нужно слишком сильно напрягаться. Слишком большие деньги переходят из рук в руки. Уж поверь мне, эти люди прекрасно защищены от представителей закона.

Ричер уловил давнее разочарование в ее голосе.

— А ты бы хотела, чтобы я что-то с ним сделал? — спросил он в качестве эксперимента.

Эбби прижалась к нему сильнее. «Подсознательно, — подумал Ричер. — И не просто так».

— С этим конкретным парнем? — уточнила она.

— Именно он стоял передо мной.

Немного помедлив, Эбби сказала:

— Да. Я бы хотела.

— И что мне с ним сделать? — спросил Ричер.

Он почувствовал, как она напряглась.

— Я бы хотела, чтобы ты его уделал.

— Сильно?

— По-настоящему.

— А что ты против него имеешь?

Эбби не ответила.

— Вчера вечером ты упомянула еще кое о чем, — продолжил Ричер. — Ты сказала, что они разошлют всем мое описание.

— Как только поймут, что потеряли тебя.

— В отели и тому подобные места, — предположил он.

— Всем, — сказала Эбби. — Они всегда так делают. Автоматизировали все системы, и у них очень качественные технологии. Они прекрасно разбираются в компьютерах и постоянно проводят новые аферы. Автоматическая отправка сообщений для них плевое дело.

— И буквально все получают подобные сообщения?

— Ты думаешь о каких-то конкретных людях?

— Потенциально — о парне из другого подразделения, который сейчас занимается выдачей кредитов.

— Это может стать проблемой?

— У него есть моя фотография. Крупный план. Он узнает мое описание и отправит всем фотографию.

Она прижалась к нему сильнее. И снова расслабилась.

— Не имеет значения. Они в любом случае тебя ищут. Твоего описания достаточно. Фотография, даже крупный план, ничего не изменит. Во всяком случае, на некотором расстоянии.

— Это не проблема, — заверил ее Ричер.

— А что проблема?

— Парень, выдающий деньги, думает, что меня зовут Аарон Шевик.

— Почему?

— Фамилия пожилой пары — Шевик. Я брал деньги по их просьбе. В тот момент эта идея показалась мне разумной. Но теперь ростовщик знает имя. И они могут выяснить их адрес. Я не хочу, чтобы громилы появились в доме Шевиков, пытаясь отыскать меня. Это может привести к целому ряду неприятных вещей. У Шевиков и без того хватает проблем.

— Где они живут?

— В восточной части города, в районе, где после войны шла массовая застройка.

— Это территория албанцев. Украинцам будет очень нелегко туда попасть, — заметила Эбби.

— Они уже завладели баром, в котором албанцы прежде выдавали кредиты, — сказал Ричер. — А это довольно далеко к востоку от Центральной улицы. Теперь линия фронта стала не такой очевидной, как прежде.

Эбби сонно кивнула у его груди.

— Я знаю, — сказала она. — Они пришли к соглашению, что из-за нового полицейского комиссара не могут начать войну, но сейчас слишком много всего происходит... — Затем сделала глубокий вдох, задержала дыхание, села, встряхнулась и сказала: — Нам нужно идти.

— Куда?

— Мы должны убедиться, что твоя пожилая пара в порядке.

* * *

Машина Эбби стояла в гараже, находившемся в одном квартале от ее дома, — маленький белый седан «Тойота» с механической коробкой передач и колесами без колпаков. Один из «дворников» поддерживался электрическим проводом. Вдоль всего ветрового стекла шла трещина. Однако двигатель завелся сразу, колеса завертелись, тормоза работали. Стекла были самыми обычными, Ричер не сомневался, что его лицо, оказавшееся слишком близко к окну, прекрасно видно тем, кто находится снаружи, и чувствовал себя неуютно в темном замкнутом пространстве. Он следил, не проедет ли мимо лимузин вроде того, что врезался в ограду парковки дилера «Форда», но их не было; не заметил Ричер и бледных мужчин в костюмах, которые стояли бы на углах и оглядывались по сторонам.

Они ехали тем же путем, каким он шел, — мимо автобусного вокзала, через перекресток со светофором, потом по более узким улицам, мимо бара, снова по более широким проспектам. Бензоколонка и кафе находились впереди.

— Давай остановимся здесь, — сказал Ричер. — Мы принесем им немного еды.

— Они не будут против? — спросила Эбби.

— А это имеет значение? Им нужно что-то есть.

Они остановились. Меню не изменилось. Салат с курицей или салат с тунцом. Ричер купил по два сэндвича каждого вида, а также чипсы и содовую. И еще банку кофе. Одно дело — отказаться от еды, но кофе — совсем другой разговор.

Они добрались до старой застройки, сделали несколько правых поворотов и свернули в тупик. «Тойоту» припарковали у заборчика с пробивающимися бутонами роз.

— Это их дом? — спросила Эбби.

— Теперь им владеет банк.

— Из-за Макса Труленко?

— И нескольких ошибок, допущенных ими из лучших побуждений, — уточнил Ричер.

— А они смогут получить дом обратно?

— Я мало что знаю о подобных вещах. Но не вижу здесь никаких проблем. Деньги и имущество постоянно меняют владельцев. Покупка и продажа. Мне представляется, что нет причин, по которым банк стал бы возражать. Уверен, что у них есть способы получить прибыль от подобной сделки.

Они пошли по узкой бетонной дорожке. Дверь распахнулась до того, как они оказались около нее. На пороге стоял Аарон Шевик. У него было встревоженное лицо.

— Мария исчезла, — сказал он. — Я нигде не могу ее найти.

## Глава

# 16

Возможно, в далеком прошлом Аарон Шевик и был преуспевающим механиком, но свидетелем он оказался никаким. Он не слышал шума проезжавших машин, не видел автомобилей на улице. Они встали в семь утра, съели скромный завтрак в восемь. Затем мистер Шевик отправился в магазин, чтобы купить кварту молока для будущих скромных завтраков. Когда он вернулся домой, Марии нигде не было.

— Как долго вы отсутствовали? — спросил Ричер.

— Двадцать минут, — ответил Шевик. — Может быть, больше. Я по-прежнему хожу очень медленно.

— Вы внимательно осмотрели дом?

— Я подумал, что она могла упасть где-то в доме. Но ничего такого не случилось. Во дворе тоже. Значит, она куда-то ушла. Или ее увезли.

— Давайте начнем с варианта, что она сама куда-то ушла. Она взяла пальто?

— Ей не нужно пальто, — вмешалась Эбби. — Сейчас достаточно тепло. Но у меня есть вопрос получше: взяла ли она сумочку?

Шевик проверил обычные места, где могла лежать сумочка. Всего четыре. На кухонной столешнице, на скамеечке напротив входной двери, вполне конкретный крючок на вешалке, где они также вешали зонтики, и, наконец, на полу в гостиной рядом с ее креслом.

Сумочки нигде не было.

— Ладно, — сказал Ричер. — Это хороший знак. Очень убедительный. Миссис Шевик почти наверняка ушла добровольно, по собственному желанию, спокойно собралась, и на нее никто не оказывал давления.

— Но она могла оставить сумочку в каком-нибудь другом месте, — сказал Шевик и беспомощно огляделся по сторонам.

Дом был маленьким, но в нем имелись сотни потайных мест.

— Давайте смотреть на положительные стороны, — предложил Ричер. — Она взяла сумочку, надела ее на руку и пошла по дорожке.

— Или ее засунули в машину. Может быть, заставили взять сумочку. Может быть, хотели, чтобы мы подумали, будто она ушла сама.

— Я полагаю, что она пошла в ломбард.

Шевик довольно долго молчал, потом поднял палец — я сейчас вернусь — и захромал по коридору в спальню. Через минуту он вошел с древней обувной коробкой в руках, разрисованной выцветшими полосками в пастельных бело-розовых тонах; на короткой стороне была потускневшая черно-белая этикетка с именем производителя, а также гордый силуэт женских туфель на низком каблуке, размер — четвертый, — и цена, чуть меньше четырех долларов. Может быть, туфли, в которых Мария Шевик выходила замуж.

— Фамильные драгоценности, — пояснил Шевик.

Он снял крышку. В коробке ничего не оказалось. Исчезли золотые обручальные кольца в девять карат, кольца на помолвку с мелкими бриллиантами, а также золотые часы с треснувшим стеклом.

— Нам нужно ее встретить, — сказала Эбби. — В противном случае ей будет грустно идти домой в одиночестве.

* * *

Традиционным главным источником доходов организованной преступности являлось ростовщичество, а также наркотики, проституция, азартные игры и рэкет. На своей половине города украинцы вели бизнес с умением и апломбом. Прибыль от наркотиков заметно выросла. Марихуана уже почти не пользовалась спросом из-за постепенной легализации, но резкое повышение употребления метамфетамина и оксикодона полностью компенсировало потери. Доходы подскочили до небес. И еще больше увеличились от процентов с продажи мексиканского героина, весьма популярного от западных окраин до Центральной улицы. С каждого грамма.

Величайший успех Грегори. Он сам заключил сделку. Мексиканские банды были отъявленными варварами, и ему пришлось потратить немало сил, чтобы произвести на них впечатление. Но Грегори свое получил. Два их парня, работавшие на улицах города, которым выпустили кишки, убедили мексиканцев окончательно. Причем животы им вспороли до того, как они умерли. Мексиканцы начали беспокоиться по поводу вербовки новых уличных дилеров. Парни зарабатывали не очень много; быть может, достаточно, чтобы быть готовыми к стрельбе, но только не к тому, чтобы их располосовали от горла до паха, пока они еще живы. Грегори получил дополнительные доходы с продаж, и все остались довольны.

Проституция также приносила хорошие деньги, главным образом из-за того, что Грегори считал ее пакетным преимуществом. Украинские девушки были очень красивы, многие — высокие стройные блондинки. На родине они не могли рассчитывать на хорошие заработки; там их ждали лишь грязь и тяжелый монотонный труд. Никакой красивой одежды, роскошных апартаментов и автомобилей «Мерседес-Бенц». Они это прекрасно знали, а потому радовались возможности перебраться в Америку. Все понимали, что оформление бумаг — процесс долгий, сложный и дорогой и им придется максимально быстро возместить расходы своим покровителям. Совершенно определенно до того, как они переберутся туда, где красивая одежда, роскошные апартаменты и автомобили «Мерседес-Бенц».

Им говорили, что это будет очень скоро, только сначала нужно хорошенько постараться, и лишь тогда они получат доступ к ослепительным благам Америки. Беспокоиться не о чем: система создана давно и дело прекрасно поставлено. Им предстоит приятная легкая работа с людьми. Главным образом общение. Как связи с общественностью. Они получат удовольствие. И могут даже рассчитывать на быстрое повышение, если встретят подходящего мужчину.

По прибытии их сортировали. Разумеется, уродливых среди них не было. У Грегори имелся огромный выбор — десятки тысяч молодых женщин, готовых прыгнуть в самолет, свежих, безупречно красивых и благоухающих. Как ни странно, выше всего ценились не самые молодые. Во всяком случае, в верхнем сегменте рынка. Конечно, всегда хватало мужчин, готовых платить за оральный секс с девушками моложе их внучек, но опыт показывал, что клиенты с действительно большими деньгами находили такие крайности отвратительными. Опыт показывал, что они предпочитали женщин постарше, может быть, даже в возрасте двадцати семи или восьми лет, с легкой аурой опыта и мудрости, близких к зрелости, с чувством юмора, — чтобы не ощущать себя растлителями малолетних. Чтобы казалось, будто у него в комнате младшая коллега или подающая надежды управляющая, которой требуется совет или которая рассчитывает на повышение или все сразу, если она правильно разыграет партию.

Такая женщина обычно играла свою роль в течение пяти лет, но как-то так получалось, что она не имела красивой одежды, роскошных апартаментов и автомобиля «Мерседес-Бенц». И почему-то ей никак не удавалось рассчитаться с долгами. Когда все начиналось, никто не думал о процентных ставках. Иногда женщина выдерживала еще пять лет, если по-прежнему хорошо выглядела, на странице веб-сайта, посвященного зрелым женщинам, а если нет, ее цена падала на пару сотен долларов в час и она продолжала обслуживать клиентов столько, сколько могла. После этого ее окончательно изымали из веб-сайта и отправляли в один из массажных салонов, расположенных где-то на задворках, — там самый короткий сеанс продолжался двадцать минут, ее одевали в короткую униформу медсестры и резиновые перчатки, и ей приходилось работать по шестнадцать часов в сутки.

Каждым таким салоном управлял босс, у которого имелся помощник. Как и женщины под их началом, они являлись далеко не самыми лучшими членами организации. Однако у их работы имелись плюсы: она была предельно простой. Перед ними стояли только три задачи. Им следовало сдавать определенное количество долларов в неделю, поддерживать энтузиазм среди персонала и порядок среди клиентов. И больше ничего. Такая деятельность привлекала вполне определенный тип мужчин. Достаточно злобных, чтобы добывать нужное количество долларов, достаточно жестких, чтобы справляться с клиентами, и достаточно подлых, чтобы получать удовольствие от процесса.

В одном из таких салонов, в двух кварталах западнее Центральной улицы, босса и его заместителя звали Богдан и Артем. Боссом был Богдан, помощником — Артем. До этого момента их день складывался прекрасно. Они получили сообщение с описанием парня, объявленного в розыск, — всего несколько предложений, где основное внимание уделялось росту и весу, которые производили впечатление. Парни пристально разглядывали посетителей, однако не обнаружили никого, кто соответствовал бы описанию.

В салоне побывало множество клиентов; все они вели себя хорошо и остались довольны оказанными услугами. С персоналом также не возникало никаких проблем, если не считать небольшой заминки утром, когда одна из немолодых работниц опоздала, но не продемонстрировала достаточного раскаяния. Ей предложили выбрать наказание. Она выбрала кожаное весло после окончания смены. Богдан займется наказанием, Артем заснимет его на видео. Оно появится на порносайте через час и утром принесет несколько долларов. Двойная выгода. Хорошо. Пока все шло прекрасно.

А потом пришли два новых клиента, которые выглядели не так, как другие. Темные волосы, смуглая кожа, солнечные очки. Короткие темные плащи. Черные джинсы. Почти как форма. Такое случалось. Как правило, из-за университета. В городе жили самые разные типы, и они одевались как в том месте, откуда приехали. Отсюда и эта парочка. Может быть, они были студентами, прилетевшими из-за океана. Может быть, пробовали незаконные радости принимающей стороны исключительно в исследовательских целях. Для того чтобы установить взаимопонимание.

Или нет.

Они вытащили одинаковые пистолеты из-под одинаковых курток. Два полуавтоматических «Хеклер и Кох МП5» с интегрированным глушителем. По странному совпадению, накануне вечером украинцы использовали ту же модель возле винного магазина. Мир тесен. Парни жестами предложили Богдану и Артему встать рядом, плечом к плечу. Затем каждый выстрелил в пол им под ноги, чтобы показать, что их оружие имеет глушители. Два шипящих щелчка. Громких, но не настолько, чтобы кто-то прибежал на помощь.

На плохом украинском, с сильным албанским акцентом, им предложили выбор. Снаружи стояла машина, Богдан с Артемом могли сесть в нее или умереть здесь и сейчас — после того как поймут, что помощи ждать не следует. Они могут получить пулю в живот и через двадцать минут мучительной агонии умереть от кровотечения на полу, после чего их протащат по коридору и все равно засунут в машину.

Их решение.

Богдан не ответил. Во всяком случае, сразу. Как и Артем. Их охватили искренние сомнения. Они слышали о пытках албанцев. Может быть, лучше сразу получить пулю? Парни молчали. В здании воцарилась тишина. Никаких звуков. Массажные кабинеты стояли в ряд вдоль длинного коридора, по обе стороны закрытой внутренней двери. Передняя часть дома вполне могла быть приемной перед кабинетом адвоката. Нечто вроде негласного компромисса с городом. С глаз долой, из сердца вон. Не пугайте избирателей. Сделку проводил Грегори.

Затем тишина была нарушена. Послышался звук. Слабый стук каблуков по коридору. Тук, тук, тук. Каблуки высотой в пять дюймов, какие носили все девушки. Иногда чистый пластик. Туфли стриптизерш. У американцев есть слова для всего. Тап, тап, тап. Наверное, одна из девушек шла из ванной комнаты в свой кабинет. Или из одного кабинета в другой. От одного клиента к следующему. Некоторые девушки пользовались популярностью и получали дополнительные заявки.

Стук каблуков продолжал приближаться. Тук, тук, тук. Может быть, она направлялась в самый дальний кабинет.

Тук, тук, тук.

Внутренняя дверь распахнулась, и в комнату вошла женщина, одна из старших. Более того, именно та, которую ждало наказание после смены. Как и все остальные, она была в сильно укороченной версии формы медсестры из блестящего белого латекса и маленькой белой шапочке. Подол юбки заканчивался шестью дюймами выше верхнего края чулок. Она подняла руку; один палец чуть опережал остальные, как обычно делают люди, которые просят прощения за то, что прерывают чужой разговор и собираются задать вопрос.

Но ей не удалось произнести ни слова. Имевшиеся у нее мирские мысли так и остались невысказанными. Еще простыней, еще лосьона, новые резиновые перчатки. Что бы там ни было. Албанец, стоявший слева, краем глаза увидел, как открывается дверь, сразу выстрелил, и три пули вошли точно в центр масс. Без всякой на то причины. Состояние полного напряжения. Приступ лихорадки. Дрогнул ствол, дрогнул палец на спусковом крючке. Даже эха не было. Только длинный резкий плотный удар о пол, когда женщина упала.

— Господи Иисусе, — выдохнул Богдан.

Это окончательно развеяло все сомнения. Пуля в живот перестала быть теорией благодаря предоставленным визуальным доводам. Вступили в силу древние человеческие инстинкты. Оставайся в живых хотя бы на минуту дольше. А там посмотрим. Богдан и Артем добровольно направились к машине. Они пересекли Центральную улицу и оказались на албанской территории в тот самый момент, когда женщина в костюме медсестры умерла. Она осталась лежать в одиночестве в дверном проеме; половина тела внутри, половина — в коридоре. Клиенты сбежали. Они перепрыгивали через нее и мчались прочь. Как и ее коллеги, которые последовали за ними. Ушли все. Она умерла одна, испытывая сильную боль, лишенная утешения, — и никто не попытался облегчить ее страдания. Ее звали Ульяна Дорожкина. Ей был сорок один год. Она приехала в этот город пятнадцать лет назад, в возрасте двадцати шести, невероятно взволнованная перспективой предстоящей карьеры в сфере связей с общественностью.

# Глава

# 17

Аполлон Шевик понятия не имел, где именно расположены городские ломбарды. Ричер предположил, что они должны находиться на том же радиусе, что и городской автобусный вокзал; он хорошо знал города. На разумном расстоянии от богатых кварталов. Рядом с дешевыми многоквартирными густонаселенными домами. Затемненные стекла, автоматические стиральные машины, пыльные хозяйственные лавки и магазины, где продают запасные части для менее популярных моделей автомобилей. И ломбарды. Проблема состояла в том, чтобы правильно выбрать маршрут. Они хотели встретить миссис Шевик, если она уже заключила сделку и теперь возвращалась домой.

Не зная ее конечной цели, выбор было сделать непросто. В результате они двигались по широкой дуге, находили ломбарды, заглядывали в окно, не видели там миссис Шевик, направлялись обратно домой, чтобы убедиться, что она их не опередила, возвращались в район ломбардов и продолжали поиски следующего.

В конце концов они нашли ее к западу от Центральной улицы; она выходила из грязного ломбарда, расположенного напротив узкой улочки, на которой находились диспетчерская такси и офис залогового поручительства. Миссис Шевик собственной персоной с сумочкой на локте. Эбби остановилась рядом с ней, Аарон опустил стекло своего окна и позвал ее. Она очень удивилась, когда увидела мужа, но быстро пришла в себя и забралась в машину. На все про все ушло не больше десяти секунд. Словно они договорились заранее.

Сначала миссис Шевик смущалась из-за Эбби. Незнакомка. *Вы считаете, что мы очень глупые.* Аарон спросил, сколько она получила за кольца и часы, но миссис Шевик лишь покачала головой и не ответила.

— Восемьдесят долларов, — сказала она через некоторое время.

Все молчали.

Они поехали обратно на восток, мимо автобусного вокзала, через перекресток со светофором.

* * *

В этот момент Грегори, находившемуся в своем кабинете, рассказали новость о массажном салоне. Волей случая один из его людей проходил мимо по не связанным с салоном делам и почувствовал, что там что-то не так. Слишком тихо. Он вошел внутрь. Заведение оказалось совершенно пустым. Никого, кроме трупа застреленной старой шлюхи, лежавшей в луже собственной крови. Больше никого. Никаких следов Богдана и Артема. Телефон Артема остался лежать на его письменном столе, куртка Богдана висела на спинке стула. Плохие знаки. Из чего следовало, что они покинули заведение против своей воли. Очевидно, их куда-то увезли.

Грегори созвал своих главных помощников, рассказал им новость и предложил подумать шестьдесят секунд, а потом попытаться сделать анализ происходящего и предложить план будущих действий.

Первым заговорил его правая рука:

— Полагаю, все понимают, что тут замешан Дино. Он взял на себя какую-то миссию. Мы убрали двух его парней при помощи трюка со шпионом в полицейском департаменте, после чего он убил наших ребят возле парковки дилера «Форда». Что было честно. Тут и спорить не о чем. Что посеешь, то и пожнешь. Вот только ему не понравилось, что его ростовщический бизнес перешел к нам, и он решил наказать нас, убрав еще двух наших парней в квартале ресторанов. В ответ вчера вечером мы застрелили двух его людей возле винного магазина. Получилось четыре на четыре. Честный обмен. Конец истории. Вот только Дино, судя по всему, с этим не согласился. Очевидно, он хочет нам что-то доказать. Возможно, дело в его эго. Он решил быть все время на двух парней впереди. Быть может, так он чувствует себя лучше. Теперь получается, что он ведет шесть против четырех.

— И что нам делать? — спросил Грегори.

Его правая рука довольно долго молчал.

— Мы заняли наше нынешнее положение не потому, что вели себя глупо. Если мы сравняем счет, он ответит — и будет восемь против шести в его пользу. И так до бесконечности. Медленная война. Но мы не можем начинать ее сейчас.

— И что же нам следует сделать? — снова спросил Грегори.

— Мы должны это проглотить. Мы отстаем на двух парней и квартал ресторанов, но получили ростовщический бизнес. В целом выгодная для нас ситуация.

— Но мы выглядим слабыми, — возразил Грегори.

— Нет, — не согласился правая рука. — Это делает нас взрослыми людьми, которые затеяли долгую игру и не спускают глаз с приза.

— Но мы потеряли на двух парней больше, — снова не согласился Грегори. — Это унизительно.

— Если б неделю назад Дино предложил нам поменять свой ростовщический бизнес на двух наших людей и ресторанный квартал, мы были бы счастливы. Сейчас мы впереди. И унижен Дино, а не мы.

— Но будет по меньшей мере странно оставить все как есть, — продолжал возражать Грегори.

— Нет, — настаивал на своем его правая рука. — Это будет умно. Мы разыгрываем партию в шахматы. И прямо сейчас побеждаем.

— Что они сделают с нашими ребятами?

— Уверен, что ничего хорошего.

С минуту все молчали.

— Нам нужно отыскать шлюх. Мы не можем допустить, чтобы они сбежали, — наконец сказал Грегори. — Это плохо для дисциплины.

— Мы их уже ищем, — сказал кто-то из других помощников.

Снова наступило молчание.

Затем зазвонил телефон Грегори. Он включил его, послушал и нажал на красную кнопку.

Потом посмотрел на своего заместителя и улыбнулся.

— Может быть, ты и прав, — сказал Грегори. — Может быть, ростовщический бизнес того стоит.

— В каком смысле?

— Теперь у нас есть имя. И фотография. Парня, который интересовался вчера Максом Труленко. Зовут Аарон Шевик. Он клиент и в данный момент должен нам двадцать пять тысяч долларов. Сейчас мы занимаемся поисками его адреса. Судя по всему, он огромный уродливый сукин сын.

* * *

Эбби припарковалась у тротуара рядом с заборчиком, все вышли и зашагали по узкой бетонной дорожке. Мария Шевик достала ключи из сумочки, висевшей на локте, и отперла дверь. Они вошли в дом. Мария заметила банку кофе на кухонной стойке.

— Спасибо вам, — сказала она.

— Это исключительно в собственных интересах, — ответил Ричер.

— Хотите, я сварю?

— Я не мог дождаться, когда вы спросите.

Мария открыла банку, включила кофеварку и присоединилась в гостиной к Эбби, которая рассматривала фотографии на стене.

— Есть последние новости? — тихо и мягко спросила та.

— Это жесткое лечение, — сказала Мария. — Наша дочь находится в специальном отделении и либо ничего не понимает из-за болеутоляющих, либо спит, потому что ей постоянно дают снотворное. Мы не можем ее навещать. Даже разговаривать по телефону нельзя.

— Это ужасно, — сказала Эбби.

— Но врачи настроены оптимистично, — продолжала Мария. — Во всяком случае, на данном этапе. Скоро мы узнаем, что сейчас происходит. Они намерены сделать новое сканирование.

— Если мы сначала за него заплатим, — вмешался ее муж.

«Шесть шансов до окончания недели», — подумал Ричер.

— Мы считаем, что бывший босс Мэг все еще в городе, — сказал он. — И думаем, что у него есть деньги. Ваши адвокаты полагают, что нужно предъявить ему иск. Они утверждают, что это выигрышное дело.

— И где он? — спросила миссис Шевик.

— Мы пока не знаем.

— А вы сумеете его найти?

— Скорее всего. Я занимался подобными вещами на прежней работе.

— Жернова закона крутятся медленно, — повторила миссис Шевик.

Они съели сэндвичи, купленные в кафе на бензоколонке, в гостиной, потому что в кухне было только три стула. Эбби уселась на пол, скрестив ноги, на том месте, где раньше стоял телевизор, и пристроив еду на коленях. Мария Шевик спросила, чем Эбби зарабатывает на жизнь, и та рассказала. Аарон заговорил о добрых старых временах, когда компьютер еще не контролировал станки. Когда все делалось на глазок и в соответствии с интуицией, но с точностью до тысячной доли дюйма. Американские рабочие. Когда-то они были величайшим природным источником богатств в мире. А теперь посмотрите, что стало. Настоящий позор.

Ричер услышал, как по улице проехала машина. Тихое шипение и шорох шин большого седана. Он встал, вышел в коридор и выглянул в окно. Черный лимузин «Линкольн». С двумя мужчинами внутри. Бледные лица, светлые волосы, белые шеи. Они пытались развернуть машину. Туда и обратно по узкой подъездной дороге. Они хотели иметь возможность сразу, не теряя времени, уехать. «Тойота» Эбби стояла у них на пути и сильно им мешала.

Ричер вернулся в гостиную.

— Они узнали адрес Аарона Шевика, — сказал он.

Эбби встала.

— Они здесь? — спросила Мария.

— Мы должны иметь в виду, что их кто-то отправил к вашему дому, — сказал Ричер. — У нас есть приблизительно тридцать секунд, чтобы разобраться. Тот, кто их послал, знает, где они сейчас находятся. Если с ними что-то случится, они приедут сюда, чтобы отомстить. Нам необходимо постараться избежать такого исхода. Будь мы в любом другом месте, не было бы никаких проблем. Но не здесь.

— И что же мы будем делать? — спросил мистер Шевик.

— Избавьтесь от них, — ответил Ричер.

— Я?

— Любой из вас. Но только не я. Именно меня они считают Аароном Шевиком.

Раздался стук в дверь.

# Глава
# 18

В дверь снова постучали. Никто не шевелился. Эбби сделала шаг вперед, но Мария положила руку ей на плечо, и Аарон поднялся на ноги. Ричер нырнул в кухню и остался там, внимательно прислушиваясь к тому, что происходило в доме. Дверь открылась. Наступила тишина, словно два парня удивились, увидев, что им открыл совсем не тот человек, за которым они пришли.

— Нам нужно поговорить с мистером Аароном Шевиком, — сказал один из них.

— С кем? — спросил Аарон Шевик.

— С Аароном Шевиком.

— Кажется, он был предыдущим владельцем дома, — ответил Шевик.

— Вы его арендуете?

— Я на пенсии. Покупать слишком дорого.

— Кто хозяин дома?

— Банк, — ответил Шевик.

— Как вас зовут?

— Я не намерен отвечать на ваш вопрос, пока вы не объясните, что вам нужно, — заявил Шевик.

— У нас частное дело к мистеру Шевику.

— Подождите минутку, — сказал Аарон Шевик. — Вы представляете правительство?

Ответа не последовало.

— Или страховой фонд? — снова спросил он.

— Как тебя зовут, старик? — заговорил второй парень; в его голосе отчетливо слышалась угроза.

— Джек Ричер, — сказал Шевик.

— А откуда нам знать, что ты не отец Аарона Шевика?

— Тогда у нас были бы одинаковые фамилии.

— Или, например, тесть. Откуда нам знать, что его нет в доме прямо сейчас? Может быть, ты взял дом в аренду и он прячется в какой-нибудь комнате. Нам известно, что сейчас у него проблемы с наличными.

Шевик ничего не ответил.

— Мы войдем и посмотрим, — сказал тот же голос.

Ричер услышал, как Шевика отодвигают в сторону, потом шаги в коридоре. Он встал и подошел к двери. Но сначала открыл несколько ящиков, в одном из которых нашел кухонный нож. Лучше, чем ничего. Мария и Эбби вышли в коридор.

Шаги стихли.

— Кто вы такие? — услышал он голос Эбби.

— Мы ищем мистера Аарона Шевика, — сказал один из незваных гостей.

— Кого? — переспросила Эбби.

— А тебя как зовут?

— Эбигейл.

— Эбигейл?

— Ричер. А это мои дедушка и бабушка, Джек и Джоанна.

— Где Шевик? — не унимался парень.

— Он являлся прежним владельцем, — сказала Эбби. — А сейчас переехал.

— И где он теперь живет?

— Он не оставил нового адреса. У нас сложилось впечатление, что у него возникли серьезные финансовые проблемы. Я думаю, его нет в городе. Он сбежал.

— Ты уверена?

— Я знаю, кто здесь живет, мистер. Это дом на две спальни. Одну занимают мои дедушка и бабушка, в другой останавливаюсь я, когда приезжаю. Ну, а в остальное время это комната для гостей. И здесь нет посторонних. Я бы их заметила.

— А ты его когда-нибудь встречала? — спросил один из парней.

— Кого?

— Мистера Аарона Шевика.

— Нет.

— Я его встречала, — вмешалась Мария Шевик. — Когда мы в первый раз осматривали дом.

— И как он выглядел?

— Высокий, крепкого телосложения.

— Да, это он, — сказал один из парней. — Как давно его нет?

— Около года, — ответила Мария Шевик.

Ответа не последовало. Ричер услышал шаги — компания направилась в гостиную.

— Вы живете здесь уже год, но у вас до сих пор нет телевизора? — спросил один из «гостей».

— Мы на пенсии, — ответила Мария. — А телевизор стоит недешево.

— Ха, — сказал голос.

Ричер услышал негромкий щелчок. Потом шаги стали удаляться в сторону коридора и дальше к входной двери. К крыльцу. К узкой бетонной дорожке. Заработал двигатель, и через несколько секунд они уехали. Тихое шипение большого седана.

Наступила тишина.

Ричер положил нож на прежнее место в ящике и вышел из кухни.

— Хорошая работа, — сказал он. — Вы все молодцы.

Аарон выглядел потрясенным. Мария заметно побледнела.

— Они сделали фотографию, — сказала Эбби. — В качестве последнего выстрела.

Ричер кивнул. Негромкий щелчок. Сотовый телефон с камерой.

— И что они сфотографировали? — спросил Ричер.

— Нас троих. Частично для отчета. Частично для базы данных. Но главным образом чтобы напугать. Они всегда так поступают. Люди чувствуют себя уязвимыми.

Ричер снова кивнул. Он вспомнил парня с белой кожей в баре. Как тот поднял телефон. Негромкий щелчок. *Будь я настоящим клиентом, мне бы такое не понравилось.*

Шевики ушли в кухню, чтобы приготовить еще кофе. Ричер и Эбби отправились в гостиную, где сели и стали ждать.

— Фотографии делают не только для угроз, — сказала Эбби.

— А зачем еще? — спросил Ричер.

— Они их пересылают. Между собой. Они всегда так поступают. На случай, если кто-то другой сумеет найти недостающий кусочек головоломки. Рано или поздно они его получат. Фотографию увидит вышибала из бара. Он знает, что меня зовут Эбигейл Гибсон, а не Эбигейл Ричер. Как и многие другие громилы у других дверей, потому что я работала в разных местах. Они начнут задавать вопросы. Они и без того меня не любят.

— Они знают, где ты живешь? — спросил Ричер.

— Я уверена, что они заставят моего босса рассказать им, — со вздохом ответила Эбби.

— Когда они отправят сообщение с фотографией?

— Не сомневаюсь, что они это уже сделали.

— А есть какое-то еще место, где ты могла бы пожить? Эбби кивнула.

— У меня есть друг, — ответила она. — К востоку от Центральной улицы. К счастью, это албанская территория.

— Ты сможешь там работать?

— Я там уже работала.

— Я приношу тебе свои искренние извинения за доставленные неудобства.

— Я буду считать это экспериментом. Кто-то однажды сказал мне, что женщина должна каждый день совершать поступки, которые ее пугают.

— Можно, например, пойти служить в армию, — заметил Ричер.

— Тебе в любом случае лучше находиться к востоку от Центральной улицы. Мы можем держаться вместе. По крайней мере, сегодня ночью, — предложила Эбби.

— А твой друг не будет возражать?

— Надеюсь. С Шевиками все будет в порядке?

Ричер кивнул.

— Люди верят собственным глазам, — сказал он. — В данном случае люминесцирующий парень из бара является такими глазами. Он меня видел и сфотографировал на телефон. Я — Аарон Шевик. Ни малейших сомнений. В их сознании Шевик — крупный высокий мужчина из более молодого поколения. Это следовало из того, что они говорили. Они заявили, что мистер Шевик может быть отцом или тестем Шевика, которого они ищут, но им и в голову не пришло, что он сам Аарон Шевик. Так что с ними все будет в порядке. Для них они пожилая пара по фамилии Ричер.

А потом Мария сказала, что кофе готов.

* * *

Владелец грязного ломбарда, расположенного напротив офиса, где находились диспетчерская такси и отдел залоговых займов, вышел на улицу, пропустил грузовик и открыл дверь диспетчерской. Он не обратил внимания на усталого типа, который сидел перед рацией, сразу направился в заднюю часть офиса и оказался в приемной Грегори. Правая рука поднял голову и спросил, что ему нужно. Хозяин ломбарда ответил, что кое-что произошло. Быстрее перейти на другую сторону улицы, чем посылать сообщение.

— И что было бы в сообщении? — спросил правая рука Грегори.

— Сегодня утром я получил фотографию человека по имени Шевик. Уродливый сукин сын.

— Ты его видел?

— Шевик — это распространенная фамилия в Америке? — спросил владелец ломбарда.

— А что?

— Сегодня утром ко мне приходила клиентка по фамилии Шевик, маленькая пожилая женщина.

— Возможно, они как-то связаны между собой. Наверное, это его старая тетка или кузина.

Управляющий кивнул.

— Так я и подумал, — сказал он. — Но потом пришло новое сообщение. С фотографией. И на ней была та же пожилая женщина. Только в очередном сообщении говорилось, что ее зовут Джоанна Ричер. Однако сегодня утром она подписалась как Мария Шевик.

# Глава
# 19

Ричер и Эбби оставили Шевиков на кухне и направились к «Тойоте». Все имущество Ричера уже было при нем, зубная щетка лежала в кармане. Но Эбби хотела заехать домой и взять там кое-какие вещи. Вполне разумное желание. В свою очередь, Ричер решил зайти в юридическую фирму трех молодых адвокатов, чтобы получить ответ на появившийся у него вопрос. Оба места находились на украинской территории. Но Ричер сомневался, что им обоим будет грозить опасность. Скорее всего, нет. Однако существовали и минусы: две фотографии; к тому же громилы, заявившиеся к Шевикам, могли дать описание «Тойоты» и запомнить номера. Впрочем, имелись и очевидные плюсы: еще не стемнело и они нигде не собирались задерживаться.

«Безопасно, — подумал он. — Наверное».

Они проехали по бедным кварталам, Ричер снова нашел юридическую фирму рядом с отелями, немного западнее

Центральной улицы, в районе, который начали облагораживать. Днем фирма производила совсем не такое впечатление, как вечером. Все соседние офисы были открыты. Люди постоянно входили и выходили. По обе стороны улицы у тротуаров стояли машины. Но Ричер не заметил черных «Линкольнов» и невероятно бледных мужчин в черных костюмах.

«Безопасно, — подумал он. — Наверное».

Эбби свернула к тротуару и припарковалась. Они вышли из машины и направились к двери юридической фирмы. За письменными столами сидели два адвоката. Исаак Мехай-Байфорд отсутствовал. Только Джулиан Харви Вуд и Джино Ветторетто. Гарвард и Йель. Должно хватить. Они приветствовали Ричера, пожали руку Эбби и сказали, что рады с ней познакомиться.

— А что, если у Макса Труленко есть припрятанные деньги? — спросил Ричер.

— Такова теория Исаака, — ответил Джулиан.

— Я думаю, что в данном случае он прав, — сказал Джек. — Прошлой ночью я назвал фамилию Труленко вышибале в баре, где работает Эбби. Примерно через три минуты примчались четверо парней на двух машинах. Весьма впечатляющая реакция. Платиновый уровень защиты. Но эти ребятишки делают всё только за наличные. Следовательно, Труленко им платит. Максимум через три минуты появляются четверо громил на двух машинах. Значит, у него остались деньги.

— Что случилось с теми четырьмя парнями? — поинтересовался Джино.

— Они меня потеряли. Но заодно подтвердили точку зрения Исаака.

— А вам известно, где находится Труленко? — спросил Джулиан.

— Пока нет.

— Нам потребуется адрес, чтобы составить документы. И заморозить его банковские счета. Как вы думаете, какими суммами он располагает?

— Понятия не имею, — ответил Ричер. — Но не вызывает сомнений, что денег у него больше, чем у меня. И больше, чем у Шевиков.

— Я думаю, нам следует подать на него иск на сто миллионов долларов и заключить сделку на все, что у него осталось, — сказал Джулиан. — Если повезет, денег у него хватит.

Ричер кивнул. А потом задал вопрос, ради которого приехал:

— Сколько времени это займет?

— Они никогда не пойдут в суд, — сказал Джино. — Они не могут себе этого позволить. У них нет ни одного шанса на победу. И они постараются заключить сделку до начала процесса. Они будут умолять нас, чтобы мы согласились. Начнутся переговоры между адвокатами, главным образом по электронной почте. Обсуждаться может только один вопрос: оставить Труленко пару центов с доллара, чтобы ему не пришлось до конца жизни жить под мостом.

— Сколько времени это займет? — повторил вопрос Ричер.

— Шесть месяцев, — сказал Джулиан. — Совершенно определенно, не больше.

*Жернова закона крутятся медленно,* сказала Мария Шевик — и не один раз.

— И нет никакой возможности ускорить процесс? — спросил Ричер.

— Ну, шесть месяцев... это если ускорить.

— Ладно. — Ричер кивнул. — Передайте от меня привет Исааку.

Они поспешно вернулись в «Тойоту», которая стояла на прежнем месте. Никем не замеченная, не окруженная бандитами и не получившая штраф. Они сели в нее.

— Это как в фильме, в котором идет съемка рапидом, и в другом, где все движения ускорены, — сказала Эбби.

Ричер ничего не ответил.

С точки зрения физического расстояния квартира Эбби находилась близко, но им пришлось проехать по трем сторонам квадрата из-за улиц с односторонним движением, и они подкатили к ней с севера.

Возле двери стоял автомобиль.

Прямо на тротуаре. Черный «Линкольн», багажником в их сторону. Тонированное заднее стекло. С такого расстояния определить, кто находится внутри, не представлялось возможным.

— Останови машину, — сказал Ричер.

Эбби затормозила в тридцати ярдах севернее «Линкольна».

— В худшем случае там два головореза и двери заблокированы, — констатировал Джек.

— Что рекомендует в такой ситуации армия? — спросила Эбби.

— Бронебойные пули хорошо преодолевают сопротивление металла. А взорвавшийся бензобак скроет улики.

— Мы не можем так поступить.

— Печально. Но нам нужно что-то сделать. Это твой дом. И они суют свой нос куда не следует.

— Безопаснее с ними не связываться.

— Только в краткосрочной перспективе. Мы не можем позволить им делать все, что вздумается. Нам нужно отправить им сообщение. Они перешли границы. Эти парни заставили ни в чем не повинных хозяев бара, у которых хватило хорошего вкуса взять на работу тебя и пригласить гитаристов, сообщить им твой адрес. Я хочу, чтобы они поняли: существуют вещи, которые делать нельзя. И они должны понимать, что связались не с теми людьми. Нам следует немного их напугать.

Некоторое время Эбби молчала.

— Ты спятил, — сказала она наконец. — Ты один. Тебе с ними не справиться.

— Но кто-то должен, — возразил Ричер. — Я к такому привык. Я был военным полицейским. И мне приходилось делать очень неприятную работу.

Еще немного помолчав, Эбби заметила:

— Тебя тревожит, что двери их машины заперты. Потому что в этом случае тебе не удастся до них добраться.

— Верно, — не стал спорить Ричер.

— Я могу обойти квартал и попасть в квартиру через заднюю дверь, — предложила она. — А потом включить везде свет. Они выйдут из машины, и ты сможешь с ними разобраться.

— Нет, — сказал Ричер.

— Ладно, тогда я могу не включать свет и просто забрать свои вещи, — предложила Эбби новый вариант.

— Нет, — повторил он. — По той же причине. Они могут ждать тебя в квартире. А в машине никого нет. Или они разделились — один в машине, другой в квартире.

— Жуть какая, — проворчала Эбби.

— Я тебе говорил. Есть определенные вещи, которые они делать не должны.

— Я могу прожить без вещей. Ну, тебе же удается... Очевидно, такое возможно. Это может стать частью эксперимента.

— Нет, — снова возразил Ричер. — У нас свободная страна. Если ты хочешь взять вещи, значит, ты не должна без них обходиться. И если они *должны* получить послание, они его получат.

— Ладно, меня это устраивает, — не стала спорить Эбби. — Но как мы это сделаем?

— Тут все зависит от того, насколько ты готова и хочешь погрузиться в эксперимент.

— Что я должна сделать?

— Я практически уверен, что у нас все получится.

— Что именно?

— Но ты, наверное, начнешь беспокоиться раньше времени.

— А ты попробуй.

— В идеальном случае я бы хотел, чтобы ты подъехала к «Линкольну» со скоростью пешехода и слегка толкнула его в задний бампер.

— Зачем?

— Тогда двери разблокируются, — принялся объяснять Ричер. — Такой будет первая реакция. Машина посчитает, что произошел незначительный инцидент. Где-то внутри есть небольшое устройство. Предохранительный механизм.

— И тогда ты сможешь открыть двери снаружи, — сообразила Эбби.

— Это будет решением первой тактической задачи. Все остальное последует за ней.

— У них могут быть пистолеты.

— Только в течение ограниченного периода времени, — заверил ее Ричер. — Потом пистолеты будут уже у меня.

— А что, если оба парня в квартире?

— Ну, в этом случае мы можем поджечь машину. И тогда послание будет отправлено.

— Это безумие, — пробормотала Эбби.

— Давай решать проблемы по мере их поступления.

— А моя машина пострадает?

— У нее федеральные бамперы. Должны выдержать удар на скорости пять миль в час. Возможно, тебе потребуется новая кабельная стяжка.

— Ладно.

— И не забывай удерживать ногу на педали сцепления, — продолжал давать указания Ричер. — Ты ведь не хочешь, чтобы машина заглохла? Ты должна быть готова дать задний ход.

— А что потом? — продолжала задавать вопросы Эбби.

— Ты припаркуешь машину и пойдешь за вещами, пока я буду объяснять парням, что им следует сделать.

— И что же?

— Следовать за тобой в какое-нибудь сомнительное место к востоку от Центральной улицы.

На этот раз Эбби замолчала надолго. Но потом кивнула. Тряхнула короткими темными волосами. Ее глаза заблестели. На губах появилась улыбка — мрачная и одновременно возбужденная.

— Ладно, — повторила она. — Вперед!

* * *

В этот момент правая рука Грегори докладывал то немногое, что ему удалось узнать. Он стоял во внутреннем офисе, напротив письменного стола босса. А находиться там всегда было страшно. Письменный стол, массивный, с изящной гравировкой по темному дереву, такое же огромное кресло, обитое зеленой стеганой кожей. За креслом — тяжелый книжный шкаф, парный с письменным столом. Все вместе производило солидное впечатление. Не самое приятное место — в особенности если ты излагаешь столь невнятную историю.

— Вчера вечером в шесть часов Аарон Шевик был громадным уродом и ничтожеством, который вернул заем. В восемь он был громадным уродом и ничтожеством, пришедшим за новым займом. Но в десять он уже изменился. Он разгуливал по городу, наслаждался игрой оркестра в баре, флиртовал с официанткой, ел маленькие пиццы и пил кофе по шесть долларов за чашку. И снова изменился, когда выходил из бара, — стал крутым парнем, задающим вопросы о Максе Труленко. Он выглядит как три разных человека в одном. Мы понятия не имеем, кто он такой на самом деле.

— А кто он такой, по твоему мнению? — спросил Грегори.

Правая рука не стал отвечать на его вопрос.

— Между тем мы отыскали его последний адрес, — продолжил он. — Но там его не оказалось. Мы узнали, что он уехал оттуда год назад. Новые арендаторы — пожилая пара, Джек и Джоанна Ричер. У них в гостях была внучка, Эбигейл Ричер. Вот только это не так. На самом деле ее зовут Эбигейл Гибсон. Она официантка, с которой Шевик флиртовал вчера вечером. Мы ее хорошо знаем. Она настоящий нарушитель спокойствия.

— В каком смысле?

— Около года назад она кое-что сообщила в полицию. Мы решили проблему, показали ей, что она совершила ошибку. Девчонка обещала исправиться, поэтому мы позволили ей продолжать работать.

Грегори наклонил голову влево и некоторое время держал ее так, потом наклонил вправо и снова немного помедлил, словно у него болела шея.

— А теперь она флиртует с Шевиком и появляется в доме, где он жил раньше под фальшивым именем, — заключил он.

— Но и это еще не всё, — продолжал правая рука. — Бабушка Ричер заходила сегодня утром в наш ломбард, но подписалась фамилией Шевик.

— В самом деле? — Грегори приподнял брови.

— Мария Шевик.

— А потом появилась на последнем известном адресе Аарона Шевика...

— Мы понятия не имеем, кто такие эти люди на самом деле, — признался правая рука.

— А ты сам что думаешь? — снова спросил Грегори.

— Мы заняли наше нынешнее положение не потому, что вели себя как дураки, — сказал правая рука. — Нам следует рассмотреть все варианты. И начать с Эбигейл Гибсон. В городе появился новый полицейский комиссар. Может быть, он рассчитывает получить преимущество, изучая старые файлы. И нашел там имя Гибсон. Возможно, он решил ее использовать. Например, отправил крупного урода в поле, чтобы те работали в паре.

— Но он еще не занял должность комиссара, — возразил Грегори.

— Тогда у него еще больше причин. Мы считаем, что нам все еще ничего не угрожает.

— Ты считаешь, что Шевик — полицейский? — спросил Грегори.

— Нет, — ответил правая рука. — Мы работаем в контакте с полицией. Мы бы знали. Кто-нибудь нам рассказал бы.

— Тогда кто же он такой? — спросил Грегори.

— Может быть, из ФБР. А вдруг полицейский департамент запросил помощь со стороны?

— Нет, — возразил Грегори. — Новый комиссар не станет так поступать. Он захочет, чтобы работу делали его люди и вся слава досталась ему.

— Тогда кем он может быть?

— Парень, который взял в долг деньги, а потом спросил про Макса. И я должен признать, что это очень странная комбинация.

— Что нам теперь следует сделать?

— Наблюдать за домом. Если он там живет, то рано или поздно появится.

* * *

Эбби не стала отстегивать ремень безопасности и поставила двигатель на первую передачу. Ричер свой отстегнул и уперся ладонью в приборный щиток.

— Готов? — спросила она.

— Скорость пешехода, — повторил Джек. — Тебе покажется, что мы едем очень быстро, когда окажемся близко. Но не тормози. Может быть, тебе стоит прикрыть глаза в самый последний момент.

Эбби отъехала от тротуара, и «Тойота» медленно покатила по улице.

# Глава
# 20

Считается, что скорость пешехода составляет три мили в час или около двухсот семидесяти футов в минуту, так что побитой белой «Тойоте» потребовалось целых двадцать мучительных секунд, чтобы сократить расстояние до припаркованного «Линкольна». Эбби выровняла автомобиль, сделала нервный вдох, задержала дыхание и закрыла глаза. Дальше «Тойота» катилась уже сама и еще через мгновение жестко столкнулась с задним бампером «Линкольна». На скорости пешехода. Удар получился сильным и громким. Эбби швырнуло на ремень безопасности. Ричер оперся двумя руками о приборный щиток. «Линкольн» отбросило вперед на фут. «Тойоту» — на фут назад. Ричер выскочил наружу, сделал один, два, три быстрых шага к правой задней дверце «Линкольна» и схватился за ручку.

Устройство безопасности сработало.

Дверь распахнулась. Внутри находились два парня. Они устроились впереди, локоть к локтю, с отстегнутыми ремнями, откинувшись назад, комфортно, а потому их сильно тряхнуло. Головы обоих оказались на спинках сидений, то есть на уровне пояса Ричера, когда тот проскользнул в машину за их спинами, что позволило ему легко дотянуться до них руками и с силой столкнуть одну с другой, как делает сидящий в конце оркестра ударник с цимбалами. После чего Ричер резко толкнул их вперед, и тот, что находился слева, ударился о край руля, а правый громила — в приборный щиток над бардачком.

Затем Ричер засунул обе руки в карманы их пиджаков, наклонился через плечи громил вперед, обыскал, нашел кожаные ремни, кобуру с пистолетом у каждого и забрал свою добычу. Потом убедился, что на ремнях брюк и щиколотках оружия нет.

Закончив, он уселся на заднее сиденье. Пистолеты были «Хеклер и Кох П7». Оружие немецких полицейских. Превосходная конструкция. Почти изящная. Но стальная и с жесткими краями. А потому мужественная.

— Пора просыпаться, парни, — сказал Ричер.

Он ждал. В окно увидел, как Эбби вошла в дверь своего дома.

— Просыпайтесь, парни, — повторил он.

И они достаточно скоро пришли в себя. Оба моргали и озирались по сторонам, пытаясь понять, что произошло.

— Итак, условия сделки, — сказал Ричер. — К ней добавляется стимул. Вы повезете меня на восток, по пути я буду задавать вопросы. Если вы соврете, я сдам вас албанцам, когда мы туда приедем. А если расскажете правду, я выйду из машины, а вы сможете вернуться домой живыми и здоровыми. Это и есть побудительный стимул. Ваше дело согласиться или отказаться. Вы всё поняли?

Он увидел, как Эбби вышла из дома с набитой сумкой, отнесла ее к своей машине и закинула на заднее сиденье.

Между тем внутри «Линкольна» водитель, все еще сжимавший руками голову, сказал:

— Ты спятил? Я ничего не вижу. Поэтому никуда не могу тебя отвезти.

— Такого слова не существует, — сказал Ричер. — Вот тебе совет: старайся лучше.

Он опустил стекло своего окна, высунул наружу руку, махнул Эбби, чтобы ехала вперед, показывая дорогу, и смотрел, как она неуверенно отъезжает от тротуара. Передний бампер «Тойоты» перестал быть горизонтальным и теперь свисал по диагонали, заметно ниже, чем следовало. Край со стороны пассажира не доставал до асфальта примерно на дюйм. Возможно, чтобы привести его в порядок, потребуются две или три кабельные стяжки.

— Следуй за этой машиной, — сказал Ричер.

Громила, сидевший за рулем «Линкольна», отъехал от тротуара так неуверенно, как будто в первый раз вел автомобиль. Его партнер изо всех сил пытался повернуть поврежденную шею, чтобы хотя бы краем глаза видеть Ричера.

А тот молчал. Между тем потрепанная «Тойота» решительно ехала вперед. Эбби направлялась на восток, к перекрестку. «Линкольн» следовал за ней. Парень за рулем уже увереннее управлял машиной. Как обычный водитель.

— Где Макс Труленко? — спросил Ричер.

Сначала оба молчали.

— Ты паршивый лжец, — заявил парень, у которого шея была не совсем в порядке.

— И почему же? — осведомился Ричер.

— То, что наши люди сделают с нами, если мы расскажем, где находится Труленко, будет намного хуже того, на что способны албанцы. Так что у нас нет выбора. И никакого стимула. И вообще, мы просто сидели в машине и наблюдали за дверью. Неужели ты думаешь, что таким, как мы, расскажут, где искать Труленко? Поэтому мы не знаем честный ответ. И тогда ты скажешь, что мы солгали. И опять у нас нет ни выбора, ни стимула. Делай что собрался и избавь нас от благочестивой чепухи.

— Но вы знаете, кто такой Труленко? — спросил Ричер.

— Конечно, знаем, — ответил парень, у которого были проблемы с шеей.

— И вы знаете, что кто-то его прячет.

— Без комментариев.

— Только вы не знаете где.

— Без комментариев, — повторил парень с повреждённой шеей.

— Если б от этого зависела ваша жизнь, где бы вы стали его искать?

Громила, у которого были проблемы с шеей, ничего не ответил. И тут зазвонил сотовый телефон водителя. В кармане. Бойкая мелодия маримбы, слегка приглушённая, повторявшаяся снова и снова. Ричер подумал о кодовых предупреждениях и тайных призывах о помощи.

— Не отвечай, — велел он.

— Нас будут искать, — предупредил водитель.

— Кто именно?

— Сюда пришлют пару наших ребят.

— Таких, как вы? Мне стало очень страшно.

Телефон перестал звонить.

— Как зовут вашего босса? — спросил Ричер.

— Нашего босса? — уточнил водитель.

— Не того, который отвечает за тех, кто сидит в машинах и наблюдает за дверью. Главного босса. *Capo di tutti capi.*

— И что это значит? — спросил водитель.

— По-итальянски, — ответил Ричер. — Босс всех боссов.

Никакого ответа. Во всяком случае, сначала. Парни переглянулись, пытаясь прийти к общему решению. Как далеко они могут зайти? С одной стороны — *omerta*. Также итальянский. Кодекс абсолютного молчания. С другой — они попали в серьёзный переплёт. Вместе и по отдельности. В реальном мире, здесь и сейчас. Умирать за кодекс хорошо в теории. На практике всё иначе. Сейчас задачей номер один стала не благородная или славная жертва, а возможность прожить достаточно долго, чтобы вернуться домой.

— Грегори, — сказал парень, у которого были проблемы с шеей.

— Так его зовут? — уточнил Ричер.

— На английском.

И парни снова переглянулись. Уже иначе. Очевидно, приняли новое решение.

— Как давно вы здесь? — спросил Ричер.

Он хотел, чтобы они продолжали говорить. Постепенно отвечать на вопросы входит в привычку. Начинаешь с легких, а потом добираешься до трудных. Базовая техника допроса. И вновь парни переглянулись, пытаясь получить разрешение друг у друга. С одной стороны и с другой.

— Мы тут восемь лет, — ответил водитель.

— У вас очень неплохой английский, — заметил Ричер.

— Спасибо.

Зазвонил телефон парня с больной шеей. Такой же приглушенный звук, но другая мелодия. Цифровое воспроизведение старомодного электрического звонка, как в телефоне, висевшем на стене в баре ростовщика; длинный печальный перезвон, и еще один.

— Не отвечай, — сказал Ричер.

— Они могут отследить нас по ним, — предупредил его водитель.

— Не имеет значения. Они не сумеют отреагировать достаточно быстро. По моей оценке, через две минуты все будет закончено. Вы в любом случае отправитесь домой.

Третий приглушенный звонок, потом четвертый.

— Или нет, — сказал Ричер. — Может быть, через две минуты вас получат албанцы. В любом случае все произойдет очень быстро.

Ехавшая впереди «Тойота» сбросила скорость и остановилась возле тротуара. «Линкольн» притормозил сразу за ней. Они находились в квартале старых кирпичных зданий и тротуаров и старой булыжной мостовой, проглядывавшей из-под асфальта. Две трети домов были закрыты и заколочены, в остальных расположился не самый респектабельный бизнес. *Сомнительное место к востоку от Центральной улицы*, вспомнил Ричер. Эбби сделала хороший выбор.

Телефон перестал звонить.

Ричер наклонился вперед, выключил зажигание и вытащил ключ. Потом откинулся на спинку. Оба громилы повернулись, чтобы посмотреть на него. В левой руке — «П7», в правой — ключи.

— Если б от этого зависела ваша жизнь, где вы стали бы искать Макса Труленко?

Молчание. Они обменялись взглядами. Двух видов. Сначала полными страха, потом разочарования, а затем... Новое решение.

— Они будут нас подозревать, — сказал парень с проблемной шеей. — Они захотят знать, почему мы оказались здесь и как нам удалось вернуться.

— Я согласен, — сказал Ричер. — Вопрос восприятия.

— В этом и состоит проблема. Они решат, что мы заключили сделку.

— Скажите правду.

— Это будет самоубийством, — ответил он.

— Ну, тогда одну из версий правды. Тщательно отобранную и проверенную. Некоторые части придется отредактировать. Но все вместе будет абсолютной правдой. Расскажите им, что женщина вышла из двери, за которой вы наблюдали, с сумкой, набитой вещами, села в машину и вы поехали за ней. Дайте им любой адрес в этом квартале. Скажите, что если Грегори решил, что за домом необходимо следить, вы подумали, что он наверняка захочет узнать, где прячется женщина. И немного прикиньтесь наивными дурачками. Вас погладят по головке и выдадут золотую звезду за инициативу.

— И совсем ничего не говорить про тебя? — спросил водитель.

— Так всегда безопаснее.

Они вновь принялись переглядываться. Пытались найти изъяны в истории, которую предложил Ричер. И не находили. Потом снова повернулись назад и посмотрели на него. Он держал пистолет в левой руке, а ключи от машины, казавшиеся совсем маленькими, в правой.

— Где разумный человек начнет поиски Труленко? — спросил Ричер.

Парни снова повернулись вперед и с тревогой посмотрели друг на друга, но к ним вернулось немного дерзости, и они сумели себя уговорить. Ведь у них не спрашивали о конкретных фактах. Впрочем, они ничего такого и не знали, не их уровень. Их попросили высказать предположение и не более того. Где начнет поиски разумный человек? От них требовалось всего лишь гипотетическое предположение. Комментарий третьей стороны. Вежливый ответ. Конечно, немного лестно, когда таких маленьких людей просят высказать свое мнение.

Ричер за ними наблюдал. Он видел, как они становятся смелее, видел, как твердеют их челюсти; парни делают большие вдохи, и легкие наполняются воздухом. Они уже приготовились отвечать, как физически, так и фигурально. Но и к чему-то другому. Очень плохому. Новое обсуждение. Безумная идея. Она исходила от них, как запах. И виноват был сам Ричер. Полностью. Из-за фальшивого выбора. А также вопроса о капо, вне всякого сомнения являвшегося страшным человеком, способным придумать жестокое наказание. И из-за счастливого конца предложенной версии прикрытия. Ричер сказал, что их погладят по головке и выдадут золотую звезду. Такие вещи не следует говорить разочарованным амбициозным людям. Его слова заставили их задуматься.

Конечно, замечательно, когда тебя гладят по головке и дарят золотые звезды, но еще лучше продвижение по службе и статус, а после восьми долгих лет было бы совсем неплохо перестать сидеть в машине возле чужих дверей. Они хотели подняться вверх по служебной лестнице и прекрасно понимали, что для этого потребуется кое-что посерьезнее, чем слежка за девушкой и знание ее нового адреса.

А вот если они поймают Аарона Шевика, в их турнирной таблице появится большой плюс. Не вызывало сомнений, что это он. Как и все остальные, они получали текстовые сообщения. Описание и фотографию. Они не спросили, кто он такой, в отличие от большинства, которые сказали бы: «Проклятье, кто ты такой? Что тебе надо?»

Но эти не выказали ни малейшего любопытства. Потому что они знали. Именно о нем говорилось в полученном ими сообщении. Значит, он — важный трофей. Отсюда и безумные идеи.

Его вина.

«Не делайте этого», — подумал Ричер.

— Не делайте этого, — сказал он вслух.

— Чего именно? — спросил водитель.

— Никаких глупостей.

Они немного помедлили. Ричер догадался, что сначала они скажут что-нибудь правдивое. Слишком трудно координировать ложь с безмолвными взглядами. Все равно, как дразнить гусей. Это будет нечто, требующее пары секунд на обдумывание, затем тщательно сформулированный следующий вопрос. И все для того, чтобы он отвлекся на несколько мгновений. Чтобы дать им шанс его атаковать. Громила, у которого болела шея, резко развернется и бросится грудью на левую руку Ричера, а бедрами — на правую, водитель попытается атаковать незащищенную голову. При помощи сотового телефона, ребром, если у него хватит ума, без промедления и сомнений — и не станет жалеть дорогое электронное устройство. К чему склонно большинство людей, по опыту Ричера, когда их жизнь оказывается под угрозой.

«Не делайте этого», — подумал он.

— Где вы стали бы искать Макса Труленко? — еще раз спросил он.

— Там, где он работает, конечно, — сказал водитель.

На лице Ричера появилось недоумение, но на самом деле он ни о чем не думал и не формулировал следующие вопросы. Он просто ждал. Время шло четвертями секунды, как бьющееся сердце, сначала ничего и снова ничего, а потом парень с проблемной шеей атаковал, сильно и неуклюже, вытянув вперед руки, отчаянно толкнувшись ногами и изогнув спину, рассчитывая перенести свой вес через спинку сиденья, чтобы далее все решила его собственная масса и он упал бы на колени Ричера, не слишком изящно, зато весьма эффективно.

Однако у него не получилось.

Ричер прижал пистолет к спинке сиденья и выстрелил, затем оттолкнул начавший падать труп локтем. Как двойной стук. Раз, два, выстрел, локоть. Выстрел прозвучал громко, но не слишком. Внутренняя обшивка «Линкольна» сработала как огромный глушитель. Шерсть и лошадиный волос обивки. Прокладки из хлопка. Естественное поглощение. Однако возникла небольшая проблема. Часть обшивки загорелась. К тому же водитель наклонился вперед и вниз и принялся шарить под приборным щитком у щиколоток. А затем повернулся, держа в руке маленький карманный пистолет. Может быть, русский. Спрятанный у пола при помощи крюка и петли из клейкой ленты.

Ричер застрелил его через другое сиденье, которое также загорелось. Девятимиллиметровое отверстие. Дуло прижато к обивке, мощный взрыв перегретых газов. Возможно, создатели «Линкольна» не принимали во внимание такой вариант. Ричер распахнул дверцу и выскользнул из лимузина на тротуар. Пистолеты он спрятал в карман. Порыв свежего воздуха заставил огонь вспыхнуть с новой силой, и теперь обшивка уже не тлела; появилось пламя. Пока еще маленькое, с женский ноготь, но оно танцевало между сиденьями.

— Что случилось? — спросила Эбби.

Она застыла возле своей машины, глядя на Ричера сквозь ветровое стекло «Линкольна».

— Они продемонстрировали исключительную верность организации, которая обращалась с ними не лучшим образом.

— Ты их застрелил? — спросила Эбби.

— Самооборона, — пояснил Ричер.

— Как?

— Сначала они моргнули.

— Они мертвы?

— Возможно, нам придется дать им еще минуту. Тут все зависит от того, насколько сильное у них кровотечение.

— Такого со мной еще никогда не случалось...

— Я сожалею.

— Ты убил двух человек.

— Я их предупреждал. Говорил им, чтобы они вели себя хорошо. Я выложил перед ними все свои карты. Получилось нечто вроде помощи при самоубийстве. Думай об этом именно так.

— Ты прикончил их из-за меня? Я сказала, что хочу, чтобы ты их хорошенько отделал...

— Я вообще не собирался их убивать, — сказал Ричер. — Намеревался отправить их домой живыми и здоровыми. Но нет, они старались изо всех сил. Полагаю, они поступили бы так же, как я. Но надеюсь, что я справился лучше.

— Что теперь будет? — спросила Эбби.

Пламя разгоралось. Виниловая обивка спинок сидений начала пузыриться, рваться и отслаиваться, как кожа.

— Мы сядем в твою машину и уедем, — ответил Ричер.

— Вот так просто?

— Для меня это как ботинок на другой ноге. Что они собирались со мной сделать? Вот что устанавливает планку.

Немного помолчав, Эбби сказала:

— Ладно, садимся в машину.

Она села за руль, а Ричер устроился на пассажирском сиденье. Его дополнительный вес привел к тому, что передний бампер старой «Тойоты» иногда задевал об асфальт, непредсказуемо и нерегулярно, словно сигналы Морзе, которые подавали на басовом барабане. И так до самого конца маршрута.

# Глава
# 21

В заброшенном на две трети квартале в восточной части города никому даже в голову не могло прийти позвонить в полицию по поводу горящего автомобиля. Все считали, что это, несомненно, чье-то личное дело и лучше всего не вмешиваться. Впрочем, многие думали, что необходимо сообщить о нем Дино. Такие мысли возникали всегда. Доложить Дино о том, что могло оказаться ему полезным. В особенности новость вроде этой. Ведь они могли помочь продвинуться и сделать себе имя. Некоторые даже решились на весьма опасный осмотр вблизи, отшатываясь от жара, увидели горящие тела внутри и даже успели записать номерной знак, пока его еще не охватило пламя.

Они позвонили людям Дино и рассказали, что горит украинский автомобиль. Такие «Линкольны» ездили к западу от Центральной улицы. Насколько удалось рассмотреть, тела в машине были в костюмах и галстуках. Стандартная практика для украинцев. Складывалось впечатление, что обоих застрелили в спину. Что являлось стандартной практикой повсюду. Дело закрыто. Они были врагами.

И с этого момента управление процессом перешло к Дино.

— Туда ему и дорога, — заявил он.

И пока пламя пожирало «Линкольн», он собрал внутренний совет. В задней части лесопилки. Что многим не понравилось, потому что дерево великолепно горит, а совсем рядом бушевал пожар. Возможно, в воздухе летали искры. Но пришли все. Правая рука и остальные старшие помощники. У них не было выбора.

— Это сделали мы? — спросил у них Дино.

— Нет, — ответил правая рука. — Мы ни при чем. К настоящему моменту все знают про массажный салон. Счет стал равным: четыре на четыре, честь не пострадала, игра закончена. У нас нет жуликов, белых ворон или частного бизнеса. Я гарантирую. В противном случае мне рассказали бы.

— Тогда объясните мне, что это значит.

Никто не смог.

— Ну, хотя бы какие-то детали, — сказал Дино. — Если не смысл.

— Может быть, они приехали на встречу, — предположил один из его помощников. — Их контакт ждал на тротуаре. Потом сел на заднее сиденье. Но вместо переговоров застрелил обоих. Возможно, затем бросил в салон горящую тряпку.

— И что за контакт мог их ждать на тротуаре?

— Я не знаю.

— Кто-то из местных?

— Скорее всего.

— Кто-то из наших?

— Может быть.

— Скажем, анонимный осведомитель, — предположил Дино.

— Такое возможно, — не стал возражать помощник.

— Настолько анонимный, что мы не обращали на него внимания прежде? Такой скрытный, что ему все годы удавалось не вызывать наших подозрений? Вряд ли. Я думаю, что этот мастер шпионажа ждал бы в кафе на Центральной улице и болтал с каким-нибудь мальчишкой в толстовке с капюшоном. Он не подпустил бы к себе двух парней в костюмах, вышедших из лимузина. Даже на миллион миль. Особенно в этой части города. С тем же успехом он мог напечатать признание в газетах. Значит, встреча ни при чем.

— Хорошо. — Его помощник кивнул.

— И зачем он их застрелил?

— Я не знаю, — ответил тот.

— В таком случае, — заговорил другой, — стрелок, наверное, сидел сзади с самого начала. И они приехали втроем.

— И стрелок — один из них, — сказал Дино.

— Должно быть, так, — продолжал второй помощник. — Никто не допустит, чтобы незнакомый мужчина с оружием сел у него за спиной.

— И где сейчас стрелок?

— Ушел или уехал на другой машине, которая его подобрала. Что-нибудь анонимное. Только не лимузин. Кто-то наверняка видел, как он уезжал.

— Сколько людей было во второй машине?

— Я уверен, что двое. Они всегда работают парами.

— Значит, это была серьезная операция, — сделал вывод Дино. — И для нее потребовалось некоторое количество ресурсов, планирование и координация. И секретность. Пятеро парней приехали на нашу территорию. Думаю, двое из них не знали, что с ними произойдет.

— Наверное, не знали.

— Но почему это случилось? — спросил Дино. — Какова стратегическая цель?

— Я не знаю.

— И зачем он поджег машину?

— Я не знаю, — повторил помощник.

Дино окинул взглядом стол.

— Мы все согласны с тем, что стрелок с самого начала сидел сзади, а значит, был одним из них? — спросил он.

Все дружно кивнули, большинство с серьезным видом, словно пришли к важному заключению после долгих часов размышлений.

— И мы знаем, что после того, как застрелил двух парней на передних сиденьях, он поджег машину, — продолжал Дино.

И вновь все закивали, но теперь быстрее и увереннее, потому что это представлялось очевидным фактом.

— Зачем?

Никто не ответил.

Они не знали.

— Все это похоже на миф или легенду, — сказал Дино. — И выглядит очень символично. Как церемониальный погребальный костер у викингов, которые сжигали своих павших воинов в лодках. Или ритуальное жертвоприношение. Складывается впечатление, что Грегори решил сделать нам подношение.

— Двух своих людей? — спросил правая рука.

— Число имеет значение.

— Почему?

— У нас будет новый полицейский комиссар. Грегори не может позволить себе войну. Он понимает, что зашел слишком далеко, приносит свои извинения и предлагает мир. Он знает, что поступил неправильно, и теперь пытается все исправить, чтобы счет стал шесть-четыре в нашу пользу. В качестве жеста доброй воли, чтобы нам не пришлось делать это самим. Он соглашается с тем, что мы должны вести в счете.

Никто не ответил.

Никто не мог.

Дино встал и вышел. Остальные слышали, как он идет через приемную и большой ангар. Потом его водитель завел двигатель автомобиля, и они уехали. Наступила тишина.

Сначала все молчали.

— Подношение? — спросил один из помощников.

Долгая пауза.

— Ты видишь это иначе? — спросил правая рука.

— Мы бы так никогда не поступили. Следовательно, это исключено и для Грегори. Зачем это ему?

— Ты думаешь, Дино ошибается?

Огромный и очень опасный вопрос.

Помощник оглядел остальных.

— Я думаю, Дино проигрывает, — сказал он. — Погребальный костер викингов? Бред.

— Дерзкие слова, — сказал правая рука.

— Ты со мной не согласен? — продолжал упорствовать дерзкий помощник.

Снова наступила тишина.

Потом правая рука покачал головой.

— Нет, — сказал он. — Я не стану с тобой спорить. Я не считаю, что это жертва или подношение.

— Тогда что? — спросил дерзкий помощник.

— Думаю, вмешательство со стороны.

— И кто же это сделал?

— Я полагаю, кто-то убил украинских парней для того, чтобы Грегори мог свалить вину на нас. Грегори атакует нас, мы атакуем в ответ. В конце концов мы уничтожим друг друга. Ради выгоды третьей стороны. Чтобы кто-то третий занял освободившиеся территории. Думаю, у них именно такие намерения.

— Но кто именно? — спросил дерзкий помощник.

— Я не знаю, — ответил правая рука. — Но мы должны найти ответ. И тогда прикончим всех. Они перешли черту.

— Дино не согласится. Он считает, что это подношение и сейчас все замечательно и прекрасно.

— Мы не можем ждать.

— Так мы не станем ему ничего говорить?

Правая рука немного помолчал.

— Нет, пока нет, — наконец заговорил он. — Дино лишь будет мешать, а нам очень важно выяснить, кто прикончил тех парней.

— И ты теперь наш новый босс? — не унимался дерзкий помощник.

— Может быть, — сказал правая рука. — Если Дино действительно потерял чутье. Кстати, первым это предположил ты. Все слышали.

— Я не хотел проявить неуважение. Но ты предлагаешь очень серьезный шаг. Мы должны быть уверены в том, что делаем. В противном случае это предательство. Самое худшее. Он убьет всех нас.

— Пришло время выбирать сторону. И делать ставки. Это либо ритуал викингов, либо чье-то вмешательство извне. И тогда нас всех прикончат быстрее, чем с нами разберется Дино.

Дерзкий молчал десять секунд.

— С чего начнем? — спросил он.

— Погасим огонь. Отправим машину на переработку. И начнем задавать вопросы. На нашу территорию заехали две машины. Одна — большой блестящий «Линкольн». Кто-нибудь вспомнит вторую. Мы найдем ее, а потом — того, кто в ней сидел, и заставим его рассказать, на кого он работает.

* * *

В этот момент Ричер находился в четырех кварталах от них, в гостиной старого дома малоэтажной застройки, квартирой в котором владел музыкант Фрэнк Бартон. Бартон и был тем самым другом Эбби в восточной части города. Также там находился жилец Бартона по имени Джо Хоган, в прошлом морской пехотинец, а теперь также музыкант. Барабанщик, если уж быть точным. Его установки занимали половину комнаты. Бартон играл на бас-гитаре, и его инструменты заполнили другую половину — четыре на стойках, усилители, огромная акустическая система. Тут и там стояли узкие кресла, обитые тонкой потертой тканью, довольно грязной. Ричер занял одно, Эбби устроилась во втором, Бартон сел в третье, и последнее. Хоган сидел на стуле барабанщика. Белая «Тойота» была припаркована под окном.

— Безумие, друг, — сказал Бартон. — Я знаю этих людей, играл у них в клубах. Они ничего не забывают. Эбби больше не сможет туда вернуться.

— Если только я не найду Труленко, — возразил Ричер.

— И как это поможет?

— Я полагаю, что поражение такого масштаба может кое-что изменить.

— Как?

Ричер не ответил.

— Он имеет в виду, что маршрут к такой серьезной цели, как Труленко, напрямую пройдет через верхушку организации, — объяснил Хоган. — После окончания конфликта те, кому повезет выжить, превратятся в дронов низкого уровня, бегающих без всякого смысла, как курицы с отрубленными головами. Албанцы съедят их на завтрак. И завладеют всем городом. И то, что волновало украинцев прежде, потеряет всякий смысл. Потому что они будут мертвы.

Морской пехотинец в прошлом. Правильное понимание стратегии.

— Это безумие, — повторил Бартон.

«Шесть шансов до окончания недели», — подумал Ричер.

# Глава
# 22

Правая рука Грегори постучал в дверь внутреннего кабинета, вошел и сел напротив массивного письменного стола. Он рассказал все, что знал: двое парней поставили машину возле входа в дом Эбигейл Гибсон — и исчезли. Они не отвечают на телефонные звонки, их машина пропала вместе с ними.

— Дино? — спросил Грегори.

— Может быть, нет.

— Почему?

— Может быть, Дино здесь вообще был ни при чем. Во всяком случае, вначале. Мы сделали несколько предположений. Нам нужно по-новому взглянуть на факты. Подумайте о первых наших парнях, разбившихся возле парковки дилера «Форда». С кем они в последний раз входили в контакт?

— Они проверяли адрес.

— Да, адрес Аарона Шевика. А кто флиртовал с официанткой, возле дома которой исчезли еще два наших парня?

— Аарон Шевик.

— И это не совпадение, — заявил правая рука.

— Но кто он такой? — спросил Грегори.

— Кто-то ему платит. Чтобы вы с Дино схватили за горло и уничтожили друг друга. И тогда кто-то третий сумеет занять ваши места.

— Кто?

— Шевик нам расскажет. Когда мы его найдем.

\* \* \*

Албанцы отправили дымящийся остов «Линкольна» под пресс, а потом перешли к вопросам. Внутренний совет. Штаб Дино. Но они не привыкли к подобной работе, и вопросы были предельно простыми. «Вы видели конвой из двух машин, одна из которых являлась "Линкольном"?» Никто им не лгал. Тут у них не оставалось никаких сомнений. Все знали, что ждет того, кто их обманывает, и старались изо всех сил. Но результаты получились разочаровывающими. Частично из-за того, что понятие «конвой» оказалось слишком сложным. В час пик, к примеру, не бывает конвоев из двух машин. Из ста двух — да. Ну, в лучшем случае из двадцати двух. И какие две из них могли быть тем самым конвоем? Никто не хотел ошибиться. Ведь с ними разговаривали очень крутые ребята.

Тогда они стали задавать тот же вопрос, но по-другому, и довольно скоро им удалось выяснить, что люди видели довольно много черных «Линкольнов». Вероятно, целых шесть. Три вполне соответствовали лимузинам, на которых катались толстозадые украинцы. Крутые парни всячески поощряли подробные описания того, что находилось перед «Линкольнами» и позади. Среди них и нашелся тот самый конвой.

Три различных свидетеля вспомнили маленький белый седан с провисшим передним бампером. И в каждом случае он ехал перед черным «Линкольном», который явно следовал за ним. Они прибыли из западной части города и направлялась в восточную.

Конвой из двух машин.

Маленький белый седан, возможно, «Хонда» или «Хёндай». Может быть, «Киа». Или какая-то новая модель. Или вовсе не новая. Например, «Тойота». Да, именно «Тойота Королла». Дешевка. Таким был окончательный вывод. Все три свидетеля с ним согласились.

Никто не видел, как машина уехала.

Тогда крутые парни выдали общее указание. Все глаза открыты. Старая белая «Тойота Королла», седан с провисшим передним бампером. Докладывать немедленно.

* * *

К этому моменту уже близился вечер, самое подходящее время для музыкантов начинать работу. Хоган разминался ровным тактовым размером 4/4, с тарелками и цимбалами. Бартон, подключив потрепанную гитару «Фендер» к усилителю, стал играть и тихонько напевать. Он старался держаться за ритмом тарелок, периодически выдавая новые мелодии. Ричер и Эбби некоторое время их слушали, а потом отправились на поиски комнаты для гостей.

Она находилась на втором этаже, в небольшом пространстве над уличной дверью, с круглым окном из волнистого стекла, которому было лет сто. «Тойота» стояла прямо под ним. Кровать «кинг-сайз», гитарный усилитель, поставленный вертикально, вместо прикроватной тумбочки. Роль шкафа играли бронзовые крючки, привинченные к стене. От ударов барабана и звуков гитары вибрировал пол.

— Совсем не такое симпатичное место, как у тебя, — произнес Ричер. — Я сожалею.

Эбби не ответила.

— Я спросил у типов из «Линкольна», где может быть Труленко, — сказал он. — Они не знали. Тогда я поинтересовался, с чего следует начать поиски. Они сказали, с того места, где он работает.

— А он работает?

— Должен признаться, что я об этом не думал.

— Может быть, в обмен на то, что они его прячут. Возможно, у него не осталось денег и он работает за содержание, — предположила Эбби.

— Ему было бы скучно, — заметил Ричер.

— А зачем еще ему работать?

— Может быть, ему больше нечего делать.

— Может быть, — не стала спорить Эбби.

— А чем он может заниматься?

— Думаю, ничего, требующего физических усилий. Он не слишком крупный мужчина. Его фотографии постоянно печатали в газетах. Труленко еще молод, но у него мало волос и он носит очки. Он не будет добывать камень в каменоломне. Наверняка сидит в каком-нибудь офисе, создает базы данных или что-то в таком же роде. Это он хорошо умеет делать. Его новый продукт являлся приложением для телефона, которое позволяло отправлять все жизненные показатели пациента его врачу. В реальном времени, никак не меньше. Как-то так. Или твои часы связаны с телефоном, а тот — с врачом... Никто толком не понимает, как оно работает, но в любом случае Труленко — офисный человек. Мыслитель.

— Значит, он сидит в офисе где-то в западной части города, — предположил Ричер. — А живет рядом или при офисе. Может быть, в подземном бункере. С единственным входом — как горлышко бутылки — и с мощной охраной. И никто к нему не входит, кроме нескольких доверенных лиц.

— Следовательно, тебе до него не добраться, — сделала очевидный вывод Эбби.

— Согласен, задача представляется не самой простой.

— Я бы сказала, неразрешимой, — уточнила она.

— Такого слова не существует, — возразил Ричер.

— Насколько большим может быть это место?

— Не знаю. Возможно, там пара дюжин человек. Может, больше. Или меньше. Нечто вроде центра нервной системы.

Куда они отправляют все текстовые сообщения. Ты сказала, что они хорошо владеют технологиями.

— Таких мест не может быть много.

— Вот видишь, мы уже продвинулись вперед.

— Но это бессмысленно, если деньги у него закончились.

— Зато у его работодателей они есть. Я никогда не встречал бедных гангстеров.

— Шевики не могут предъявить иск новым работодателям Труленко. Ведь те не имеют к его делам никакого отношения. И ни в чем перед ними не виноваты.

— Дух закона будет иметь больше значения, чем его буква.

— И ты украдешь деньги?

Ричер подошел к окну и посмотрел вниз.

— Капо украинцев зовут Грегори, — сказал он. — Я попрошу его рассмотреть благотворительное пожертвование. В связи с историей про ужасное невезение, о которой я слышал. Я могу привести целый ряд аргументов. Уверен, что Грегори согласится. И если он в какой-то форме получает прибыль от деятельности Труленко, это будет то же самое, что взять его деньги.

Взгляд Эбби стал задумчивым. Автоматически приложив ладонь к щеке, она сказала:

— Я слышала про Грегори. Но никогда его не встречала. И даже не видела.

— А при каких обстоятельствах ты о нем слышала?

Она не ответила. Просто покачала головой.

— Что с тобой произошло? — спросил Ричер.

— А с чего ты взял, что со мной что-то произошло?

— Ты только что видела два мертвых тела. Я говорю об угрозах людям и намерении украсть их деньги. Да, я именно такой человек. Мы стоим у двуспальной кровати. Большинство женщин к этому моменту уже постарались бы выскользнуть за дверь. А ты — нет. Ты действительно очень сильно не любишь этих людей. И не просто так.

— Может быть, ты нравишься мне по-настоящему, — сказала Эбби.

— Я живу надеждой, — ответил Ричер. — Но я реалист.

— Я потом тебе расскажу, — пообещала она. — Может быть.

— Ладно, — не стал настаивать Ричер.

— Что теперь? — спросила Эбби.

— Нам нужно взять твою сумку. И переставить машину. Я не хочу, чтобы она стояла прямо здесь. Они уже видели ее возле дома Шевиков. Кто-то еще мог заметить, как мы разъезжали на ней по городу. Нам следует отогнать ее в какое-нибудь случайно выбранное место, безопасности ради.

— Как долго нам придется так жить? — спросила Эбби.

— Я живу так постоянно, — ответил Ричер. — В противном случае я уже давно кормил бы червей.

— Фрэнк сказал, что я никогда не смогу вернуться домой.

— А Хоган рассказал, как это станет возможно.

— Если ты доберешься до Труленко.

— Шесть шансов до окончания недели.

Они спустились вниз, на мгновение погрузились в басовые ритмы и вышли на улицу. Эбби достала сумку с заднего сиденья, отнесла ее в коридор, потом они сели в машину и закрыли дверь. «Тойота» завелась со второго раза и потащила волочащийся передний бампер, разворачиваясь к выезду с парковки. Они проехали пару кварталов, двигаясь зигзагом, миновали несколько микрорайонов, спальных и коммерческих, в том числе два целых квартала, отданных торговле строительными материалами, складу электротоваров и сантехники и лесопилку. Дальше начались места, находившиеся в прогрессирующих стадиях разрушения, вплоть до заброшенных, похожих на то, где сгорел «Линкольн».

— Здесь? — спросила Эбби.

Ричер огляделся по сторонам. Все заброшено. Ни владельцев, ни жителей, никого. Ни одной двери, которую можно взломать, если машину кто-то заметит. Никакого риска сопутствующего ущерба.

— Меня вполне устраивает, — сказал он.

Эбби припарковалась, они вышли, заперли двери и зашагали обратно. Двигались почти по тому же маршруту, иногда срезая углы в местах самых широких зигзагов прежнего маршрута, но неизменно сохраняя направление. Вскоре появились более чистые и ухоженные районы. Они вошли в кварталы, где продавали строительные товары. Всё в обратном порядке — сначала они увидели лесопилку. Между тротуаром и воротами стоял какой-то мужчина, похожий на часового. Может быть, проверял грузы, которые привозили и увозили. Может быть, древесину воровали так же, как и все остальное.

Они прошли мимо него и дальше, к складу сантехники, потом электрики и вскоре оказались среди обычных жилых кварталов. Звуки басовой гитары и барабанов были слышны с расстояния в сотню ярдов.

\* \* \*

Доклады поступали быстро, но этого было недостаточно. Один за другим члены внутреннего совета получали звонки на сотовые телефоны. Старую белую «Тойоту Короллу» с перекошенным передним бампером видели в одном квартале, втором, третьем. Ни ритма, ни внятного направления. Ни очевидной цели. В целом автомобиль направлялся в сторону полуразрушенных районов, где не селились даже бездомные.

Наконец поступил ценный звонок. Надежный парень, находившийся в сотне ярдов, увидел, как машина притормозила и припарковалась. За рулем сидела невысокая женщина с короткими темными волосами. Возраст — около тридцати, одета во все черное. Пассажир — огромный мужчина, почти в два раза ее больше, старше, рост шесть футов и пять дюймов, вес двести пятьдесят фунтов. Они заперли машину и ушли вместе, но почти сразу исчезли из вида, скрывшись за углом.

Информация сразу отправилась дальше по электронной почте, голосовыми и текстовыми сообщениями. Быстро, но недостаточно. Парень у лесопилки получил сообщение через девяносто секунд после того, как маленькая брюнетка и огромный парень прошли мимо. Они были так близко, что он мог к ним прикоснуться. Еще несколько минут ушло на то, чтобы сесть в машины и устремиться в том направлении, куда двигалась парочка.

Безрезультатно. Маленькая женщина и большой мужчина исчезли, растворились в многонаселенном жилом районе, внутри квадрата десять на десять кварталов, где теснились дома строчной застройки. Четыре сотни адресов. Не говоря уже о подвальных этажах и квартирах, сдававшихся в субаренду, где проживало множество бездельников и людей со странностями, которые приходили и уходили в любое время суток или вовсе не покидали дома. Безнадежно.

Главные парни распространили новую информацию. Глаза широко раскрыты. Маленькая молодая брюнетка и огромный уродливый мужчина, заметно старше. Сразу докладывать об их появлении.

# Глава
# 23

Ни Бартон, ни Хоган не работали этим вечером, поэтому закончили играть, когда Ричер и Эбби вернулись, и предложили устроить вечеринку — заказать еду в китайском ресторане, выпить бутылку вина, покурить «травку», поболтать, обменяться историями, может быть, разобраться в том, что происходит. Все шло хорошо, пока не зазвонил сотовый телефон Эбби.

Это была Мария Шевик, которая звонила с сотового телефона Аполлона Шевика. Они с Эбби обменялись номерами на всякий случай. И вот возникла такая ситуация. Мария сказала, что возле их дома припаркован черный лимузин «Линкольн», в котором сидят два каких-то типа и наблюдают. Целый день. И у нее сложилось впечатление, что они не собираются уезжать.

Эбби передала трубку Ричеру.

— Они ищут меня, — сказал тот. — Из-за того, что я упомянул Труленко. Они встревожены. Просто не обращайте на них внимания.

— А если они постучат в дверь? — спросила Мария.

*Семьдесят лет, сгорбленная и недоедающая.*

— Впустите их. Покажите все, что они пожелают. Они увидят, что меня нет, вернутся в машину и будут продолжать наблюдать за домом. Все должно пройти безболезненно.

— Хорошо, — сказала Мария.

— Есть какие-то новости о Мэг? — спросил Ричер.

— Хорошие и плохие.

— Начните с хороших.

— Впервые за все время врачи считают, что ей стало лучше. Я слышу это в их голосах. И дело не в словах, которые они произносят, а в том, *как* они это делают. Доктора всегда тщательно обдумывают все, что говорят. Но сейчас они показались мне возбужденными.

— А плохие новости?

— Они хотят подтвердить положительные изменения при помощи анализов и сканирования. Но за них нужно заплатить.

— Сколько?

— Пока мы не знаем, — ответила Мария. — Но я уверена, что много. У них появились поразительные приборы. Произошли большие изменения в анализе мягких тканей. Это очень дорого.

— Когда им потребуются деньги?

— Очевидно, какая-то часть меня хочет, чтобы это случилось как можно скорее. А другая, естественно, желает противоположного.

— Нужно делать то, что правильно с точки зрения медицины. А мы по ходу дела решим остальные проблемы.

— Мы уже не можем одалживать деньги. Теперь это придется делать вам — ведь они считают, что вы Аарон Шевик. Но вы оказались в ловушке из-за того, что спросили про Труленко.

— Аарон может одалживать деньги под моим именем. Или под любым другим. Они новички в игре. У них нет системы проверки. Во всяком случае, пока. Это один из вариантов. Если деньги потребуются вам в ближайшее время.

— Вы сказали, что можете найти Труленко, — продолжала Мария. — Вы говорили, что раньше занимались подобными вещами.

— Вопрос в том, когда, — ответил Ричер. — Я думал, что у меня есть шесть шансов до окончания недели. Возможно, теперь их стало меньше. Мне нужно придумать более быстрый план.

— Я приношу вам извинения за свой тон.

— Вам не за что извиняться.

— Все это очень тяжело..

— Я могу лишь представить насколько.

Они закончили разговор, и Ричер передал трубку Эбби.

— Ты сошел с ума, друг, — сказал Бартон. — И я буду повторять это, потому что такова реальность. Я их знаю. Я выступаю в клубах и видел, что они делают. Однажды им не понравился пианист. Они сломали ему пальцы молотком. Парень больше не мог играть. Ты не можешь бросить им вызов.

Ричер посмотрел на Хогана.

— Ты играешь в их клубах?

— Я барабанщик, — ответил Хоган. — Я играю всюду, где мне платят.

— Ты видел, что они делают?

— Я согласен с Бартоном. Они неприятные люди.

— Что с ними сделала бы морская пехота?

— Ничего. Яйцеголовые передали бы их ССО[1]. Они более гламурные. А морская пехота даже не почесалась бы.

— А что сделали бы ССО?

— Сначала — долгое обсуждение. С картами и чертежами. Если у противника имеется укрепленный бункер, они будут искать аварийные выходы, или места доставки, или пути вторжения через вентиляционные шахты, водопроводные трубы или канализацию, а также точки, где можно снести стены с соседними структурами. Потом будет спланирован одновременный штурм с разных сторон, по меньшей мере трех или четырех, с командами из трех или четырех

---

[1] Силы специальных операций (ССО) ВМС США.

человек в каждом случае. Скорее всего, задача будет решена, вот только обеспечить сохранность жизни интересующих нас людей не получится. Не следует забывать про перекрестный огонь. И все будет зависеть от его размеров и видимости.

— А где именно ты служил? — спросил Ричер.

— В пехоте, — ответил Хоган. — В старой доброй морской пехоте.

— Не оркестрантом?

— Это слишком логично для морской пехоты. — Он усмехнулся.

— И ты всегда был барабанщиком?

— Я начинал еще мальчишкой. А потом перестал. В Ираке начал снова. На любой большой базе есть набор музыкальных инструментов. Мне сказали, что я получу удовольствие, создавая структуры, которые смогу полностью контролировать сам. Они считали, что так мне будет легче, потому что я уже занимался этим прежде. И поможет избавиться от агрессии.

— И кто давал тебе такие советы?

— Некоторые старые доктора. Сначала я просто смеялся. Но потом обнаружил, что снова стал получать удовольствие от игры. Более того, понял, что мне следует заниматься этим всю жизнь. С тех пор я стараюсь восполнить упущенное время. Пытаюсь учиться. Я потерял несколько лет.

— Мне показалось, что ты очень хорош.

— А теперь ты ставишь дымовую завесу. И пытаешься сменить тему. Ты всего лишь один человек. Ты не команда ССО.

— Я решу проблему. Просто, по определению, должны существовать дюжины более эффективных планов, чем в состоянии придумать морская пехота. Мне лишь необходимо найти Труленко.

— Таких мест не может быть много, — повторила Эбби.

Ричер кивнул, но ничего не стал говорить. Дальше беседа продолжалась без его участия. У него сложилось впечатление, что эти трое — хорошие друзья. Они время от времени работали вместе, в постоянно меняющемся мире клубов, музыки и танцев, где у дверей стояли громилы в костюмах. Им всем было что рассказать; многие истории оказались забавными, некоторые — нет. Казалось, для них не существовало разницы между украинцами и албанцами и они считали, что работать к востоку и западу от Центральной улицы одинаково хорошо или плохо.

Курьер привез на машине китайскую еду. Ричер разделил горячий кислый суп с Эбби и кисло-сладкую курицу с Бартоном. Они пили вино, он — кофе.

— Я пойду прогуляюсь, — сказал Ричер, закончив есть.

— Один? — спросила Эбби.

— Ничего личного.

— И куда?

— К западу от Центральной улицы. Мне нужно ускорить процесс. Скоро Шевики получат еще один большой счет. Они не могут ждать.

— Ты безумец, — сказал Бартон.

Хоган промолчал.

Ричер встал и вышел в дверь.

# Глава

# 24

Ричер направился на запад, в сторону ночного сияния высоких зданий центра города. Банки, страховые компании, местное телевидение. Сетевые отели. Всё на Центральной улице принадлежало одной или другой банде, и, вероятно, большинство не имели об этом представления на уровне менеджмента, если сам только менеджер не являлся «кротом». Ричер проходил мимо витрин баров, клубов и ресторанов. Тут и там он видел мужчин в костюмах у двери, но не обращал на них внимания. Не та фракция. Ричер все еще находился к востоку от Центральной улицы. Он шел дальше.

Будь у него глаза на затылке, Джек увидел бы, как один из мужчин в костюмах на секунду задумался, а потом отправил текстовое сообщение.

Ричер шел дальше, пересек Центральную улицу тремя кварталами севернее первого высотного здания и оказался в таком же районе с барами и ресторанами; у дверей некоторых стояли мужчины в костюмах, только костюмы стали другими, с шелковыми галстуками, а лица — бледнее. На сей раз Ричер внимательно наблюдал за ними, оставаясь в тени, если удавалось, стараясь найти подходящую цель. Он знал, что должен сохранять бдительность, но не казаться слишком крутым, не максимально. Ричер обнаружил несколько кандидатов и выбрал троих. Двое работали в винных барах, один — в зале; возможно, это был комедийный клуб.

Выбранный им кандидат стоял сразу за стеклом. Ричер направился к нему и оказался на три четверти в зоне его видимости. Тот заметил движение. Повернул голову. Ричер остановился. Вышибала посмотрел на него. Ричер пошел дальше, прямо к нему. Парень вспомнил. Текстовые послания, описания, фотографии, имена. Аарон Шевик. Соблюдай бдительность.

Ричер снова остановился.

Вышибала достал телефон и принялся нажимать на кнопки.

Ричер вытащил пистолет и прицелился. Один из двух «Хеклеров», отобранных у головорезов из «Линкольна» до того, как тот сгорел. Оружие немецкой полиции. Отличная инженерная работа. Стальной, с жесткими гранями. Вышибала замер. Ричер находился в трех шагах от него. Вполне достаточно времени. Заманчиво. Парень опустил телефон и протянул руку к кобуре под мышкой, где находился его собственный пистолет.

Ему не хватило времени.

Ричер оказался внутри. По ту сторону стекла. И успел прижать дуло своего пистолета к правому глазу парня в костюме прежде, чем тот вытащил оружие, и достаточно сильно, чтобы привлечь его внимание, что и случилось, потому что вышибала застыл в полнейшей неподвижности. Левой рукой Ричер забрал у него телефон и пистолет, еще один «Хеклер и Кох П7», как и те, что у него уже имелись. Может быть, это стандарт к западу от Центральной улицы. Может быть, массовый заказ, с хорошими скидками через ка-кого-нибудь коррумпированного немецкого полицейского.

Левой рукой Ричер положил телефон и пистолет в карманы, а правой сильнее прижал дуло «Хеклера» к веку вышибалы.

— Давай немного прогуляемся, — сказал он.

Парень неуклюже встал со стула — ему пришлось отклониться назад из-за давления ствола пистолета, — после чего побрел к двери и оказался на тротуаре, где Ричер заставил его повернуть направо. Через шесть шагов они снова свернули направо и оказались в переулке, где пахло как в мусорном баке, и у двери кухни.

Ричер прижал парня к стене.

— Сколько людей видели? — спросил он.

— Что видели?

— Тебя с пистолетом у головы.

— Несколько, наверное.

— Сколько из них пришли к тебе на помощь?

Молчание.

— Вот именно, ни один, — сказал Ричер. — Тебя никто не любит. Никто даже не помочится на тебя, если ты будешь гореть. И никто не приедет спасать. Ты все понял?

— Чего ты хочешь? — спросил вышибала.

— Где Макс Труленко?

— Никто не знает.

— Кто-то должен знать.

— Но не я. Честное слово. Клянусь жизнью сестры.

— А где сейчас твоя сестра?

— В Киеве.

— Тебе не кажется, что это делает твою клятву гипотетической?.. Попытайся еще раз.

— Клянусь своей жизнью.

— Ну, это уже лучше, — сказал Ричер.

Он сильнее надавил рукой с пистолетом и почувствовал, как вминается внутрь глаз парня. Тот ахнул.

— Клянусь, я не знаю, где Труленко.

— Но ты о нем слышал?

— Конечно.

— Он работает на Грегори?

— Так я слышал.

— Где?

— Никто не знает. Это большая тайна.

— Ты уверен?

— Клянусь могилой матери.

— И где она находится?

— Ты должен мне поверить. Может быть, только шесть человек знают, где Труленко. Но не я. Пожалуйста, сэр. Я всего лишь вышибала.

Ричер убрал пистолет и отступил на шаг. Парень заморгал, потер глаз и посмотрел в сумрак. Джек сильно ударил его ногой в пах, оставил стоять согнувшись, повернулся и ушел, слыша за спиной стоны и звуки рвоты.

* * *

Ричер без всяких проблем вернулся на Центральную улицу. Проблемы начались, когда он оказался в восточной части города, в зоне влияния другой банды. Он почувствовал, что на него смотрят, но не заметил во взглядах даже намека на доброжелательность. Ричер уловил это мгновенно, ощутив затылком неприятный холод. Древний инстинкт. Шестое чувство. Механизм выживания, глубоко сидевший в его мозгу в результате эволюции. Как себя вести, чтобы тебя не съели. Миллионы лет практики. Его сто тысяч раз прабабушка напряглась и изменила направление движения, вглядываясь в тени, окутывавшие деревья. Выжить, чтобы сражаться на следующий день. Выжить, чтобы родить ребенка, у которого через сто тысяч поколений будет потомок, также всматривающийся в тени, но не в зеленой саванне, а на серых, слабо освещенных ночных улицах, когда он осторожно скользит мимо залитых неоновым сиянием клубов, баров и ресторанов.

За ним наблюдали мужчины в костюмах. Албанцы. Те, что уже занимали какое-то положение или были к этому близки. Почему? Ричер не знал. Быть может, он как-то оскорбил еще и албанцев? Он не понимал, как и когда. По большей части он оказал им услугу, если верить их собственным грубым подсчетам. Им следовало приветствовать его, как почетного гостя.

Ричер шел дальше.

И услышал шаги за спиной.

Он продолжал идти. Сияние Центральной улицы давно исчезло, в прямом и переносном смысле. Улицы впереди были узкими и темными и с каждым новым шагом становились все более убогими. Ричер видел припаркованные машины, переулки и глубокие дверные проемы. Два из каждых трех уличных фонарей не работали. Пешеходы исчезли.

Вполне подходящее для его целей место.

Он остановился.

Существует множество способов сделать так, чтобы тебя не съели. Бабушкин инстинкт работал и по сей день. Через сто тысяч поколений. И так будет всегда. Но более эффективно. Естественный отбор в чистом виде. Ричер с минуту постоял в полумраке, потом отступил в более глубокую тень и прислушался.

До него донеслось легкое шуршание кожаных подошв по тротуару. Может быть, в сорока футах позади. Что-то вроде второпях организованного наблюдения. Какому-то члену банды приказали подняться со стула и отправиться в ночь, чтобы проследить за ним. Но главный вопрос, как долго это будет продолжаться — до самого дома или только до поспешно устроенной впереди засады?

Ричер ждал. Он снова услышал шуршание кожаной подошвы. Или соседней, другой ноги, делавшей осторожный шаг, двигавшейся вперед. Ричер еще дальше зашел в тень дверного проема и прислонился к резному камню. Причудливо украшенный вход. Чье-то давно забытое предприятие. Приносившее доход, пока не исчерпало себя.

Снова шорох. Кто-то приближался. С другой стороны — тишина. Только движение городского воздуха со слабой примесью сажи и кирпича.

Еще шаг в его сторону. Теперь в десяти футах позади. Ричер ждал. Преследователь уже находился в зоне досягаемости. Но еще пара шагов сделают ситуацию более удобоной. Ричер мысленно представил геометрию, засунул руку в карман и нащупал пистолет, который уже использовал. Он точно знал, что этот «Хеклер и Кох» работает, что всегда являлось дополнительным преимуществом.

Снова движение, в семи шагах. Ричер понял, что его преследует совсем не маленький мужчина. Его шаги были едва слышными, но тяжелыми, давящими и сопровождались легким хрустом. Так двигается крупный мужчина, который старается не шуметь.

Четыре фута.

Шоу начинается.

Ричер шагнул вперед и повернулся к своему преследователю. В темноте сверкнул «Хеклер». Ричер прицелился в лицо. Парень скосил глаза, пытаясь разглядеть оружие в слабом освещении.

— Ни звука, — сказал Ричер.

Его преследователь так и поступил. Джек прислушался, посмотрев ему через плечо. Шел ли кто-то за ним? Судя по всему, нет. Никаких звуков. Так же, как и с другой стороны.

Тихий город, старый воздух.

— У нас проблема? — спросил Ричер.

Его противник был шести футов роста и весил примерно двести двадцать фунтов, возраст — около сорока лет, худощавый, кости и мышцы, темные подозрительные глаза. Плотно стиснутые губы раздвинулись в усмешке, которая могла означать тревогу, недоумение или презрение.

— У нас проблема? — повторил Ричер.

— Ты — труп, — заявил громила.

— Пока нет. На самом деле ты гораздо ближе к этому неприятному состоянию, чем я. Тебе так не кажется?

— Причинишь вред мне, причинишь его многим людям, — угрожающе сказал албанец.

— Разве я собирался причинить тебе вред? Или мне показалось, что ты меня преследовал?

— Мы хотим знать, кто ты такой.

— Зачем? Что я вам сделал?

— Это за пределами моих полномочий, — сказал парень. — Я только должен тебя доставить.

— Ну, тогда удачи тебе.

— Легко говорить, когда у тебя в руке пистолет, направленный мне в лицо, — сказал парень.

Ричер покачал головой, глядя в темноту.

— Легко сказать в любое время, — поправил он громилу.

Потом отступил на шаг и убрал пистолет в карман. Теперь он стоял с пустыми руками, расставив ладони в стороны.

— Вот так, — сказал Ричер. — Теперь ты можешь меня куда-нибудь отвести.

Парень не шевелился. Он был на пять дюймов ниже, проигрывал фунтов тридцать в весе и почти фут в длине рук. Очевидно, он не был вооружен, в противном случае уже достал бы оружие. Очевидно, он все еще не принял решения — его смущал взгляд Ричера, спокойный, немного веселый и слегка отвязанный, но одновременно взгляд хищника. Ему не очень хотелось связываться с таким противником.

— Может быть, мы сумеем попасть в нужное место другим путем, — сказал Ричер.

— Как?

— Дай мне свой телефон; скажи боссу, чтобы он мне на него позвонил. Я сообщу ему, кто я такой. Личные контакты всегда предпочтительнее.

— Я не могу отдать тебе телефон, — заявил албанец.

— Я все равно его возьму, — сказал Ричер. — Так что тебе выбирать.

Взгляд. Ровный, спокойный, веселый, взгляд отвязанного хищника.

— Ладно, — сказал громила.

— Достань и положи телефон на тротуар, — велел ему Ричер.

Тот так и сделал.

— А теперь повернись и беги отсюда со всех ног.

Он так и сделал — побежал, как тяжелоатлет, и очень скоро скрылся в темноте. Звук его шагов еще долго доносился до Ричера, хотя он сам давно исчез из вида. Джек слушал до тех пор, пока полностью не восстановилась тишина. Потом поднял телефон и пошел дальше.

В трех кварталах от дома Бартона Ричер снял куртку, сложил ее несколько раз так, что получился квадрат, затем скрутил в трубку и засунул ее за ржавый почтовый ящик, висевший на одноэтажном офисном здании с заколоченными окнами и обшивкой, поврежденной пожаром. Оставшуюся часть пути он прошел в одной футболке. Ночной воздух был прохладным, все еще стояла весна, и до лета оставалось довольно много времени.

Хоган ждал его в коридоре у входа. Барабанщик. В прошлом морской пехотинец, который в данный момент наслаждался контролем над мелодиями своей жизни.

— Ты в порядке? — спросил он.

— Ты беспокоился? — поинтересовался в ответ Ричер.

— Профессиональное любопытство.

— Я не играл вместе с «Роллинг стоунз».

— Я имел в виду мою предыдущую профессию.

— Цель достигнута.

— И в чем она состояла?

— Я хотел получить телефон украинцев. Очевидно, они регулярно обмениваются сообщениями. Я решил, что смогу изучить их и выяснить, каково состояние наших дел. Может быть, они упомянут Труленко и я сумею вызвать у них панику и заставить перевезти его в другое место. И тогда наступит момент, когда шансы будут максимальными.

Эбби спустилась по лестнице. Все еще одетая.

— Привет, — сказала она.

— И тебе привет, — ответил Ричер.

— Я все слышала. Хороший план. Вот только они могут «убить» телефон удаленно. И тогда ты не будешь слышать их, а они — тебя.

— Я очень тщательно выбрал парня, у которого забрал телефон. Он относительно компетентен. Следовательно, пользуется некоторым доверием. Может быть, занимает неплохое положение. Вот почему он вряд ли признается, что я отобрал у него карманные деньги. Он выглядел немного смущенным. И определенно не станет сразу докладывать о своей потере. Это вопрос гордости. Я думаю, что у меня есть по меньшей мере несколько часов.

— Хорошо, твой план выглядит безупречным, — сказала Эбби.

— Вот только я плохо разбираюсь в телефонах, — признался Ричер. — Там может быть меню. И всякие кнопки, которые следует нажимать. Я могу что-то стереть по ошибке.

— Ладно, покажи его мне.

— И даже если я ничего не сотру по ошибке, послания, скорее всего, будут на украинском языке, и я не смогу прочесть их без Интернета. А я не слишком хорошо разбираюсь в компьютерах.

— Это будет вторым шагом. Но начать нужно с телефона. Давай я посмотрю.

— Я не стал брать его сюда. Парень из «Линкольна» сказал, что телефон можно отследить. Я не хочу, чтобы через пять минут кто-нибудь постучал в нашу дверь.

— И где же он?

— Я его спрятал в трех кварталах отсюда. Решил, что этого будет достаточно. Площадь в пи раз больше квадрата радиуса. Им придется обыскать круг, в котором тридцать кварталов. Они даже не будут пытаться.

— Хорошо, — сказала Эбби, — пойдем и посмотрим.

— Кроме того, у меня есть албанский телефон. Он ко мне попал почти случайно. Но в результате похожей сделки. Я хочу прочитать, что в нем написано. Может быть, удастся понять, почему они так на меня разозлились.

— А они разозлились?

— Они послали за мной своего человека. Им нужно знать, кто я такой.

— Ну, это может быть самым обычным делом. Ты новый человек в городе. А они любят быть в курсе.

— Может быть, — не стал спорить Ричер.

— Есть кое-кто, с кем вам стоит поговорить, — вмешался Хоган.

— Кто?

— Он иногда приходит играть с нами. Пехота, как ты.

— Армия?

— Да, они олицетворяют армию, но это еще не морская пехота, — заявил Хоган.

— Как морская пехота олицетворяет мускулы, а разума от них никто не ждет, — сказал Ричер.

— Человек, о котором я говорю, знает несколько языков прежних коммунистических стран, — ответил Хоган. — Он был командиром роты в то время. Кроме того, хорошо знаком с тем, что происходит в городе. Он может помочь. Или хотя бы оказаться полезным. В особенности с языками. Нельзя рассчитывать на компьютерный перевод. Только не в таких вещах. Если хочешь, я могу ему позвонить.

— А ты хорошо его знаешь?

— Он надежный. И у него отличный музыкальный вкус.

— Ты ему доверяешь?

— Насколько я могу доверять пехотинцу, который не играет на ударных.

— Ладно, — Ричер кивнул. — Позвони ему. Хуже не будет.

Они с Эбби вышли в неподвижную ночь, а Хоган, оставшийся в коридоре, стал набирать номер на своем телефоне.

# Глава
# 25

Ричер и Эбби прошли три квартала кружным путем. Если телефоны действительно отслеживали, их могли уже найти там, где Ричер их спрятал, и установить за тайником слежку. Оба понимали, что нужно действовать осторожно, насколько это возможно, — впрочем, особого выбора у них не оставалось. Вокруг лежали тени, полно переулков и темных дверных проемов, а два из каждых трех уличных фонарей были разбиты. Полно подходящих мест для скрытого наблюдения.

Ричер издали увидел ржавый почтовый ящик, который находился посередине следующего квартала.

— Сделай вид, что мы о чем-то увлеченно разговариваем; возле почтового ящика остановимся, будто бы чтобы решить особенно важный вопрос.

— Ладно, — сказала Эбби. — А что потом?

— А потом мы полностью проигнорируем почтовый ящик и пойдем дальше. Только отходить будем очень тихо и медленно.

— Прямо настоящий разговор? Или достаточно просто шевелить губами, как в немом кино?

— Может быть, шепотом. Словно речь идет о секретной информации.

— И когда начинать?

— Прямо сейчас. Продолжай идти. Не замедляй шаг.

— И о чем ты хочешь пошептаться?

— О чем угодно; можешь говорить все, что придет тебе в голову.

— Ты серьезно? — удивилась Эбби. — Возможно, мы идем навстречу опасности. Только об этом я и могу думать.

— Ты мне говорила, что хочешь каждый день совершать что-нибудь такое, что тебя пугает, — напомнил Ричер.

— Я уже давно выполнила свою норму.

— И всякий раз тебе удавалось уцелеть.

— Мы можем оказаться под огнем.

— Они не станут в меня стрелять, — заверил ее Ричер. — Они хотят задать вопросы.

— Ты совершенно уверен?

— Вопрос психодинамики. Как в театре. Это не из тех вещей, на которые можно ответить «да» или «нет».

Почтовый ящик приближался.

— Приготовься остановиться, — прошептал Ричер.

— И превратиться в неподвижную цель? — прошептала в ответ Эбби.

— Только до тех пор, пока мы не закончим большое воображаемое обсуждение. Потом двинемся дальше. Но очень тихо. Хорошо?

Ричер остановился.

Эбби остановилась.

— Какого рода воображаемое обсуждение? — спросила она.

— То, о чем ты думаешь.

Эбби немного помолчала.

— Нет, — заговорила она наконец. — Я не хочу рассказывать, что у меня сейчас на уме. Пока нет. Таково мое утверждение.

— Идем дальше.

И они пошли. Так тихо, как только могли. Три шага. Четыре.

— Ладно, — сказал Ричер.

— Что ладно? — спросила Эбби.

— Здесь никого нет.

— И откуда мы это знаем?

— Вот ты мне и скажи.

Она немного подумала.

— Мы молчали, потому что слушали.

— И что мы услышали?

— Ничего.

— Вот именно. Мы остановились у цели, но не услышали, чтобы кто-то отступил назад и расслабился или зашевелился, чтобы приступить к плану Б. Следовательно, там никого нет.

— Просто замечательно.

— Пока да. Но кто знает, сколько времени занимают такие вещи... Я в этом ничего не понимаю. Они могут оказаться здесь в любую минуту.

— И что мы будем делать?

— Я думаю, нам нужно отнести телефоны в другое место. И тогда им придется заново начинать поиски.

Они прошли два квартала на юг и увидели на поперечной улице свет фар. Как раннее оповещение. Через несколько секунд машина свернула налево и поехала в их сторону. Медленно. Может быть, сидевшие внутри люди что-то искали. Или припозднившийся водитель опасался, что ему выпишут штраф или проверят содержание алкоголя в крови. Трудно сказать. Фары были расположены низко и широко. Большой седан. И он приближался.

— Ждем, — сказал Ричер.

Ничего. Машина проехала мимо, не меняя скорости, в том же направлении. Старый «Кадиллак». Водитель не смотрел ни направо, ни налево. Пожилая леди, которую было едва видно из-за руля.

— Так или иначе, но нам лучше поспешить, — сказала Эбби. — Ты же сам говорил, что не знаешь, сколько времени занимают подобные вещи.

Они сделали четыре быстрых шага назад, и Ричер вытащил свернутую куртку из-за ржавого почтового ящика.

* * *

Эбби заявила, что она должна взять телефоны. Они прошли еще три квартала кружным путем и обнаружили винный погребок, который еще работал. У двери не стоял охранник в костюме. Кассир был в белой футболке; более того, внутри погребка они не увидели ни одного костюма, только множество холодильных камер и ярко горевшие флуоресцентные лампы. В дальнем конце нашелся свободный столик на двоих.

Ричер взял два картонных стаканчика кофе и отнес их к столу. Эбби положила оба телефона рядом и теперь с сомнением смотрела на них, словно, с одной стороны, ей хотелось поскорее начать, а с другой — она боялась, что они испускают пульсирующий сигнал SOS. *Найдите меня, найдите меня.*

Что было правдой.

— Ты помнишь, какой из них чей? — спросила Эбби.

— Нет, — ответил Ричер. — Для меня они выглядят одинаково.

Эбби включила один из телефонов. Пароль не требовался. Для скорости и простоты доступа и от высокомерия. Эбби принялась изучать экран. Ричер увидел серию зеленых пузырей с посланиями. Тексты. Нечитаемые иностранные слова, но буквы по большей части такие же, как в английском. Некоторые повторялись. У других имелись странные символы сверху и снизу. Умляуты и седили.

— Албанский, — сказал Ричер.

По улице проехала машина. Медленно. Фары тонким голубым клинком света пронзили зал погребка до самой дальней стены, и машина покатила дальше. Эбби включила второй телефон. И опять пароль не потребовался. Она и здесь нашла длинную последовательность текстовых сообщений, входящих и исходящих. Зеленые пузыри, шедшие один за другим. Кириллица. Алфавит, названный в честь святого Кирилла, который придумал его в девятом веке.

— Украинский язык, — сказал Ричер.

— Здесь сотни сообщений, — сказала Эбби. — В буквальном смысле. Может быть, тысячи.

Еще одна машина проехала мимо, теперь быстрее.

— Ты можешь разобрать даты? — спросил Ричер.

Эбби просмотрела сообщения.

— Со вчерашнего дня их пришло не менее пятидесяти. В некоторых твоя фотография.

Еще один автомобиль. Медленно. Яркий свет фар. Что-то ищет или опасается штрафа. Ричер успел заметить водителя. Мужчина в темной одежде, лицо озарено зловещим отблеском приборной доски.

— Здесь также около пятидесяти албанских посланий, — сказала Эбби. — Или даже больше.

— Ну и как мы будем с ними разбираться? — спросил Ричер. — Мы не можем взять телефоны домой. И, конечно, у нас не получится скопировать эту чушь на салфетки. Мы сделаем множество ошибок. И это займет бесконечно много времени. А у нас его нет.

— Смотри на меня, — сказала Эбби.

Она положила перед собой украинский телефон, достала из кармана свой и принялась водить над ним, параллельно, туда и обратно.

— Ты фотографируешь? — спросил Ричер.

— Видео, — ответила она. — Смотри.

Теперь Эбби держала свой телефон в левой руке, а пальцем правой прокручивала длинную цепочку украинских текстов на добытом Ричером телефоне, на средней скорости, все дальше и дальше, пять секунд, десять, пятнадцать, двадцать. Затем цепочка закончилась, и Эбби выключила запись.

— Мы можем воспроизводить ее, останавливая в любом месте, — пояснила она. — Это то же самое, что иметь их телефоны.

Затем Эбби проделала ту же процедуру с албанским телефоном. Пять секунд, десять, пятнадцать, двадцать.

— Отличная работа, — сказал Ричер. — Теперь нам нужно снова спрятать телефоны. Их нельзя оставлять здесь. Это место не заслуживает того, чтобы сюда заявилась банда придурков.

— И куда мы их отнесем?

— Я голосую за тот же почтовый ящик.

— Но это стартовая точка их поисков. И если они отстают от нас не очень сильно, то прямо сейчас уже находятся там, — возразила Эбби.

— На самом деле я надеюсь, что маленький металлический ящик приводит к блокировке сигнала, — предположил Ричер. — И они не смогут их отследить.

— Тогда они их никогда не найдут, — сказала Эбби.

— Скорее всего. — Джек кивнул.

— Значит, опасности для нас не было.

— Пока мы их оттуда не достали.

— Интересно, сколько времени требуется для таких вещей?

— Мы уже согласились, что ни один из нас не знает.

— А нам обязательно возвращаться именно к тому почтовому ящику? Почему бы не воспользоваться ближайшим?

— Никакого сопутствующего ущерба. Просто на всякий случай.

— На самом деле ты не знаешь, верно?

— Это из тех вещей, на которые нет однозначного ответа.

— Итак, передача блокируется или нет?

— Скорее всего, это лишь догадка. Не моя сфера компетенции. Но я слушаю, что говорят люди. Они постоянно жалуются, что их звонки прерываются. По самым разным причинам, и все они менее серьезны, чем пребывание в маленькой металлической коробке.

— Но в данный момент телефоны лежат на столе, и опасность, что их отследят, присутствует, — заметила Эбби.

Ричер кивнул.

— И с каждой минутой увеличивается, — добавил он.

* * *

На этот раз телефоны нес Ричер — исключительно из соображений справедливости. Вокруг было много машин. Много танцующих слепящих лучей фар. Автомобили всех марок и моделей. Но ни одного лимузина «Линкольн». И они не заметили неожиданного изменения скорости или направления. Очевидно, никто ими не интересовался.

Они положили телефоны в почтовый ящик и со скрипом закрыли его. На этот раз Ричер забрал куртку, не только для тепла, а ради пистолетов в карманах. Затем они направились к дому Бартона. Им оставалось пройти менее полутора кварталов.

# Глава
# 26

То, что произошло дальше, не имело никакого отношения к сложной триангуляции сигналов сотовых телефонов или показаний навигатора, определявших местонахождение с точностью до половины ярда. Значительно позже Ричер узнал, что все было сделано старым добрым способом. Случайный парень в случайной машине вспомнил инструктаж, полученный перед выходом на дежурство. Ничего больше. Будь внимателен. Мужчина и женщина.

Ричер и Эбби зашагали направо, собираясь потом повернуть налево, но прежде им требовалось пройти через квартал, вымощенный булыжником, по узкому тротуару, ограниченному справа непрерывной последовательностью окованных железом погрузочных платформ в задней части зданий, выходивших на соседнюю улицу, а с левой стороны прерывающейся цепочкой припаркованных автомобилей. Были заполнены не все места. Может быть, половина.

Одна из машин стояла неправильно. Не в ту сторону. И на крыше у нее не было вечерней росы. Задней части мозга Ричера потребовалась доля секунды, чтобы активировать переднюю. Дверца машины со стороны водителя распахнулась, появился пистолет, за ним рука, а потом и сам водитель. Через мгновение он уже присел за открытой дверцей и прицелился в открытое окно. Сначала в Ричера. Потом в Эбби. Снова в него и в нее. Туда и обратно. Как в телесериале. Он давал понять, что держит на прицеле обоих. Он был в синем костюме с туго затянутым красным галстуком.

*Они не станут в меня стрелять. Они хотят задать вопросы.*

*Психодинамика. Как в театре.*

*Одна из вещей, на которые нет однозначного ответа.*

Пистолет был далеко не новый, потертый «Глок 17». Двуручный хват. Оба запястья лежат на резиновой прокладке окна. Указательный палец на спусковом крючке. Пистолет не дрожал. Движение слева направо и обратно строго по горизонтали. Достаточно компетентно, вот только стрелок занял крайне нестабильное положение, к тому же бессмысленное, потому что дверца машины не давала защиты от пули. Лучше, чем алюминиевая фольга, но не намного. Умный стрелок встал бы прямо, опираясь запястьями на верхнюю часть двери. Доминирующая позиция. Из нее легче перейти в любое другое положение — к ходьбе, бегу или драке.

— Держите руки так, чтобы я их видел, — сказал парень.

— У нас проблема? — спросил Ричер.

— У меня — нет, — ответил наставивший на них оружие тип.

— Хорошо, — ответил Джек. — Рад слышать. — Он повернулся к Эбби и сказал, понизив голос: — Ты можешь отойти за угол, если хочешь. Я присоединюсь к тебе через минуту. Он просто собирается задать мне парочку вопросов.

— Нет, она останется, — сказал парень. — Вы оба.

Мужчина и женщина.

Ричер снова повернулся к нему лицом, воспользовавшись коротким движением, чтобы скрыть шаг вперед.

— И зачем нам здесь оставаться? — спросил он.

— Вопросы.

— Ну так задавай.

— Вопросы задает мой босс.

— И где он?

— Скоро будет здесь.

— А что у него на уме?

— Очень многое, я уверен.

— Ладно, — сказал Ричер. — Убери пистолет и подойди, мы подождем его вместе. Прямо здесь на тротуаре. Пока он не появится.

Державший их на мушке тип оставался за дверцей, не меняя положения. Пистолет не шевелился.

— Ты все равно не сможешь им воспользоваться, — сказал Ричер. — Твоему боссу не понравится, если он приедет и увидит, что ты убил нас, или ранил, или мы находимся в шоке или коме. Или страдаем от посттравматического стрессового расстройства. Он хочет задать нам вопросы. И получить внятные ответы. Да и полицейским такое не понравится. Мне без разницы, какие у вас с ними договоренности. На ночные выстрелы полиция должна реагировать.

— Ты считаешь себя умником? — осведомился Синий Костюм.

— Нет, но я надеюсь, что ты неплохо соображаешь, — спокойно сказал Ричер.

Пистолет не шевелился. Что вполне устраивало Ричера. Сейчас самой важной частью являлся спусковой крючок. В особенности палец, соединенный с центральной нервной системой. А она могла замерзнуть, пусть даже временно, из-за сомнений, предположений и самых разных мыслей.

Или хотя бы слегка замедлиться.

Ричер сделал еще один шаг, приподнял левую руку ладонью наружу и слегка похлопал воздух успокаивающим жестом, но также показывая, что им необходимо решить срочную проблему. Взгляд головореза в синем костюме следовал за левой рукой Ричера, складывалось впечатление, что он забыл про правую, которая также пришла в движение, но гораздо медленнее, и незаметно скользнула в правый карман, где лежал «Хеклер и Кох», который, как совершенно точно знал Ричер, находился в рабочем состоянии.

— Мы подождем в машине, — сказал Синий Костюм, — а не на тротуаре.

— Ладно, — не стал возражать Джек.

— С закрытыми дверями.

— Конечно.

— Вы сзади, а я впереди.

— Пока не приедет твой босс. Он сядет рядом с тобой. И будет задавать вопросы. Таков наш план?

— А до тех пор вы будете помалкивать.

— Конечно, — снова согласился Ричер. — Ты победил. Ведь пистолет у тебя. Мы сядем в машину.

Громила удовлетворенно кивнул.

После чего все было просто. Он убрал пальцы с рукояти пистолета, опустил их на резиновую окантовку окна, собрался, как пианист перед сложным пассажем, что могло быть сигналом о достижении решающего соглашения, но на самом деле являлось простой физикой, потому что громила намеревался изменить позицию, выпрямиться и восстановить равновесие. Однако он находился в неудобном положении довольно долго, и тело у него затекло в нескольких местах. В результате он контролировал пистолет не так надежно, рукоять ушла немного вниз, а дуло — вверх. Это означало, что непосредственная угроза на данном этапе отступила, если они готовы сотрудничать. Однако, скорее всего, причина состояла в естественном обратном вращении относительно спускового крючка.

Ричер оставил свой «Хеклер» в кармане, сделал длинный шаг вперед и не слишком сильно ударил ногой в дверцу, которая отлетела и звучно стукнула парня по коленям; импульс силы отбросил его, мучительно медленно, но непреодолимо, и он опрокинулся на спину, беспомощный, как черепаха. Руки метнулись назад, чтобы смягчить падение, «Глок» выпал и заскользил по тротуару с пластиковым звуком. Но громила перекатился в сторону и практически мгновенно, без заметных усилий, вскочил на ноги. Атлетичный и ловкий, что он продемонстрировал несколько минут назад, когда выпрыгнул из машины. Из чего следовало, что Ричер опоздал на полшага.

Его противник легко переместился в сторону, уходя от все еще распахнутой дверцы, после чего мгновенно изменил направление движения, подался вперед и попытался нанести Ричеру быстрый удар правой в лицо, однако тот все видел, поэтому резко повернулся и принял его на плечо. Не слишком сильно, но это увеличило расстояние между ними, что позволило бандиту снова отпрыгнуть в сторону и посмотреть вниз в поисках пистолета.

Ричер также был спортивным, но скорее тяжелоатлетом, к тому же не обладал особой ловкостью. Он был быстрым, но далеко не самым быстрым, не умел мгновенно менять направление движения, из чего следовало, что ему потребовалась доля секунды, в течение которой он сохранял нейтральную позицию, и его противник предпринял очередную атаку, но Ричер вновь ушел от удара. Однако, как и прежде, тип в синем костюме успел благополучно отскочить назад, продолжая искать взглядом упавшее оружие. Ричер наступал, делая по полшага, уклоняясь и уворачиваясь. С одной стороны, он двигался сравнительно медленно, но с другой — его было трудно остановить, в особенности такими слабыми ударами; к тому же противник постепенно уставал и его дыхание становилось все более тяжелым.

Однако он продолжал отступать.

Ричер его преследовал.

Бандит нашел свой пистолет. Он задел его краем ботинка, и «Глок» переместился на дюйм с характерным пластиковым звуком. Противник Ричера замер на несколько мгновений, думая с такой же быстротой, с какой двигался, а потом, изогнувшись, устремился вниз; правая рука описала длинную дугу. Он рассчитывал подхватить пистолет и отскочить на безопасное расстояние. Инстинктивный расчет, основанный на пространстве, времени и скорости, на всех четырех измерениях, а также его собственных способностях и возможностях противника, которые он оценил даже с запасом, — и все равно получалось, что времени у него хватит. Интуитивные подсчеты показали Ричеру, что громила прав и ему его не опередить.

Однако недостатки Джека компенсировались достоинствами. Его конечности двигались медленнее, потому что были не только тяжелее и толще, но и длиннее. А ноги — *очень* длинными. Он сделал шаг левой и, вытянувшись вниз, нанес удар правой ногой, точно мощный и жестокий взмах крыла, не имевший конкретной цели; его устраивало попадание в любую часть тела своего противника в произвольный момент времени.

Он попал в голову. Дурацкий результат. Четырехмерная геометрия допустила ошибку. Легкое колебание, первобытный выпад Ричера, спровоцированный инстинктом, наполненным древней агрессией «все-или-ничего». Громила решил не опускать голову и вытянуть вперед руку, чтобы наверняка достать пистолет, а потом откатиться в сторону, но Ричер уже был здесь, как бейсболист-бэттер, заранее наносящий удар по быстро летящему неправильному мячу, тут нет никаких сомнений; и висок его противника вошел в соприкосновение с рантом ботинка Ричера. Не идеальное попадание, но близкое к нему. Шея громилы сильно дернулась, и он рухнул щекой на тротуар.

Ричер не сводил с него глаз.

— Ты видишь его пистолет? — спросил он у Эбби.

— Вижу, — ответила та.

— Возьми. Указательным и большим пальцами, за рукоять или ствол.

— Я знаю как.

— Просто проверял. Так всегда безопаснее.

Эбби метнулась вперед, схватила «Глок» и отскочила назад.

Тип в синем костюме по-прежнему не шевелился.

— Что мы будем с ним делать? — спросила она.

— Оставим здесь.

— А потом?

— Нам нужно забрать его автомобиль.

— Зачем?

— Сюда приедет его босс. Он должен получить правильное послание.

— Ты не можешь объявить им войну.

— Они ее уже объявили. Мне. Без всякой видимой причины. Поэтому сейчас я предлагаю им первый серьезный ответ. Я говорю, что им следует пересмотреть свою политику. Стандартный дипломатический ход. Как при игре в шахматы. Он даст им шанс перейти к переговорам. Без оскорблений и обид. Надеюсь, они меня поймут.

— Мы говорим об албанской мафии. Ты один. Фрэнк прав. Ты спятил.

— Но это уже происходит, — сказал Ричер. — Мы не можем перевести стрелки часов назад, не можем захотеть, чтобы все исчезло. Теперь нам придется приложить все силы, чтобы разобраться с возникшими проблемами. Оставлять машину здесь нельзя. Это будет выглядеть слишком мягко и смиренно. Как если б мы сказали «ой, простите». Как если бы не собирались ничего такого сделать. Нам необходимо произвести впечатление. Мы должны сказать: «Не надо с нами связываться, или вы получите удар по голове, а вашу машину угонят». В таком случае они отнесутся к нам серьезно и станут действовать с тактической осторожностью. И соберут крупные силы.

— Но это же плохо.

— Только в том случае, если они нас найдут. А если нет, у них появится больше прорех, через которые нам будет легче перемещаться.

— И куда мы станем перемещаться?

— Я полагаю, наша основная цель — встреча лицом к лицу с их главным боссом. Аналогом Грегори.

— С Дино... Это безумие.

— Он просто один человек. Как и я. Мы можем обменяться мнениями. Я уверен, произошло недоразумение.

— Я должна здесь работать. По одну сторону Центральной улицы или по другую.

— Я приношу свои извинения.

— И правильно делаешь.

— Именно по этой причине мы должны проделать все как следует. Мы должны играть на победу.

— Ладно, мы заберем машину, — сказала Эбби.

— Или можем ее сжечь, — предложил Ричер.

— Угнать лучше, — возразила она. — Я хочу унести отсюда ноги как можно скорее.

* * *

Они отъехали на четыре квартала и оставили автомобиль на углу, с ключами в зажигании, с четырьмя распахнутыми дверями и поднятыми крышками капота и багажника. Посчитав, что так будет символичнее. А потом пошли к дому Бартона кружным путем и, оказавшись в нужном квартале, проверили все четыре стороны, прежде чем подойти к двери. Бартон и Хоган не спали и ждали их.

С незнакомым Ричеру мужчиной.

# Глава
# 27

Благодаря волосам и коже гость музыкантов выглядел на десять лет моложе, чем на самом деле, из чего следовало, что он принадлежал к поколению Ричера, но был меньше и аккуратнее. Проницательные, внимательные глаза сидели глубоко по разные стороны клинка носа, длинные вьющиеся волосы в беспорядке падали на лоб. Одет он был скромно, но со вкусом, в хорошие туфли, вельветовые брюки, рубашку и пиджак.

— Это человек, о котором я тебе рассказывал, — сказал Хоган. — Пехотинец, знающий разные языки. Его зовут Гай Вантреска.

Ричер протянул руку.

— Рад познакомиться.

— Взаимно, — ответил Вантреска, и они пожали друг другу руки, а потом все повторилось с Эбби.

— Ты быстро сюда добрался, — сказал Ричер.

— Просто не спал, а живу я рядом, — объяснил Вантреска.

— Спасибо, что согласился помочь.

— На самом деле я здесь по другой причине. Пришел, чтобы отговорить тебя от твоей затеи. Ты не должен связываться с этими людьми. Их слишком много, они слишком отвратительные и слишком хорошо защищены. Такова моя оценка ситуации.

— Ты служил в военной разведке?

Вантреска покачал головой.

— В бронетанковых войсках.

Командир роты во времена холодной войны, так сказал про него Хоган.

— Танки? — спросил Ричер.

— Их было четырнадцать, — ответил Вантреска. — Все мои. Все смотрели на восток. Счастливые дни.

— А зачем ты учил языки?

— Я думал, что мы победим, рассчитывал, что мне доведется управлять гражданским округом. Ну, или заказывать вино в ресторане, встречаться с девушками... Это было очень давно. К тому же мне платил Дядя Сэм. В те времена в армии любили образование. Все получали ученые степени.

— Слишком много, слишком отвратительные — *слишком* субъективные понятия, — сказал Ричер. — Мы можем поговорить об этом позднее. Но вот слишком хорошо защищены — совсем другое дело. Что тебе об этом известно?

— Я занимаюсь корпоративным консалтингом, — ответил Вантреска. — Главным образом физической безопасностью зданий. Но я многое слышу, и мне задают интересные вопросы. В прошлом году проводился интегрированный федеральный опрос, и оказалось, что две самые законопослушные общины в Америке — это украинцы и албанцы, живущие в нашем городе. Они даже не получают штрафы за парковку. Из чего следует, что у них очень тесные связи на всех уровнях правоохранительных органов.

— Но должна же где-то проходить красная линия, — возразил Ричер. — Сегодня я сказал одному из бандитов, что ночная стрельба на улицах города вызовет негативную реакцию полиции, и он не стал спорить. Более того, согласился со мной, потому что раздумал стрелять.

— К тому же у нас вот-вот начнет работать новый полицейский комиссар, — продолжал Вантреска. — Они нервничают. Но по их сторону линии существует множество скучных невидимых вещей. В целом дело не в стрельбе на улицах. Речь идет о тех, кто незаметно осуществляет сговор с потенциальным свидетелем, о котором никто не узнает, скорее всего, в доме самого свидетеля, выбирая многозначительное место вроде спальни маленькой дочери. Они объясняют, что память — очень странная штука, она обманчива и нет ничего зазорного в том, чтобы сказать: послушайте, я просто не могу вспомнить. Мои знакомые говорили, что подобные случаи трудно расследовать, зато легко похоронить.

— Сколько их здесь?

— Слишком много. Их слишком много, они слишком отвратительные и слишком хорошо защищены. Тебе не следует с ними связываться.

— Где находилась твоя рота во время войны?

— Рядом с наконечником копья.

— Иными словами, противник имел колоссальное преимущество в численности с первого дня и до самого конца, — заметил Ричер.

— Я понял твой довод. Но у меня было четырнадцать американских танков, лучших боевых машин в мире. Они подобны механизмам из фантастических романов. Мне не приходилось разгуливать по Фульдскому коридору[1] в брюках и пиджаке.

---

[1] «Ф у л ь д с к и й  к о р и д о р» — территория в германской земле Гессен, начинающаяся от границы с Тюрингией в районе г. Фульда и пролегающая в направлении Франкфурта-на-Майне. С 1945 г. начало «Фульдского коридора» находилось на линии размежевания между советской и американской оккупационными зонами в Германии, в дальнейшем — на государственной границе между ГДР и ФРГ.

— Как всегда бывает с теми, кто служит в бронетанковых войсках, ты склонен преувеличивать важность машин. Иными словами, ты чувствовал себя гораздо опаснее, чем они. Они имели превосходство в численности, но ты был круче. Однако их совершенно определенно защищала вся их гигантская нация. В твою пользу говорил лишь один фактор из трех. А два из трех — против. И все же ты завел бы двигатели, если б получил соответствующий приказ.

— Я понял твой довод, — повторил Вантреска.

— Ты рассчитывал на победу, — продолжал Ричер. — И поэтому учил языки. Сейчас мне больше ничего знать не нужно. Будем решать проблемы по мере их поступления. Сначала я хочу выяснить, что написано в посланиях, затем воспользоваться полученной информацией, чтобы понять, что делать дальше. Пока объявлять боевую готовность нет необходимости. И не нужно никого предупреждать.

— А если то, что нам удастся выяснить, окажется бесполезным?

— Неприемлемый результат. Неудача может быть только в планировании. Не сомневаюсь, что этому тебя научили в Германии.

— Ладно, — не стал спорить Вантреска. — Будем решать проблемы по мере их поступления.

* * *

Они принялись за работу на кухне, начав с украинского языка. Вантреска восхитился съемкой Эбби. Очень остроумно и эффективно. Он постучал пальцем по экрану в сложном синкопированном ритме — воспроизведение, пауза, воспроизведение, пауза — и сразу стал читать с застывшего экрана, сначала медленно и запинаясь, а иногда и вовсе останавливаясь.

У него с самого начала возникли лингвистические проблемы. Это были текстовые сообщения, полные незнакомого сленга, однобуквенных сокращений, внутренних аббревиатур, не говоря уже о массовых грамматических ошибках, если только они не являлись заранее оговоренным и сознательным упрощением. Никто не знал. Вантреска сказал, что расшифровка займет у него некоторое время, поскольку ему придется делать перевод с чужого языка, одновременно разгадывая шифр. Или даже два шифра, учитывая невнятные аллюзии и элизии, которые использует каждый уважающий себя гангстер.

Эбби взяла свой лэптоп и начала работать с Вантреской бок о бок — переводила отдельные слова при помощи онлайновых словарей, искала однобуквенные сокращения и акронимы в языковых блогах и на сайтах любителей редких слов, делала заметки на листках. Кое-что вставало на свои места, но работа шла медленно. Пока им не удалось извлечь каких-то важных сведений из столь малого количества информации. Эбби провела съемку так быстро, как только осмеливалась, — пять, десять, пятнадцать, двадцать секунд; она записывала на скорости, стараясь поскорее закончить. И теперь яркие и размытые записи давали тысячи и тысячи слов, каждое из которых становилось загадкой, вызовом, а большинство имели два или три значения.

Ричер им не мешал. Он остался в гостиной вместе с Бартоном и Хоганом, среди барабанов и усилителей. Один из них был серым, размером с холодильник, на решетке восемь грязных кругов. Ричер уселся на пол, опираясь на него спиной, и перестал двигаться. Бартон положил свою побитую гитару на колени и принялся наигрывать на ней, не подключаясь к усилителям, наполняя комнату тихими волнующими нотами.

— Ты думаешь, мы победим? — спросил Хоган. — И Вантреска сумеет справиться с языками?

— В целом я думаю, что мы одержим победу, — ответил Ричер. — Технически я считаю, что мы закроем их до того, как они закроют нас. Трудно назвать это победой, если учесть, какой хаос воцарится, но в любом случае наконечника копья давно нет. Боюсь, твой друг зря потратил время в школе.

Бартон сыграл нисходящее арпеджио, слабеющий минорный аккорд, закончив его ударом по открытой нижней струне. Если б он был подключен к усилителям, то разрушил бы дом. А так струна гремела и стучала о лады, но не выдавала ничего фундаментального.

— Теперь ты — наконечник копья, — сказал Бартон, посмотрев на Ричера.

— Я не собираюсь начинать войну, — отозвался тот. — Мне нужны лишь деньги Шевиков. И даже если я не сумею получить их легким путем, я все равно их добуду, уж поверьте мне. Я не испытываю необходимости встречаться с врагом на поле боя. Более того, с удовольствием избежал бы этого.

— У тебя не будет выбора. Они наверняка надежно спрятали Труленко. Один защитный слой за другим. Я видел, как они это делали, когда в одном из их клубов появляется кто-то важный. Выставляют одного человека в углу и одного у двери, а также возле соседней двери; кроме того, рядом крутятся еще два парня.

— Что ты помнишь про Труленко?

— Он был компьютерным фанатом, как и многие парни вроде него. Я даже как-то подумал, что неправильно выбрал свой путь. В старшей школе у меня очень неплохо получалось. Теперь ботаны стали миллиардерами, а мне едва хватает на жизнь. Наверное, стоило изучать программирование, а не музыку.

— Если б он сейчас работал, то чем занимался бы?

— А он работает?

— Кто-то использовал это слово.

— Тогда компьютеры, я уверен. Именно в них он хорошо разбирался. Он был одним из самых крутых. Его программы имеют какое-то отношение к медицине, но в целом речь шла о программном обеспечении.

В гостиную заглянула Эбби.

— Мы разобрались, — сообщила она. — И готовы рассказать, что у нас есть по украинцам. Они дважды упоминали Труленко.

# Глава
# 28

Вантреска приготовился запустить видео с самого начала, но прежде сказал:

— Если коротко, происходит какое-то странное дерьмо. Помимо всего прочего они в ярости из-за того, что теряют людей. Два парня попали в автокатастрофу у ограды парковки дилеров «Форда». Затем двоих бойцов прикончили в квартале ресторанов. Двоих убрали в массажном салоне. Еще двое пропали возле дома Эбби. Всего получается восемь человек.

— Настоящая бойня, — заметил Ричер.

— Интересно то, что в первых шести случаях они винят албанцев. Но относительно последних двух считают, что это сделал ты. Они думают, что ты — тайный агент из Нью-Йорка или Чикаго, которому кто-то дал задание заварить здесь кашу. Они выпустили на тебя полные ориентировки. Под именем Шевика. В результате это привело к еще большим проблемам.

Вантреска запустил видео на телефоне Эбби. Сначала воспроизведение шло на той скорости, на которой она снимала. На экране с правой стороны была тень от ее пальцев, стремительно двигавшаяся вверх. Затем Вантреска сделал паузу, еще раз включил запись и снова остановил ее, когда нашел нужное сообщение. С фотографией. Аарон и Мария Шевик, а также Эбигейл Гибсон в коридоре дома Шевиков — все выглядят испуганными и смущенными. Ричер вспомнил звук, который услышал из-за двери кухни. Тихий скрипучий щелчок. Камера на сотовом телефоне.

— Под фотографией написано, что это Джек, Джоанна и Эбигейл Ричер, — сказал Вантреска.

Он еще несколько раз включал и останавливал запись, пока не нашел пятое сообщение.

— Здесь они уже выяснили, что это Эбби Гибсон, а не Эбигейл Ричер. В следующем послании они отправляют своего человека в бар, где она работает, а потом — автомобиль к дому, в котором она живет, с приказом найти и доставить ее к их боссу.

— Все хорошо, что хорошо кончается, — сказал Ричер.

— Но дальше ситуация становится хуже, — продолжал Вантреска; он запустил запись и нашел большой зеленый пузырь со следующей фотографией, под которой шло длинное сообщение на кириллице. — Здесь говорится, что пожилая женщина по имени Джоанна Ричер побывала в их ломбарде, где подписалась как Мария Шевик.

— Дерьмо... Так это их ломбард?

— Ей следовало знать об этом. На западной стороне им принадлежит почти все. Проблема в том, что она подписалась своим настоящим именем. И, весьма вероятно, дала настоящий адрес и номер социального страхования. Теперь им остается сделать всего один шаг, чтобы выяснить, что она — законная жена Аарона Шевика. С этого момента им уже не составит труда сообразить, кто есть кто. После чего они смогут действовать, не теряя времени. Они уже ждут возле дома Шевиков.

— У них начнется экзистенциальный кризис, — сказал Ричер. — Хотят ли они получить имя Аарон Шевик или самого Аарона Шевика, чье физическое тело заняло у них деньги, а также под чужой личиной пытается устроить хаос? Какова природа идентичности? Вот вопрос, который они сейчас пытаются решить.

— Ты закончил Уэст-Пойнт? — спросил Вантреска.

— Как ты узнал? — спросил Ричер.

— Уровень бреда. Это серьезные ребята. Конечно, они хотят получить физическое тело, но, пока будут его искать, вполне могут разбить пару фарфоровых ваз, начав в доме Шевиков.

Джек кивнул.

— Поверьте, я понимаю, — сказал он. — Все уже очень серьезно. Им по семьдесят лет. Но я не знаю, что можно сделать, чтобы защитить их от физической опасности. Во всяком случае, на постоянной основе. Единственный разумный вариант — перевезти их в безопасное место. Но куда? —

Ричер немного помолчал. — В обычных обстоятельствах я предложил бы им перебраться к дочери. Уверен, они с радостью так и поступили бы.

Вантреска вновь включил запись и остановил ее на толстом пузыре, относившемся к вечеру накануне.

— Здесь ты назвал имя Труленко вышибале из бара, где работает Эбби, — продолжал он. — С этого момента разговор двигался в двух направлениях. Во-первых, о тебе. Они не понимают, почему жалкий соискатель кредита задал такой вопрос. Два разных мира. Отсюда они разработали теорию, что ты — провокатор, которому заплатила другая организация.

— А второе направление, — заговорила Эбби, — связано с Труленко. Там есть два упоминания о нем. Во-первых, проверка статуса и возможных угроз. В обоих случаях ответ успокаивающий: всё в порядке. Но через час они начали беспокоиться.

— Потому что я от них ушел, — сказал Ричер. — Когда ты впустила меня в свою квартиру. Они понимали, что я нахожусь на свободе.

— Они создали четыре команды из своих парней, оторвав их от обычных обязанностей, и дали указания регулярно докладывать, как идут поиски, — сказал Вантреска. — Остальным охранникам велели перегруппироваться и создать дополнительную линию охраны Труленко. Они называют это Положение Б, что, по нашему мнению, соответствует шкале повышенной боевой готовности. Очевидно, процедура всем хорошо известна, отрепетирована, и, может быть, они ее уже применяли.

— Хорошо. А каждая команда состоит из двух головорезов в машине?

— Ты должен знать.

— Значит, всего восемь человек, — подвел итог Ричер. — Какое количество охранников они привлекли дополнительно к защите Труленко? И сколько парней присматривает за ним, когда угроза отсутствует? Наверное, не более четырех, если они способны плавно перейти на уплотненный вариант. Значит, четверо отступили внутрь и восемь заняли их место на периметре.

— Ты один против двенадцати бандитов, — сказал Вантреска.

— Нет, если я выберу подходящее место на периметре, — возразил Ричер, — тогда смогу проскользнуть мимо них.

— В лучшем случае их будет четверо, — сказал Вантреска.

— Спорный вопрос, если только вы не нашли в телефонных сообщениях, куда именно должны рапортовать восемь парней, призванных на дополнительную охрану. Адрес нам очень пригодился бы.

Вантреска не ответил.

Ричер посмотрел на Эбби.

— Тут говорится, куда именно, — сказала она.

— Но?..

— Это невероятно сложное слово. Я всюду его искала. Исходно оно означает «улей», «гнездо» или «нора». Или всё вместе. Или нечто среднее. Для существ, которые жужжат, гудят или мечутся в воздухе. Как многие древние слова, оно не отличается точностью с точки зрения биологии. Теперь его используют исключительно в качестве метафоры. Как в кино, когда ты видишь безумного ученого в лаборатории, полной мерцающих машин, от которых исходит энергия.

— Вроде нервного центра, — предположил Ричер.

— Точно. — Эбби кивнула.

— Иными словами, единственное, что сообщает телефон: они должны рапортовать в нервный центр.

— Очевидно, им известно, где он находится.

— Парни, с которыми я беседовал, этого не знали, — сказал Ричер. — Я их спрашивал и поверил им. Закрытая информация. Из чего следует, что люди, которых они призвали для дополнительной охраны, принадлежат к верхушке и в курсе происходящего.

— Звучит разумно, — сказал Вантреска. — Отборные бойцы. Для Положения Б — только лучшие.

— Я же говорил, — вмешался Хоган. — Единственный путь лежит через высший эшелон.

— Безумие, — сказал Бартон.

Вантреска и Эбби занялись албанскими текстовыми сообщениями, устроившись рядом за кухонным столом и используя прежнюю систему. Этот язык Вантреска знал хуже, но сообщения были более формальными и грамотными, поэтому работа шла быстрее. К тому же их оказалось меньше. Все, что имело отношение к делу, начало циркулировать в течение последних нескольких часов. Часть из них повторяла тексты украинцев. Ричера принимали за провокатора, услуги которого оплачены третьей стороной. Однако имелось и кое-что новое. Безымянный свидетель заметил белую «Тойоту». Кто-то видел вышедших из нее Ричера и Эбби, после того как они припарковались в одном из заброшенных кварталов. Миниатюрная хрупкая женщина с короткими темными волосами и крупный уродливый мужчина с короткими светлыми волосами. Будьте начеку.

— Формально я думаю, это означает — самой обычной внешности, — сказала Эбби. — Или красивый, но с грубоватыми чертами. А вовсе не уродливый.

— Палки и камни могут сломать мои кости, — сказал Ричер, — но слова никогда не причиняют вреда.

— Эти могут, — заметил Вантреска. Он уже добрался до конца записи с албанскими сообщениями. — На самом деле они ищут Ричера. И здесь дается твое примерное местонахождение, внутри прямоугольника из двенадцати кварталов.

— А на самом деле? — спросил Ричер.

— Рядом с его географическим центром.

— Плохо. Складывается впечатление, что они много знают.

— Они хорошо знакомы с этими районами. В каждой бочке затычка. У них множество глаз, смотрящих из множества окон, и полно машин на улицах.

— Похоже, ты их неплохо изучил.

— Пару месяцев назад я помогал журналистке из Вашингтона, которая приезжала изучить город. У меня есть лицензия охранника. Номер моего телефона занесен во все национальные справочники. Я не знал, о чем она собиралась писать. И она не стала говорить. Организованная преступность, я полагаю, такова была сфера ее интересов. Албанцы и украинцы. Больше украинцы. Такое у меня сложилось впечатление. Но она сказала что-то не то к востоку от Центральной улицы, и ее первая встреча произошла с албанцами. Несколько албанцев и она одна, в отдельном кабинете, в ресторане. Потом она вышла и попросила, чтобы я отвез ее в аэропорт. Даже в отель заезжать не стала. Решила не забирать вещи, в таком была ужасе. Она вела себя как автомат; улетела первым же рейсом и больше никогда не возвращалась. Если они добились такого результата после единственного разговора, тебе лучше поверить, что многие сразу им доложат, если увидят людей, похожих на вас. Запугивание в чистом виде. Так они собирают информацию.

— И это плохо, — сказал Ричер. — Я не хочу доставлять неприятности тем, кто здесь живет.

Ни Бартон, ни Хоган ничего не ответили.

— Мы не можем воспользоваться отелями, — сказала Эбби.

— Или как раз сможем, — возразил Ричер. — Возможно, именно так нам и следует поступить. И тогда события начнут развиваться быстрее.

— Ты еще не готов, — сказал Хоган.

— Переночуйте тут, — предложил Бартон. — Вы уже здесь. У соседей нет установки с рентгеновскими лучами. Завтра вечером у нас выступление. Если вам нужно будет уехать, вы сможете сесть в наш фургон. И никто вас не заметит.

— А где будет выступление?

— В ресторане к западу от Центральной улицы. Ближе к Труленко, чем сейчас.

— А у двери в ресторане есть вышибала в костюме?

— Всегда. Так что мы лучше выпустим вас за углом.

— Или нет, если мы хотим ускорить процесс...

— Нам еще там работать, друг. И это хорошее место. Сделай одолжение, ускоряй процесс в другом месте. Если есть необходимость. Я надеюсь, что ее нет. То, что ты задумал, — чистое безумие.

— Договорились, — сказал Ричер. — Мы уедем завтра вместе с вами. Большое вам спасибо. И за то, что мы можем провести здесь ночь.

Через десять минут Вантреска ушел. Бартон запер двери. Хоган надел наушники и раскурил косяк размером с большой палец Ричера. Ричер и Эбби поднялись на второй этаж, в комнату, где в качестве прикроватной тумбочки стоял усилитель для электрогитары. А в трех кварталах от них новое текстовое сообщение не смогло прийти на албанский телефон, спрятанный в старом почтовом ящике. Еще через минуту аналогичная история произошла с украинским телефоном.

# Глава
# 29

Правую руку Дино звали Шкамбин — такое же название имела красивая река, которая текла в самом сердце его красивой родины. Но для английского языка оно оказалось слишком трудным. Сначала большинство людей произносили его как СкамБин[1], некоторые с насмешкой; впрочем, последние — ровно один раз. После того как к ним, после длительных процедур у дантиста, возвращалась способность говорить, они очень старались правильно произносить каждый слог. Хотя получалось у них не самым лучшим образом. Со временем Шкамбину надоело разбивать костяшки пальцев, и он взял имя умершего брата, частично для удобства, а частично как дань памяти. Но не старшего — Фатбард, означавшее «да будет он счастливчиком», красивое, но вновь невозможное для американцев.

Шкамбин взял имя умершего младшего брата — Джетмир, «тот, кто проживет хорошую жизнь», еще одно теплое воспоминание. К тому же оно легко произносилось и запоминалось на английском, было звучным и фантастическим,

---

[1] S c u m  B i n (*англ.*) — мусорная корзина.

хотя и означало всего лишь традиционное благословение. В нем даже присутствовало что-то коммунистическое, будто так звали летчика-испытателя или героя-космонавта на пропагандистском рекламном плакате. Впрочем, складывалось впечатление, что теперь американцев это не интересовало. Древняя история.

Джетмир вошел в комнату для совещаний, находившуюся в задней части офиса на лесопилке, и обнаружил, что весь внутренний совет уже собрался. Кроме самого Дино, конечно. Его в известность не поставили. Пока. Второе совещание без него. Серьезный шаг. Одно еще можно как-то объяснить, но два — на порядок сложнее.

Объяснить три встречи без него будет невозможно.

— Исчезнувший телефон вышел в Сеть почти на двадцать минут. Он ничего не посылал и не принимал. Потом снова исчез. Словно они спрятались в подвале или в подземном погребе и лишь на короткое время вышли на улицу — возможно, чтобы дойти до магазина на углу и вернуться обратно.

— У нас есть его местоположение? — спросил кто-то.

— Есть неплохая триангуляция, но речь идет о густонаселенном районе, — продолжал Джетмир. — На каждом углу магазин. Однако телефон находится там, где мы думаем. Близко к центру того участка, который мы выделили.

— Насколько близко?

— Я считаю, что мы можем забыть о двенадцати кварталах. И уменьшить область поиска до средних четырех. Ну, в крайнем случае до средних шести, чтобы наверняка.

— В подвале?

— Или там, где не проходит сигнал.

— Может быть, они вынули батарейки, а потом вставили их обратно?

— Для чего? — спросил Джетмир. — Я уже говорил вам, что на телефон не поступало звонков и они никому не звонили.

— Ладно, в подвале.

— Или в здании с толстым железным каркасом. Что-то вроде того. Не делайте поспешных выводов. Передайте всем, чтобы они плотно окружили указанное место. И следите за светом за шторами. Наблюдайте за машинами и пешеходами. Стучите в двери и задавайте вопросы, если потребуется.

* * *

В этот момент по другую сторону Центральной улицы проходил внутренний совет их конкурентов. В задней комнате офиса компании такси, напротив ломбарда, рядом с заведением, где выдавали деньги под залог. Но здесь босс присутствовал. Грегори, как всегда, председательствовал в конце стола. Он сам созвал совещание сразу после того, как узнал, что на одного из его парней напал Аарон Шевик.

— Последнее его выступление выглядит совершенно иначе, — сказал Грегори. — Никакой попытки обмана. Он не рассчитывал, что мы обвиним албанцев. Все предельно очевидно, лицом к лицу. Судя по всему, он получил инструкцию полностью изменить тактику. Чтобы перейти к новой фазе. Я думаю, они совершили ошибку. И позволили нам узнать о себе больше, чем им известно про нас.

— Телефон, — напомнил его правая рука.

— Совершенно верно. Того, что он забрал пистолет, следовало ожидать. Любой так поступил бы. Но зачем они велели ему взять телефон?

— Необходимый элемент их новой стратегии. Они намерены проверить наши сети, чтобы еще больше ослабить нас. Они попытаются войти в нашу операционную систему через телефоны.

— Кто в целом мире может иметь настолько высокую квалификацию, опыт, уверенность и неслыханную дерзость, чтобы провернуть такое? — спросил Грегори.

— Только русские, — ответил его правая рука.

— Совершенно верно. Их новая тактика позволила нам установить, кто они такие. И теперь мы знаем, что против нас решили выступить русские.

— Это плохо.

— Интересно, захватили ли они еще и албанский телефон...

— Скорее всего. Русские не любят делить с кем-то территорию. Я уверен, что они намерены убрать как нас, так и албанцев. А это будет очень непросто. Их очень много.

Довольно долго все молчали.

— Мы можем их победить? — спросил Грегори.

— Им не удастся войти внутрь нашей операционной системы, — заявил правая рука.

— Я задал другой вопрос.

— Ну, сколько бы людей мы ни задействовали, они приведут в два раза больше и вложат в два раза более существенные деньги и ресурсы.

— Наступили отчаянные времена...

— Верно.

— А такие времена требуют отчаянных мер.

— Например каких?

— Если русские намерены привлечь в два раза больше людей, мы должны уравнять стрелки весов, — сказал Грегори. — Все предельно просто. Только на данное время. Пока не закончится кризис.

— Как?

— Нам необходимо заключить кратковременный оборонительный союз.

— С кем? — спросил правая рука.

— С нашими друзьями к востоку от Центральной улицы.

— С албанцами?

— Они в той же лодке, что и мы.

— Но пойдут ли они на это?

— Чтобы выступить против русских, союз необходим им в не меньшей степени, чем нам. Вместе мы сможем оказать русским сопротивление. Если не выйдет — проиграем. Мы устоим, если объединимся, и рухнем, если будем действовать поодиночке.

Снова наступила тишина.

— Это очень серьезный шаг, — заметил кто-то.

— Согласен, — сказал Грегори. — Можно даже сказать, странный и безумный. Но необходимый.

После этого уже никто ничего не говорил.

— Хорошо, — сказал Грегори. — Завтра с самого утра я первым делом поговорю с Дино.

* * *

Ричер проснулся в сером сумраке ночи, когда часы у него в голове показывали без десяти четыре. Он услышал звук. Машина, на улице, снаружи, под круглым окном. Сработали и заскрипели тормоза, сжались пружины, зашуршали шины. Машина сбрасывала скорость, собираясь остановиться.

Он ждал. Эбби спала рядом с ним, теплая, мягкая и уютная. Старый дом постукивал и потрескивал. Под дверью виднелась полоска света из коридора. Лампочка на лестнице осталась включенной. Возможно, продолжала гореть еще одна, в гостиной внизу. В кухне или в прихожей. Может быть, Бартон и Хоган всё еще не спят. И оба переливают из пустого в порожнее. Без десяти четыре утра. Время музыкантов.

Двигатель автомобиля на улице работал на холостом ходу. Едва слышный шорох ремней, гудение вентилятора, шуршание поршней, бесцельно снующих туда и обратно. А затем слабый приглушенный стук под капотом, и все изменилось.

Автомобиль припарковался.

Двигатель не работает.

Снова тишина.

Открылась дверь.

Кожаная подошва зашуршала по тротуару. Щелкнула пружина сиденья, лишившегося веса пассажира. Вторая подошва присоединилась к первой. Кто-то с некоторым усилием выпрямился.

Дверца закрылась.

Ричер выскользнул из постели, нашел брюки, рубашку и носки. Зашнуровал ботинки. Распределил вещи в карманах.

На первом этаже громко постучали в уличную дверь. Гулкий деревянный звук. Без десяти четыре утра. Ричер слушал. Ничего. На самом деле даже меньше, чем ничего. И определенно меньше, чем раньше. Как дыра в воздухе. Реакция двух болтавших парней, а теперь онемевших, озиравшихся по сторонам и думавших: какого дьявола? Бартон и Хоган все еще не спят. Время музыкантов.

Ричер ждал. «Разберитесь с ними, — думал он. — Не вынуждайте меня спускаться вниз». Он услышал, как один из них поднялся на ноги. Шаги. Вероятно, он выглянул в окно через щель в шторах, краем глаза, незаметно.

— Албанец, — услышал Ричер тихий голос.

Это был Хоган.

— Сколько? — шепотом спросил Бартон.

— Один.

— Чего он хочет?

— Я болел в тот день, когда учили предсказывать будущее...

— Что будем делать?

Снова послышался стук, бум-бум-бум, тяжелый и деревянный.

Ричер ждал. У него за спиной зашевелилась Эбби.

— Что происходит? — спросила она.

— На улице у двери албанец, рядовой, — ответил Ричер. — Почти наверняка ищет нас.

— Сколько сейчас времени?

— Без восьми минут четыре.

— Что мы будем делать? — снова спросила Эбби.

— Бартон и Хоган внизу, — сказал Ричер. — Они еще не ложились. Надеюсь, они с ним разберутся.

— Мне нужно одеться.

— Печально, но верно.

Эбби оделась так же быстро, как и он: брюки, рубашка, туфли. Они ждали. В дверь принялись колотить в третий раз. *Бенг, бум, бенг.* Такой стук уже нельзя игнорировать. Хоган предложил открыть, и Бартон согласился. Они услышали шаги Хогана по коридору, уверенные, решительные и неумолимые. Морская пехота США. Барабанщик. Ричер не знал, что более существенно.

Дверь открылась.

— Что? — спросил Хоган.

Затем послышался новый голос, тише, потому что говоривший находился снаружи; в нем соединились сразу две вещи, обычный тон и насмешливый. Дружелюбный, но лишь на поверхности.

— У вас всё в порядке? — спросил голос.

— А почему должно быть иначе? — спросил Хоган.

— Я заметил свет внутри дома, — продолжал голос. — И встревожился: вдруг вас разбудило среди ночи несчастье или беда?

Он говорил негромко, но голос был мощным, исходившим из широкой груди и толстой шеи, а также полным высокомерия и уверенности в своем праве отдавать приказы. Его владелец привык к тому, что все получается так, как он хочет, словно он никогда не произносил слово «пожалуйста» и никогда не слышал «нет».

«Разберитесь с ним, — думал Ричер. — Не вынуждайте меня спускаться вниз».

— У нас всё в порядке, — сказал Хоган. — Никаких несчастий или бед.

— Вы уверены? — спросил албанец. — Вы же знаете, что мы всегда готовы помочь.

— Нам не нужна помощь, — сказал Хоган. — А свет горит из-за того, что не все спят в одно и то же время. Это не такая уж сложная для понимания концепция.

— Я вас понимаю, — заявил албанец. — Сам работаю всю ночь, чтобы люди могли спать спокойно. Более того, если хотите, вы даже можете мне помочь.

Хоган не ответил.

— Вы не хотите мне помочь?

Хоган снова не ответил.

— Что посеешь, то и пожнешь, — сказал албанец. — Так всегда бывает. Сегодня вы поможете нам, завтра — мы вам. Может оказаться важным. Возможно, именно то, что вам потребуется... Так решаются серьезные проблемы. С другой стороны, если вы встанете на нашем пути сейчас, мы в состоянии устроить вам проблемы позднее. Самыми разными способами. Я говорю о будущем. К примеру, чем вы зарабатываете на жизнь?

— Какая вам нужна помощь? — спросил Хоган.

— Мы ищем мужчину и женщину. Он старше, она моложе. Она миниатюрная брюнетка, а он огромный и уродливый.

«Разберитесь с ним, — думал Ричер. — Не вынуждайте меня спускаться вниз».

— А почему вы их ищете? — спросил Хоган.

— Мы думаем, что им грозит серьезная опасность, — ответил албанец. — Нам нужно их предупредить. Ради их собственного блага. Мы пытаемся помочь. Ведь именно в этом состоит наша работа.

— Мы их не видели.

— Вы уверены?

— Сто процентов.

— Вы можете сделать кое-что еще.

— И что же?

— Позвонить нам, если вы их увидите. Вы ведь сделаете это для нас?

Хоган не ответил.

— Я не так уж многого прошу, — настаивал албанец. — Либо вы готовы нам помочь, потратив десять минут на телефонный звонок, либо нет. Нас устроит любой вариант. У нас свободная страна. Мы запомним ваш ответ и пойдем дальше.

— Ладно, — сказал Хоган. — Мы позвоним.

— Благодарю. В любое время дня или ночи. И не тяните.

— Хорошо.

— И последнее, — продолжал албанец.

— Что?

— Я намерен доложить, что ваш адрес имеет нулевую степень тревожности — так мы это называем в нашем бизнесе. Здесь совершенно определенно нет тех, кого мы ищем, и в доме живут обычные люди, которые занимаются обычными делами, ну и так далее и тому подобное.

— Хорошо.

— Но мы серьезные люди и любим числа. Я не сомневаюсь, что в какой-то момент меня спросят, с какой степенью уверенности я сделал такую оценку.

— Сто процентов.

— Я вас услышал, но в конечном счете это лишь слова заинтересованной стороны, — не унимался албанец.

— И все, что у вас есть, — сказал Хоган.

— И я о том же. — Албанец кивнул. — Но мне бы очень помогло, если б я мог пройти по вашим владениям и проверить все сам. И тогда у нас будут основания для обоснованных выводов. Дело закрыто. Нам больше не придется вас беспокоить. Может быть, вы получите приглашение на пикник Четвертого июля. Как представитель семьи. Надежный человек, который нам помогает.

— Это не мои владения, — ответил Хоган. — Я снимаю здесь комнату. Не думаю, что я имею право вас впустить.

— Может быть, другой джентльмен, который находится в гостиной, это сделает...

— Вам придется поверить нам на слово. И вам пора уходить.

— И не беспокойтесь из-за косячка. Это ведь «травка»? Я уловил запах на улице. Но она меня не интересует. Я не полицейский. Я здесь не для того, чтобы вас арестовать. Я представляю местное общество взаимной помощи. И, должен заметить, мы добиваемся впечатляющих результатов.

— Поверьте нам на слово, — повторил Хоган.

— Кто еще находится в доме? — спросил албанец.

— Никто.

— Вы провели весь вечер вдвоем?

— К нам приходили гости.

— Какие гости?

— Друзья. Мы заказали еду в китайском ресторане и выпили вина.

— Они у вас остались? — спросил албанец.

— Нет.

— И сколько их было?

— Двое.

— Случайно, не мужчина и женщина? — уточнил албанец.

— Но не те мужчина и женщина, которых вы ищете, — заверил его Хоган.

— Откуда вы знаете?

— Потому что они самые обычные люди. Как вы сами сказали.

— Вы уверены, что они не остались ночевать?

— Я видел, как они уходили.

— Хорошо. Тогда вам не о чем беспокоиться. Я просто немного осмотрюсь. И не волнуйтесь, я умею себя вести. У меня есть определенный опыт. Я работал полицейским детективом в Тиране. Обычно человек, побывав в доме, обязательно оставляет следы, которые, среди прочего, рассказывают о том, кто он такой и зачем приходил.

Хоган не ответил.

Ричер и Эбби услышали шаги по коридору прямо под ними. Албанец вошел внутрь.

— Зачем Хоган его впустил? — прошептала Эбби. — Очевидно, этот тип все тут облазает, а не просто заглянет и уйдет. Хоган имел глупость ему поверить.

— Хоган все делает правильно, — прошептал в ответ Ричер. — Он морской пехотинец США и превосходно владеет стратегией. Он дал нам достаточно времени одеться, сложить кровать и открыть окно, чтобы, пока албанец находится внизу, мы вылезли наружу и спрятались на крыльце или во дворе. Албанец нас не найдет и отправится восвояси довольный, ни разу не столкнувшись с сопротивлением. Лучшие сражения — это те, которых удалось избежать. Даже морские пехотинцы понимают такие простые вещи.

— Но мы не вылезаем в окно, — прошептала Эбби. — Мы просто стоим. Мы не следуем его плану.

— Возможно, существует другой подход, — сказал Ричер. — Армейский, а не морской пехоты.

— И в чем он состоит?

— Давай подождем и посмотрим, что будет.

Они услышали, как «гость» вошел в гостиную.

— Вы музыканты? — спросил он.

— Да, — ответил Хоган.

— Играете в клубах?

— Да.

— Вы больше не сможете, если ваше отношение не изменится к лучшему.

Ответа не последовало. Секунда тишины. Потом они услышали шаги по коридору, направлявшиеся в сторону кухни.

— Китайская еда, — услышали они снова голос албанца. — Много контейнеров. Вы не соврали.

— И вино, — добавил Хоган. — Все как я сказал.

Они услышали звон. Две пустые бутылки, поднятые в воздух, чтобы осмотреть их. Потом тишина.

— А это что такое? — спросил албанец.

Они услышали, как из комнаты выкачивается воздух. Никаких звуков.

Пока албанец сам не ответил на свой вопрос:

— Листок бумаги с безобразно написанным албанским словом.

## Глава

# 30

Ричер и Эбби вышли из спальни к ведущей вниз лестнице. Из кухни под ними не доносилось ни звука. Лишь безмолвное напряжение шипело и потрескивало на кафеле. Ричер представил тревожные взгляды, которыми обменивались Хоган и Бартон.

— Нам нужно спуститься и помочь им, — прошептала Эбби.

— Мы не можем, — прошептал в ответ Ричер. — Если этот тип нас увидит, мы не сможем его отпустить.

— Но почему?

— Он доложит начальству. И этот адрес будет засвечен. У Бартона возникнут бесконечные проблемы. Ему наверняка запретят играть в клубах. Как и Хогану, который в той же лодке. Но им нужно что-то есть.

Потом он смолк.

— Что ты имеешь в виду, когда говоришь, что мы не можем позволить ему уйти? — тихонько спросила Эбби.

— Есть несколько вариантов.

— Ты собираешься взять его в плен?

— Может быть, в доме есть подвал...

— А другие варианты?

— Ну, их целый диапазон. Я из тех, кто делает то, что может сработать.

— Наверное, это моя вина. Мне не следовало оставлять листок бумаги.

— Ты меня защищала. Это было очень мило с твоей стороны.

— И все равно я совершила ошибку...

— Пролитое молоко[1]. Живи дальше. Не трать нервную энергию.

Между тем разговор под ними возобновился.

— Вы изучаете новый язык? — спросил албанец.

Ответа не последовало.

— С албанского лучше не начинать, — сказал незваный гость. — В особенности с этого слова. Тут есть определенные тонкости. У него множество значений. Его используют люди, которые живут в деревне. Оно старое, из далекого прошлого. И стало редким.

Никакого ответа.

— Зачем вы написали его на листке бумаги?

Никакого ответа.

— На самом деле я не думаю, что его писали вы, — продолжал албанец. — Полагаю, это женский почерк. Как я уже говорил, у меня есть опыт в подобных вещах. Я был полицейским детективом в Тиране. И люблю быть в курсе важных новостей. В особенности если они связаны с моей новой страной. Женщина, написавшая это слово, слишком

---

[1] Имеется в виду английская поговорка: «Нет смысла плакать над пролитым молоком».

молода, чтобы ее учили прописным буквам в школе. Ей меньше сорока лет.

И вновь никакого ответа.

— Быть может, это ваша подруга, которая зашла на ужин. Листок остался лежать на столе, среди картонок с едой. Как говорят, в том же археологическом слое. Из чего следует, что они оказались здесь одновременно.

Хоган продолжал молчать.

— Приходившей к вам в гости подруге меньше сорока? — спросил албанец.

— Я думаю, ей около тридцати, — ответил Хоган.

— И она пришла, чтобы поесть китайской еды и выпить вина?

Ответа не последовало.

— Выкурить косячок, немного посплетничать о знакомых, но потом начался серьезный разговор о вашей жизни и обо всем мире...

— Можно и так сказать, — ответил Хоган.

— И вдруг она вскочила, схватила листок бумаги и написала редкое иностранное слово, совершенно незнакомое большинству американцев. Вы можете объяснить мне это?

— Она умная женщина. Может быть, она что-то рассказывала. Может быть, ей как раз потребовалось это слово, если оно такое редкое и тонкое. Многие умные люди так поступают. Используют иностранные слова. Может быть, она записала его для меня. Чтобы я мог проверить позднее.

— Весьма возможно. И в другое время я просто пожал бы плечами и обо всем забыл. В жизни случаются и более странные вещи. Вот только я не люблю совпадений. В особенности если их сразу четыре. Первое: она была здесь не одна, а с мужчиной. Второе: за последние несколько часов я видел это редкое слово много раз. В текстовых сообщениях, приходивших на мой телефон. В них описывалась внешность беглеца-мужчины. А еще женщины. Я сказал вам, что она — маленькая брюнетка, а он — огромный и уродливый.

— Все идет плохо, — прошептала наверху Эбби, как официантка, чувствующая, что в баре скоро начнется драка.

— Скорее всего, — прошептал в ответ Ричер.

— Третье совпадение состоит в том, что телефон с этими сообщениями вчера вечером украли. Но недавно он включился на двадцать минут. Однако по нему никто не разговаривал. И на него не приходило звонков. Но двадцати минут вполне достаточно, чтобы прочитать множество сообщений. И записать трудные слова, чтобы разобраться с ними позднее.

— Расслабьтесь, друг, — сказал Хоган. — Никто из нас не воровал телефон.

— Четвертое совпадение состоит в том, что телефон украл огромный уродливый парень, описанный в сообщениях, — продолжал албанец. — Мы знаем это совершенно точно. У нас есть полное донесение. В тот момент он действовал в одиночку, но нам известно, что он связан с маленькой брюнеткой, которая, несомненно, являлась вашей гостьей за ужином, потому что именно она скопировала это слово из украденного телефона. А как еще она могла узнать о его существовании? И с чего заинтересовалась им сейчас?

— Понятия не имею. Возможно, мы говорим о разных людях.

— Он вышел, украл телефон и принес его ей. Она заранее дала ему указания? Она его босс? Она послала его с миссией?

— Я понятия не имею, о чем вы говорите, друг, — сказал Хоган.

— В таком случае тебе стоит кое-что понять, — заявил албанец. — Тебя поймали на укрывательстве врагов общины.

— Как скажете.

— Вы хотите покинуть штат?

— Я бы предпочел, чтобы это сделали вы.

Долгое молчание.

Потом албанец снова заговорил, и теперь в его голосе появилась прямая угроза. И какая-то новая мысль.

— Они пришли пешком или на машине?

— Кто? — спросил Хоган.

— Мужчина и женщина, которых вы укрывали.

— Мы ни черта не укрывали. К нам пришли поужинать друзья.

— Пешком или на машине?

— Когда?

— Когда они вышли из вашего дома после ужина. Когда они не остались.

— Они ушли пешком.

— Они живут рядом?

— Не слишком, — осторожно ответил Хоган.

— Значит, им предстояла прогулка, — сказал албанец. — Мы очень внимательно наблюдали за этими кварталами. И не видели, чтобы мужчина и женщина возвращались домой.

— Может быть, у них была припаркована машина за углом, — предположил Хоган.

— Мы не видели, чтобы кто-то отсюда уезжал.

— Может быть, вы их пропустили.

— Я так не думаю, — уверенно заявил албанец.

— В таком случае я никак не могу вам помочь, друг, — сказал Хоган.

— Я знаю, что они здесь были. Я видел еду, которую они ели. И листок со словом, переписанным с украденного телефона. Сегодня за этими кварталами следили, как ни за какими другими в городе. И никто не доложил, что они ушли. Следовательно, они все еще здесь. Я думаю, сейчас они на втором этаже.

И снова долгая тишина.

— Вы настоящая заноза в заднице, друг, — наконец сказал Хоган. — Поднимитесь наверх и посмотрите сами. Там три комнаты, и все пустуют. А после этого уходите и больше не возвращайтесь. И не присылайте приглашение на пикник.

— Мы все еще можем вылезти в окно, — прошептала Эбби.

— Мы не застелили кровать, — шепнул в ответ Ричер. — И я решил, что нам нужна машина этого типа. К тому же теперь мы не можем его отпустить.

— А зачем нам его машина?

— Я только сейчас сообразил, что мы должны сделать.

Они услышали, как албанец вышел в коридор из кухни и направился к лестнице. Тяжелая походка. Старые половицы скрипели и прогибались у него под ногами. Ричер не стал вытаскивать из кармана пистолет. Он не хотел пускать его в дело.

«На ночные выстрелы полиция должна реагировать».

Слишком серьезные осложнения. Очевидно, албанец придерживался такого же мнения. Ричер увидел его правую руку на перилах. Без пистолета. Затем появилась левая. Тоже без оружия. Но руки были большими. Гладкими и жесткими, широкими и обесцвеченными, толстые тупые пальцы с маникюром, сделанным, казалось, молотком для отбивания мяса.

Албанец шагнул на первую ступеньку. Большие ботинки. Соответствующий размер. Широкая колодка. Толстые тяжелые ноги. Массивные плечи, слишком тесный пиджак. Рост порядка шести футов и двух дюймов, вес двести двадцать фунтов. Вовсе не хилый парень с Адриатики. Здоровенный кусок мяса. Когда-то работал детективом в Тиране. Может быть, для этого требовались соответствующие размеры. Может быть, они давали лучшие результаты.

Албанец продолжал подниматься по лестнице. Ричер отступил назад, чтобы тот его не заметил. Он решил, что сделает шаг вперед, как только громила окажется наверху. Чтобы падение получилось максимально долгим. До самого низа. Серьезное расстояние. Так получится эффективнее. Шаги приближались. Каждая ступенька поскрипывала. Ричер ждал.

Албанец поднялся на лестничную площадку.

Ричер шагнул вперед.

Албанец посмотрел на него.

— Расскажи мне о редком и изящном слове на албанском языке, — попросил Ричер.

— О, дерьмо, — пробормотал оставшийся внизу Хоган.

Албанец ничего не ответил.

— Расскажи мне о множестве его значений, — продолжал Ричер. — Отвратительный на вид, вне всякого сомнения, ужасный, неприятный, недостойный, низменный, дегралировавший, мерзкий, отталкивающий. Хорошие современные слова. Но если *твое* — старое, оно наверняка связано со страхом. Во многих языках слова имеют общие корни. Ты называешь уродливыми вещи, которых боишься. Существо, живущее в лесу, никогда не бывает красивым.

Албанец продолжал молчать.

— Ты меня боишься? — спросил Ричер.

Ответа не последовало.

— Вытащи телефон и положи на пол возле ног, — велел ему Ричер.

— Нет, — ответил албанец.

— И ключи от машины.

— Нет, — повторил он.

— Я их все равно возьму, — сказал Ричер. — Тебе решать, когда и как.

Все тот же взгляд. Ровный, спокойный, веселый, взгляд отвязанного хищника.

В этот момент у албанца имелось два базовых выбора. Он мог придумать остроумный ответ или закончить словесный фестиваль и сразу перейти к делу. Ричеру было совершенно все равно, что он решит. Когда албанец находился внизу, у него сложилось впечатление, что тот наслаждался звуком собственного голоса. Когда-то он работал полицейским детективом. Ему нравилось держать аудиторию в напряжении. Он любил рассказывать, как ему удалось раскрыть преступление. С другой стороны, он знал, что просто разговоров недостаточно, чтобы одержать победу. Рано или поздно следовало привести существенный довод. Почему не начать с конца?

Албанец атаковал с лестничной площадки, используя сильные ноги, приподняв плечи и опустив голову, собираясь нанести Ричеру удар плечом в грудь, чтобы тот потерял равновесие. Но Джек был готов по меньшей мере на пятьдесят процентов. Он резко шагнул вперед, навстречу албанцу, и нанес мощный правый апперкот, но не вертикально, а под углом в сорок пять градусов; опущенное, устремившееся вперед лицо албанца натолкнулось прямо на кулак, его собственные двести пятьдесят фунтов врезались в двести пятьдесят фунтов Ричера, и колоссального выброса кинетической энергии оказалось достаточно, чтобы поднять его в воздух и швырнуть назад. Вот только там не оказалось пола, и албанец сделал заднее сальто на лестнице одним широким размашистым движением и рухнул на стену внизу, разбросав руки и ноги в разные стороны.

Как сошедший с рельсов поезд.

Однако он поднялся на ноги. Почти сразу. Дважды моргнул, слегка покачнулся и выпрямился. Как в дневном фильме. Как чудовище, принявшее артиллерийский снаряд на грудь, а потом, неумолимо глядя вперед, небрежным движением пригладившее опаленный мех разбитой лапой.

Ричер начал спускаться по лестнице. Коридор первого этажа был довольно узким, и Бартон с Хоганом отступили в гостиную. Через распахнутую дверь. Албанец стоял неподвижно. Высокий, гордый и твердый как скала. Вероятно, обиженный тем, как с ним обошлись. Из носа у него текла кровь. Ричер не знал, сломан ли он и вообще осталось ли там хоть что-то целое. Албанец не был трусом, он прожил трудную жизнь. Полицейский детектив в Тиране.

Он сделал шаг вперед.

Ричер ответил тем же. Оба знали, что рано или поздно наступает момент, когда остается лишь драться до последнего. Албанец сделал обманное движение влево и выбросил вперед правую руку, стараясь по кратчайшему расстоянию попасть в центр масс Ричера, но тот понял, что он задумал, ушел в сторону и принял удар на боковые мышцы — было больно, но не так, как если б албанец попал туда, куда метил. Шаг в сторону, чисто рефлекторный, ответ нервной системы, внезапный выброс адреналина без намека на изящество, корректировки и точности, максимальный крутящий момент, примененный мгновенно, а это уже немало, из чего следовало, что огромный объем запасенной энергии завис на долю секунды, готовый к внезапной атаке с такой же стремительностью и мощью; идеальная встречная реакция, но на сей раз полностью контролируемая по времени и направлению.

На этот раз ответный удар пошел по дуге, точно ракета, взлетевшая вверх, направленная обратным вращением от центра масс, получившая собственную скорость. Кулак Ричера врезался в голову албанца чуть выше уха — мощная атака, подобная удару бейсбольной битой или железным прутом. Большинство черепов после такого удара раскололись бы на части. Большинство людей умерли бы на месте. Албанец лишь врезался в дверной проем и упал на колени. Но тут же вскочил и на прямых ногах, широко расставив руки в стороны и продолжая движение, словно искал дополнительный рычаг или равновесие, словно плыл сквозь густую вязкую жидкость. Ричер шагнул вперед и нанес удар локтем той же руки, но с другого направления, в лоб, над левым глазом, кость в кость. Албанца отбросило назад, и в глазах у него стало пусто; но он почти сразу пришел в себя, заморгал, не стал останавливаться и сразу провел боковой удар правой, стараясь попасть в левую часть лица Ричера. Однако его там не оказалось, потому что Джек чуть наклонился и пропустил кулак албанца над плечом.

Теперь и он не стал останавливаться; выпрямился и на этот раз нанес неожиданный удар левым локтем, точно косой. И попал албанцу в лицо, под глазом, в боковую часть носа, где находятся корни передних зубов. Он не знал, как это называется.

Албанец отшатнулся, схватился за дверной косяк и начал падать в комнату, вертикально, на спину, беспомощно. Ричер шагнул за ним. Его противник ударился об огромный усилитель и рухнул на спину.

И засунул руку под пиджак.

Ричер остановился.

«Не делай этого, — подумал он. Реакция. Осложнения. — Мне все равно, на что ты рассчитываешь».

Жернова закона крутятся медленно, как хорошо понимала миссис Шевик. И у нее почти не оставалось времени.

— Не делай этого, — сказал Ричер вслух.

Албанец не обратил на его слова внимания.

# Глава
# 31

Большая рука скользнула под пиджак, ладонь открылась, пальцы искали рукоять пистолета. Скорее всего, «Глока», как у другого громилы. Прицеливайся и стреляй. Или нет — более предпочтительный вариант. Ричер оценил время, пространство и сравнительное расстояние. Руке албанца еще предстояло преодолеть несколько дюймов, сжать рукоять, вытащить «Глок», прицелиться, и все это лежа на спине, в состоянии грогги после тяжелых ударов по голове. Иными словами, медленно, но быстрее, чем Джек успевал достать свое оружие, потому что албанец уже почти добрался до пистолета, в то время как обе руки Ричера по-прежнему были опущены и расставлены в стороны в жесте: *успокойся, не надо этого делать.*

Слишком далеко от карманов куртки.

Впрочем, Ричер не хотел пускать в ход пистолет.

Да и нужды в том не было.

Он увидел возможность получше. Легкая импровизация. Далеко не безупречная. С другой стороны, вне всякого сомнения, цель будет достигнута. С минимальным временем развертывания, высокой скоростью и эффективностью. И это было хорошей новостью. Но серьезным нарушением этикета. И почти наверняка оскорбительно с профессиональной точки зрения. Как у парней с Запада, которые исключительно трепетно относятся к своим шляпам. Некоторых вещей касаться не положено.

Но иногда ты должен.

Ричер схватил басовую гитару Бартона за гриф и без промедления ударил албанца в горло нижней кромкой корпуса. Так всаживают лопату в утрамбованную землю. То же движение, тот же прицел и направленная вниз сила.

Албанец перестал шевелиться.

Ричер положил гитару на место.

— Приношу свои извинения, — сказал он. — Надеюсь, я ее не повредил.

— Не беспокойся, — успокоил его Бартон. — Это «Фендер пресижн». Десять фунтов дерева. Я купил ее в ломбарде, в Мемфисе, штат Теннеси, за тридцать четыре доллара. Уверен, что в ее жизни случались и худшие вещи.

Часы в голове Ричера показывали десять минут пятого утра. Албанец на полу все еще дышал, но поверхностно и отчаянно, с каким-то пластиковым присвистом, вдох и выдох, быстро, как только мог. Как если бы он задыхался. Впрочем, без особого успеха. Вероятно, причиной стало крепление ремня на нижней части гитары, выступавшее из корпуса на полдюйма. Вероятно, Ричер перебил хрящи какого-то жизненно важного органа, название которого состояло из последних букв алфавита. Глаза албанца закатились, пальцы скребли пол, словно искали опору.

Ричер присел рядом с ним на корточки, проверил карманы, вытащил пистолет, телефон, бумажник и ключи от машины. Пистолет — еще один «Глок 17» — не самой последней модели, потертый, но ухоженный. Черный телефон, как и у всех остальных. Бумажник из черной кожи со временем стал серым и приобрел форму картофелины, но был набит сотнями, грудой кредитных карт и местными правами с фотографией и именем Гезим Хокса, сорок семь лет. Он водил «Крайслер» — если верить логотипу на ключах.

— Что мы будем с ним делать? — спросил Хоган.

— Мы не можем его отпустить, — сказала Эбби.

— Но и оставлять его здесь нельзя.

— Он нуждается в медицинской помощи, — заметил Бартон.

— Нет, — возразил Ричер. — Он отказался от нее в тот момент, когда вошел сюда.

— Это жестоко, друг, — сказал Бартон.

— Он бы повез в больницу меня? Или тебя? Очень сомневаюсь, и это устанавливает планку. К тому же мы не можем сделать это — в больницах задают слишком много вопросов.

— Мы ответим на их вопросы, — не сдавался Бартон. — Мы имели право. Он вошел в дом без приглашения. Он к нам вторгся.

— Попытайся объяснить это полицейскому, который получает от албанцев тысячу в неделю, — сказал Ричер. — Может повернуться в любую сторону. И занять годы. А у нас нет времени.

— Он может умереть.

— Ты говоришь так, словно это плохо.

— Ну, а разве нет?

— Я с готовностью обменяю его на дочь Шевика. Если б ты спросил мое мнение. Так или иначе, он еще не умер. Может быть, он и не в лучшем состоянии, но держится.

— И что мы с ним сделаем?

— Нам нужно его где-то спрятать. Временно. С глаз долой, из сердца вон. От греха подальше. Пока не будем знать наверняка так или иначе.

— Что знать?

— Какая судьба его ждет.

Они немного помолчали.

— И где мы его спрячем? — поинтересовался Бартон.

— В багажнике его автомобиля, — сказал Ричер. — Надежно и никакой для него опасности. Конечно, там не очень удобно, но сейчас растянутые мышцы шеи — не главная его проблема.

— Он сможет оттуда выбраться, — возразил Хоган. — В багажниках есть специальное устройство. Пластиковая ручка, светящаяся в темноте, которая открывает его изнутри.

— Только не в машине гангстера. Я не сомневаюсь, что они ее сняли.

Он взял албанца под мышки, Хоган — за ноги, они вытащили его в коридор, а Эбби поспешила вперед и открыла наружную дверь. Махнула рукой, показывая, что все спокойно, и Ричер с Хоганом понесли албанца по тротуару. Черный седан стоял рядом. У него была низкая крыша, но высокая поясная линия кузова; в результате окна казались узкими, как щели, подобно бойницам в броневике.

Эбби засунула руку в карман Ричера, вытащила ключи от машины, нажала на кнопку, и багажник открылся. Ричер опустил туда плечи, Хоган аккуратно убрал внутрь ноги албанца. Потом Джек проверил наличие светящейся ручки — внутри багажника было темно. Ручку убрали.

Хоган отступил в сторону. Ричер посмотрел на албанца. Гезим Хокса. Сорок семь лет. Бывший полицейский детектив в Тиране. Ричер закрыл крышку багажника и вернулся к остальным. Бывший военный детектив Соединенных Штатов Америки.

— Мы не можем оставить машину здесь, — сказал Хоган. — В особенности с их парнем в багажнике. Рано или поздно они проедут мимо, заметят и проверят машину.

Ричер кивнул.

— Она понадобится нам с Эбби, — сказал он. — Мы припаркуем ее где-нибудь, когда закончим.

— Вы собираетесь ездить по городу с этим типом в багажнике? — удивился Хоган.

— Держи врага на близком расстоянии.

— А куда мы поедем? — спросила Эбби.

— Когда тип из багажника говорил о запрете играть в их клубах, я подумал: да, очевидно, это проблема, потому что ребятам нужно что-то есть. А потом вспомнил, что сказал то же самое тебе. Когда мы останавливались в кафе на бензоколонке, по дороге к Шевикам, ты спросила: не будут ли они против, если мы принесем им еду. И я ответил, что им нужно есть. В их шкафах на кухне совсем ничего нет. В особенности сейчас. Могу спорить, что они не выходили из дома с того момента, как украинцы поставили рядом свою машину. Я знаю таких людей. Они будут смущаться и бояться пройти мимо них, и один не позволит другому сделать это в одиночку. Но и вместе не осмелятся покинуть дом — ведь украинцы могут забраться туда и станут лазать по ящикам с их нижним бельем. Вот почему, если учесть все факты, я уверен, что вчера и сегодня они ничего не ели. Нам нужно привезти им еды.

— А как же машина, которая стоит перед их домом?

— Мы войдем сзади. Скорее всего, через двор соседей. А последнюю часть пути пройдем пешком.

* * *

Сначала они заехали в гигантский супермаркет, находившийся на выезде из города. Как и многие подобные места, он работал всю ночь — холодный, пустой, огромный, похожий на пещеру, залитую ярким белым светом. Они катили между рядами тележку размером с ванну, наполняя ее упаковками всего, что им пришло в голову. Ричер расплатился наличными, которые взял из похожего на картофелину бумажника Гезима Хоксы, решив, что это наименьшее, что он может сделать в данных обстоятельствах. Потом они тщательно упаковали всё в шесть хорошо сбалансированных пакетов. Ведь им предстояло пройти значительную часть пути пешком, а может быть, даже перелезать через заборы.

Они отперли «Крайслер» и сложили пакеты на заднее сиденье. Из багажника не доносилось никаких звуков или признаков неповиновения. Вообще ничего. Эбби захотела проверить, всё ли в порядке с их пленником.

— А если нет? — спросил Ричер. — Что ты можешь сделать?

— Наверное, ничего.

— Тогда и проверять не стоит.

— Как долго он будет там оставаться?

— Столько, сколько потребуется. Ему следовало подумать о собственной жизни раньше. Я не понимаю, почему его благополучие должно беспокоить меня только из-за того, что сначала он решил поставить под вопрос мое. Я не совсем знаю, как это работает. Они сами начали и не вправе рассчитывать, что я обеспечу им медицинскую помощь.

— Мы должны быть великодушными, раз одержали победу, — заметила Эбби. — Не помню, кому принадлежат эти слова.

— Полная открытость, как я уже говорил, — сказал Ричер. — Такой уж я человек. Тип в багажнике еще дышит?

— Я не знаю.

— Но такая возможность существует.

— Да, существует.

— Это и есть мое проявление великодушия после победы. Обычно я убиваю поверженных врагов и их семьи, а потом мочусь на могилы предков.

— Я никогда не понимаю, когда ты шутишь.

— Полагаю, это правда.

— Ты хочешь сказать, что сейчас не шутишь?

— Я хочу сказать, что в моем случае благородства всегда не хватает.

— Ты покупаешь еду пожилой паре посреди ночи...

— Но благородство тут совсем ни при чем.

— И все же это хороший поступок.

— Потому что однажды наступит время, когда я стану таким, как они. Но никогда — таким, как парень в багажнике.

— Значит, для тебя все сводится к племени, — сделала вывод Эбби. — Либо люди принадлежат к твоему племени, либо нет.

— Мои люди и неправильные, — сказал Ричер.

— А кто состоит в твоем племени?

— Почти никого. Я веду одинокий образ жизни.

Они добрались на «Крайслере» до города, свернули налево, в восточную часть, и через городские кварталы покатили к дому, где жили Шевики. Туда, где находилась зона послевоенного строительства. Ричер уже чувствовал, что хорошо ее знает. Он решил, что они могут проехать по параллельной улице, и тогда украинцы не заметят их издалека. На противоположной стороне квартала они припаркуются напротив соседей Шевиков. «Крайслер» окажется на одной линии с «Линкольном», капот к капоту, багажник к багажнику, но на расстоянии в две сотни футов. Ширина двух улиц. И два дома между машинами.

Они выключили фары, медленно покатили в темноте по узким улицам, свернули направо перед обычным поворотом, потом налево и остановились там, где задняя часть дома Шевиков находилась напротив дома их соседей. Одноэтажного, крытого битумной черепицей, похожего, но не совсем такого же. Передняя часть выходила в открытый дворик. Задний окружал прямоугольник забора высотой в человеческий рост. Чтобы перемещать газонокосилку из одной части в другую, в заборе имелась складная секция, похожая на ворота.

В доме было пять окон, выходивших на улицу, одно из них плотно закрыто шторами. Наверное, там находилась спальня. Хозяева спали.

— А если они нас увидят? — спросила Эбби.

— Они спят, — заверил ее Ричер.

— А если проснутся? — не унималась она.

— Не имеет значения.

— Они вызовут полицию, — предупредила Эбби.

— Скорее всего, нет, — возразил Ричер. — Они выглянут в окно, увидят машину гангстеров, закроют глаза и будут надеяться, что она уедет. Ну, а утром, если их спросят, ответят, что ничего не видели, — из соображений безопасности. Они скажут: какая машина?

Ричер заглушил двигатель.

— А вот собака может стать серьезной проблемой, — заметил он. — Она может начать лаять. А за ней и другие. Если они поднимут шум, украинцы придут проверить. Просто от скуки, если у них не будет другого повода.

— Мы купили бифштексы. У нас есть сырое мясо.

— У собак нюх лучше слуха или наоборот?

— У них и то и другое на хорошем уровне.

— Примерно в каждом третьем доме в США есть собака. Немногим больше тридцати трех процентов, если быть точным. Это дает нам примерно два шанса из трех, что все будет в порядке. К тому же она вполне может и не начать лаять. Возможно, собаки здесь спокойные, а украинцы окажутся слишком ленивыми, чтобы пойти проверять. Им тепло и удобно. Может быть, они спят. Я думаю, что с нами все будет в порядке.

— Сколько сейчас времени?

— Ровно двадцать минут шестого.

— Я вспомнила, как сказала тебе, что женщина должна каждый день совершать поступки, которые ее пугают. Утро началось всего двадцать минут назад, а я уже во второй раз это делаю.

— То, что мы задумали, не считается, — возразил Ричер. — Мы просто прогуляемся по саду. Возможно, буквально. Может быть, у них там красиво.

— Кроме того, если учесть, что сейчас всего двадцать минут шестого, Шевики наверняка еще спят.

— Вполне возможно. Но мне трудно представить, что они спят крепко. А если я ошибаюсь, ты сможешь разбудить их, позвонив по телефону, когда мы будем рядом; скажешь, что мы находимся возле их кухонного окна, но они не должны включать свет в передней части дома. Мы хотим, чтобы наш визит прошел мирно.

Они вышли из машины и немного постояли в полнейшей тишине. Ночь выдалась серой, туманный воздух был полон влаги. Из багажника все еще не доносилось ни звука. Ни громких ударов, ни стука, ни криков. Ничего. Они взяли пакеты с заднего сиденья и поделили их. Два и два для Ричера, один и один для Эбби. Обоим было удобно, и они легко сохраняли равновесие.

Они вошли во двор соседей.

# Глава
# 32

Было слишком темно, чтобы оценить достоинства сада, но по запаху, нежелательным физическим препятствиям и на ощупь они поняли, что это самый обычный дворик, как и в любом другом таком же месте. Сначала они шли по лужайке с жесткой упругой травой — возможно, какой-то новый гибридный вид, — скользкой и холодной от ночной росы. Потом зашагали по хрустящему участку — что-то вроде гравия или сланца, может быть, дорожка, может, мульча. Далее росли какие-то хвойные растения с шипами, которые с шумом царапали пакеты у них в руках.

Они подошли к складной секции забора, которую, судя по состоянию лужайки, открывали каждые две недели в течение всего сезона. Тем не менее отодвигалась она с трудом и шумом. В самом начале раздался громкий стук — дерево ударило по дереву, что-то среднее между криком, лаем и стоном. Короткий, но громкий.

Они замерли.

Никакой реакции.

Никаких собак.

Ричер и Эбби протиснулись в приоткрывшийся проход, держа пакеты впереди и позади себя. Прошли через задний дворик; впереди в темноте виднелся забор. Очевидно, он также выполнял функции забора Шевиков. И наоборот. Зеркальное отображение. Теоретически. Если они попали в нужное место.

— Хорошо, — прошептала Эбби. — Мы на месте. Мы не могли ошибиться. Это как посчитать клетки на шахматной доске.

Ричер приподнялся на цыпочки, заглянул за забор, и его глазам предстал серый ночной вид задней части дома с бледной обшивкой и битумной черепицей. Такой же, но другой. Правильное место. Он узнал его, увидев, как лужайка встречается с задней стеной дома. Именно здесь были сняты все семейные фотографии. Американский солдат и девушка в пышной юбке, с запачканными землей голыми ногами на новенькой лужайке и с ребенком на руках; потом та же пара с восьмилетней Марией Шевик на густой сочной траве. Тот же участок лужайки. Такая же длина стены.

На кухне горел свет.

— Они не спят, — сказал Ричер.

Перелезть через забор, который находился в ужасном состоянии, оказалось совсем непростым делом. Лучше всего было бы повалить его с разбега или пробить дыру ударами ноги. Но они отказались от легких вариантов по этическим соображениям и затратили немало сил на то, чтобы сохранять равновесие, стараясь удерживать свой вес вертикально. Они раскачивались из стороны в сторону, как в цирке, опасаясь, что забор в любую минуту рухнет, как прогнившие шторы, — может быть, по всей длине двора. Первой довольно быстро перебралась Эбби. Ричер передал ей шесть пакетов с едой, по одному перенося их через забор, высоко поднимая каждый и стараясь как можно ниже опустить на другую сторону, чтобы Эбби могла до них дотянуться.

Наконец пришел черед Ричера лезть через забор. Он был в два раза тяжелее и в три раза менее ловким, чем Эбби. Забор качнулся, сначала на ярд в одну сторону, потом на ярд в другую. Однако Ричер сумел его стабилизировать, после чего неуклюже перекатился через него и остался лежать на спине, на клумбе. К счастью, забор устоял.

Они принесли все шесть пакетов к двери кухни и тихонько постучали в окно. Потенциально это могло вызвать у Шевиков сердечный приступ, но они уцелели. Они начали задыхаться и разводить руки в стороны, немного смутились из-за халатов, но очень быстро пришли в себя. Они смотрели на пакеты с едой со смешанными чувствами. Стыд, потерянная гордость и голодный желудок. Ричер попросил их заварить кофе. А Эбби принялась заполнять холодильник и кухонные полки.

— Мы не спим, потому что нам позвонили из больницы, — объяснила Мария Шевик. — Очевидно, они работают круглосуточно. Мы сказали им, что нам можно звонить в любое время дня и ночи. Это есть в наших бумагах. Завтра утром они собираются провести новое сканирование. И они очень взволнованы.

— Если мы заплатим, — добавил Аарон Шевик.

— Сколько нужно на этот раз? — спросил Ричер.

— Одиннадцать тысяч.

— Когда?

— К концу сегодняшнего рабочего дня.

— Полагаю, вы уже посмотрели под диванными подушками?

— Да, я нашел там пуговицу от брюк, которая потерялась восемь лет назад. Мария ее пришила.

— Сейчас еще очень рано. До конца рабочего дня много часов.

— Мы собирались пропустить сканирование. В конце концов, что оно даст? В случае хорошего результата мы будем счастливы, но это лишь потакание собственным желаниям, и никакая не медицина. А плохие новости мы в любом случае не хотим знать. Так что еще неизвестно, что мы получим за наши одиннадцать тысяч долларов. Но потом врачи сказали, что они должны знать размеры прогресса и что им нужно откалибровать новую дозу лекарства на основании того, что покажет исследование. Увеличить ее или уменьшить. С высокой степенью точности. Они утверждают, что любой другой подход приведет к катастрофическому исходу.

— Как вы им обычно платите? — спросил Ричер.

— Банковским переводом, — ответил Аарон.

— А наличные они берут?

— Почему вы спрашиваете?

— Наличные легче достать, когда срочно нужны деньги.

— Где?

— Каждый день приносит новые возможности. В худшем случае мы можем продать машину бандитов. Договориться с дилером «Форда». Я слышал, что их площадка с подержанными машинами нуждается в инвентаризации.

— Да, они берут наличные. Как в казино. Там, за бронированными стеклами, сидит ряд кассиров.

— Хорошо. — Ричер кивнул. — Это полезно знать.

Он подошел к темному коридору, встал так, чтобы видеть переднее окно, и выглянул на улицу. «Линкольн» стоял на прежнем месте. Тот же самый. Большой и черный, покрытый росой и неподвижный. В нем Джек разглядел две смутные формы. Расслабленные головы и плечи в сером сумраке. Пистолеты в подплечных кобурах. В карманах наверняка лежат бумажники. Вероятно, набитые наличными, если они похожи на своего коллегу из Тираны. Наверное, там сотни долларов. Но едва ли наберется одиннадцать тысяч.

Он вернулся в кухню. Мария Шевик протянула ему чашку кофе, первую за этот день, и предложила им остаться позавтракать, устроить небольшие посиделки; сказала, что все приготовит и они смогут поесть вместе. Ричер собрался отказаться. Еда предназначалась для стариков, а не для случайных гостей. К тому же он хотел уехать до того, как взойдет солнце. Пока еще темно. Им предстоял долгий и сложный день, нужно было много сделать. Но идея завтрака, казалось, имела для Шевиков огромное значение, и Эбби не возражала, поэтому он согласился. Позже Ричер спрашивал себя, как развивались бы события дальше, если б они уехали. Но он не задерживался на этих мыслях. Пролитое молоко. Напрасно потраченная энергия. Двигайся вперед.

* * *

Мария Шевик поджарила яичницу с беконом, сделала тосты и сварила еще кофе. Аарон принес стул из спальни, чтобы у них появилось четвертое место. Мария оказалась права: завтрак постепенно превратился в посиделки. Тайное собрание в темноте. Эбби рассказала анекдот про парня, больного раком. В какой-то момент возникло напряжение. Но ее инстинкт исполнительницы оказался верным. После секундной паузы Аарон и Мария рассмеялись, у них задрожали плечи, наступил своего рода катарсис, и они расслабились. Мария хлопнула ладонью по столу так, что расплескался кофе, а Аарон затопал ногами по полу, и у него снова разболелось поврежденное колено.

Ричер смотрел, как встает солнце. Небо стало серым, потом золотым. Двор за окном начал обретать форму, из темноты выступали смутные очертания. Забор. Далекий горб крыши соседнего дома.

— Кто там живет? — спросил Ричер. — Через чей двор мы прошли?

— Женщина, которая рассказала нам про Фисника, — ответил Аарон. — Она вспомнила, что кузен жены племянника другого соседа занимал деньги у гангстера в баре. У меня возникло ощущение, что немного позднее она и сама его навестила, потому что совершенно неожиданно ей починили машину, хотя у нее нет никаких особых доходов.

Мария сварила третий кофейник. «Ну и черт с ним», — подумал Ричер. Солнце уже поднялось над горизонтом. Он сидел за столом и пил кофе. Но через некоторое время разговор вернулся к деньгам, и все вдруг услышали, как тикают часы. Окончание рабочего дня стало ближе.

— Но ведь наличные они берут в течение всей ночи, верно? — спросил Ричер. — Конец рабочего дня распространяется только на банковские переводы. Если касса открыта, мы можем успеть до того мгновения, когда вашу дочь положат на каталку.

— И откуда появятся деньги? — спросил в свою очередь Аарон. — Одиннадцать тысяч — это очень много диванных подушек.

— Всегда надейся на лучшее, — сказал Ричер.

Они с Эбби ушли тем же путем, каким пришли, на этот раз с пустыми руками, а потому быстрее, но не легче. Снова с трудом перелезли через ограду Шевиков. Участок соседского забора, который раздвигался, поддавался так же неохотно и шумно.

И тут они увидели, что их машина исчезла.

# Глава
# 33

Черный «Крайслер» с низкой крышей, высокой поясной линией кузова, узкими окнами и закрытой крышкой багажника больше не стоял там, где они его оставили. Пространство у тротуара опустело.

— Албанец выбрался наружу, — сказала Эбби.

— Не могу представить, как такое возможно, — заметил Ричер.

— Тогда что произошло?

— Моя вина. Я неправильно оценил реакцию общественности. Женщина выглянула в окно, увидела машину гангстеров, но не испугалась, а позвонила в их штаб-квартиру. Может быть, у нее имеются перед ними обязательства. Может быть, они как-то связаны с ее сделкой с Фисником. Когда ей починили машину. Они говорили, что у них глаза повсюду. Возможно, они сказали правду. Она им позвонила, они приехали и проверили машину.

— А багажник открывали?

— Мы должны считать, что открывали. И что албанец, которого мы туда засунули, все еще функционирует. Из чего следует, что Бартону и Хогану грозит опасность. Сейчас они почти наверняка спят. Тебе лучше им позвонить.

— Если они спят, у них выключены телефоны, — сказала Эбби.

— Все равно попробуй, — попросил Ричер.

Она так и сделала.

Телефоны были выключены.

— Их приятель, знаток языков, — сказал Ричер. — Танкист. У тебя есть номер его телефона?

— Вантреска? — уточнила Эбби.

— Да.

— Нет.

— Ладно. Мы уйдем отсюда пешком. У нас нет выбора. Маленькая стройная женщина и огромный уродливый мужчина. При свете дня. Глаза повсюду. Наверное, прогулки по саду уже не получится. Думаю, это и есть твой второй раз за сегодня.

— Обратно в дом Фрэнка Бартона?

— Нам нужно их предупредить.

— Я буду продолжать им звонить. Но они встанут часов в десять, ты же знаешь, как это бывает. Их выступление начинается в двенадцать.

— Подожди. Ты можешь найти Вантреску по своему телефону. Он сказал, что у него есть лицензия частного охранника и его номер значится во всех национальных справочниках.

Эбби принялась искать. Она печатала, посылала запросы и снова печатала. Наконец сказала:

— Нашла. Складывается впечатление, что это стационарный телефон у него в офисе. Думаю, он туда еще не пришел.

— Все равно попробуй, — предложил Ричер.

Эбби так и сделала; включила громкую связь и положила телефон на ладонь. Они услышали серию щелчков, словно звонок путешествует из одного места в другое.

— Может быть, вне рабочих часов звонок переводится на его сотовый, — предположила Эбби.

Так и оказалось. Вантреска взял трубку. Его голос был деловым, полным энергии, проснувшимся и веселым.

— «Безопасность Вантреска», как я могу вам помочь?

— Друг, это Ричер. Военная полиция. Мы с Эбби нашли твой номер в справочнике. При помощи той штуки, о которой все говорят.

— Интернет?

— Точно. Но это не официально, ладно? Не для отчета о проделанной работе.

— Ладно.

— Случай, когда следует сначала стрелять, — сказал Ричер. — Просто сделай это прямо сейчас, а вопросы будешь задавать потом.

— И что нужно сделать прямо сейчас? — спросил Вантреска.

— Проверить, все ли в порядке с твоим другом Джо Хоганом. И Фрэнком Бартоном.

— А зачем?

— Я же сказал, вопросы потом.

— Но на этот я хочу получить ответ сейчас.

— Албанцы близки к тому, чтобы получить подтверждение, где мы были прошлой ночью. Возможно, уже получили. Хоган и Бартон не отвечают на звонки. Мы надеемся, что просто спят.

— Ладно, уже выхожу.

— Уведи их оттуда, даже если с ними сейчас всё в порядке. Ситуация может измениться в любой момент.

— Как долго им следует отсутствовать?

— День. Пока события складываются именно так. Нет нужды брать с собой много вещей.

Вантреска повесил трубку, и Эбби убрала телефон. Ричер заново разложил вещи в карманах, чтобы нагрузка стала равномерной. Эбби застегнула куртку, и они зашагали по улице. Маленькая женщина и большой мужчина. При свете дня. Глаза повсюду.

* * *

Грегори сказал, что с утра первым делом поговорит с Дино. Именно так он и собирался поступить. Грегори встал рано и оделся как в прошлый раз, во время предыдущего визита. Обтягивающие брюки, обтягивающая рубашка. Нечего скрывать. Ни пистолета, ни ножа, ни прослушки, ни бомбы. Необходимо, но не слишком удобно. Воздух раннего утра был слишком холодным для такой одежды, и Грегори ждал, когда станет немного теплее и появятся тени; ждал наступления дня. Вопрос презентации. Он был полон сил и энергии, свеж, как весенний рассвет, готовый взять все под свою ответственность и начать действовать, как только день вступит в свои права. А вовсе не любитель ночи, выходящий из сумрака.

Грегори вновь доехал до гаража на Центральной улице и дальше пошел пешком. И вновь за ним следовали с того самого мгновения, как он выбрался из машины. Вновь делались опережающие телефонные звонки. Когда Грегори добрался до цели своего путешествия, он обнаружил тех же шестерых бойцов, стоявших полукругом на тротуаре у ворот лесопилки.

Как и прежде, вперед выступил один из шести бойцов — Джетмир. С одной стороны, чтобы остановить его, с другой — показывая готовность выслушать.

— Мне нужно поговорить с Дино, — сказал Грегори.

— Зачем?

— У меня есть предложение.

— Какого рода?

— На данном этапе это только для его ушей.

— О чем пойдет речь в целом?

— Срочный вопрос, касающийся общих интересов.

— Общих, — повторил Джетмир. — В последнее время эта концепция практически исчерпана.

Дерзость, если учесть разницу в званиях. Всего один шаг в сторону, но слишком большой. Однако Грегори никак не отреагировал.

— Я уверен, что нас обманули.

Джетмир немного помедлил.

— В каком смысле? — спросил он.

— Вина упала на лису, но на самом деле во всем виновата собака. Вероятно, в вашем фольклоре есть такая же народная сказка. Или похожая пословица.

— И кто собака?

Грегори не стал давать прямой ответ.

— Это только для ушей Дино.

— Нет, — возразил Джетмир. — С учетом последних событий ты должен понимать, что Дино в данный момент не расположен с тобой встречаться. Во всяком случае, без подробного предварительного обсуждения произошедшего и позитивного решения с моей стороны. Я уверен, что в твоей организации все устроено аналогичным образом — для подобных ситуаций. У тебя есть совет, в который входят доверенные люди. Как у Дино.

— Скажи ему, что мы не начинали убивать ваших парней и я не думаю, что вы начали убивать наших, — сказал Грегори. — Спросите у него, готов ли он согласиться с такой теорией.

— А если готов?

— Спроси у него, что это значит.

— И что?

— Этого вполне достаточно для предварительного обсуждения. Теперь я требую проведения дружеской встречи.

— И кто убил наших людей? И ваших? Ты хочешь сказать, что кто-то организовал операцию под фальшивыми флагами одновременно против вас и нас?

Грегори не ответил.

— «Да» или «нет» в качестве ответа, — сказал Джетмир. — Ты считаешь, что имело место вмешательство со стороны?

— Да, — ответил Грегори.

— Тогда мы поговорим. Дино поручил мне тебя выслушать.

— Это за пределами твоей компетенции. При всем уважении. Некоторые вопросы решают только боссы — и на то есть причина.

— Дино здесь нет, — заявил Джетмир.

— И когда он вернется? — спросил Грегори.

— Он рано приехал. И почти сразу ушел.

— Я серьезно. Это очень важно.

— Тогда говори со мной. Дино сказал бы то же самое. Сейчас мы попросту тратим время.

— Они забрали у вас телефоны?

Джетмир немного помедлил.

— Ты спрашиваешь, потому что они забрали телефоны у твоих людей, что позволит определить точную дату грядущей атаки, а это, в свою очередь, сузит поле поиска, когда речь пойдет о конкретных противниках, — наконец заявил он.

— Мы думаем, это сузит поле поиска до единственной стороны, которая на такое способна.

— Дино сказал бы, что вы, украинцы, одержимы русскими, — заметил Джетмир. — Это известный факт. Вы готовы обвинить их во всех смертных грехах.

— Предположим, на сей раз мы правы.

— Никто из нас не в состоянии победить русских.

— По отдельности.

— Значит, таково твое предложение?.. Я позабочусь о том, чтобы Дино о нем узнал.

— Я серьезно, — повторил Грегори. — Это очень срочно.

— И я серьезно. Дино свяжется с тобой, как только сможет. Возможно, сам к вам приедет. В офис такси.

— Там его встретят так же вежливо, как меня здесь.

— Быть может, мы еще научимся доверять друг другу.

— Время покажет.

— Быть может, мы станем друзьями.

На это у Грегори ответа не нашлось. Он повернулся и пошел обратно. По тротуару, на запад, в сторону Центральной улицы. Джетмир стоял и смотрел ему вслед. Потом нырнул в ворота с глазком, к гофрированному ангару, где пахло сосной и визжали пилы. И где зазвонил его телефон. С плохими вестями. Бойца из ночного дозора по имени Гезим Хокса нашли в багажнике его собственного автомобиля, брошенного в районе старой застройки. Наводку дал один из клиентов, занимавший у них деньги и рассчитывавший заработать очки на будущее. На данный момент подозреваемых не было. Но район тщательно прочесывается. На улицах появились дополнительные машины. Теперь широко раскрыто очень много глаз.

\* \* \*

Ричер и Эбби уходили из района, где жили Шевики, следуя своим прежним маршрутом, но в обратном направлении, стараясь держаться подальше от припаркованной возле дома машины украинцев, оставаясь в боковых переулках до самого последнего момента, когда им пришлось свернуть направо и выйти на главную улицу, шедшую мимо бензоколонки с кафе, к центру города. До этого они чувствовали себя превосходно, но теперь оказались в тяжелом положении. Ярко светило солнце. Воздух стал прозрачным. Спрятаться негде.

Обычный городской ландшафт. Слева — фасад трехэтажного кирпичного здания, каменный бордюр, заасфальтированная улица, кирпичный тротуар. Справа — трехэтажный кирпичный фасад с запыленными окнами и ободранными дверями. Нигде никаких укрытий выше пожарного гидранта или шире фонарного столба.

Вопрос времени.

Зазвонил телефон Эбби. Вантреска. Она включила громкую связь. Шла, держа телефон перед собой; Ричер подумал, что она похожа на фигуру, высеченную на египетской гробнице.

— Я нашел Бартона и Хогана, — сказал Вантреска. — С ними всё в порядке. Сейчас они в машине рядом со мной. Они рассказали, что случилось прошлой ночью. С тех пор в их дом никто не приходил.

— Где вы сейчас? — спросил Ричер.

— Мы едем к Эбби, как она и сказала. Бартон знает, где она живет.

— Нет, сначала подберите нас.

— Парни сказали, что у вас есть машина.

— К сожалению, уже нет. Она пропала вместе с типом, который находился в багажнике. Вот почему я считаю, что в доме Бартона сейчас опасно.

— К ним никто не приходил, — повторил Вантреска. — Во всяком случае, до сих пор. Очевидно, их «гость» пока не заговорил. Возможно, он не может. Бартон рассказал мне, как ты использовал его гитару.

— Тупой инструмент... Проблема в том, что сейчас мы идем пешком и наши задницы полощутся на ветру. Нам необходимо место встречи для срочной эвакуации.

— Где именно вы находитесь?

Трудный вопрос. Внятных названий улиц в этом районе не было. Таблички либо заржавели, либо потускнели, либо просто исчезли. Может быть, их сбило трамваем в год, когда утонул «Титаник» или открылся «Фенуэй-парк»[1]. Эбби что-то сделала со своим телефоном. Вантреска остался на линии, но на экране появилась карта с указателями, стрелками и пульсирующими голубыми сферами. Она прочитала названия улиц, сходившихся на ближайшем перекрестке.

— Пять минут, — сказал Вантреска. — Может быть, десять. Приближается утренний час пик. Выберите точное место встречи.

Еще один хороший вопрос. Они не могли просто стоять на углу, словно решили поймать такси. Ведь главная опасность для них заключалась в том, что их могли опознать.

---

[1] Название бейсбольного стадиона в Бостоне, штат Массачусетс; на нем с 1912 года проводит свои домашние матчи команда «Бостон ред сокс».

Ричер огляделся по сторонам — и не нашел ничего подходящего. Маленькие частные магазинчики, еще закрытые и довольно убоги. Из тех заведений, куда типы с серыми лицами проскальзывают в десять часов, бросив незаметный взгляд через плечо. Ричер знал, как устроены города. В следующем квартале он увидел на тротуаре щит высотой примерно до его пояса, под тентом, с какими-то надписями мелом, и подумал, что там, скорее всего, находится кофейня, возможно уже открытая, но нельзя было исключать, что в ней засели враги. Едва ли у входа в таком месте, на такой улице будет стоять вышибала в костюме, но возле кофейного автомата вполне может оказаться сочувствующий бандитам элемент, желающий получить скидки при очередном займе.

— Туда, — сказал Ричер.

Он указал на узкое здание на противоположной стороне улицы, впереди, на расстоянии десяти ярдов. Сбоку его подпирали наклонные деревянные брусья, словно существовала опасность обрушения. Деревянные опоры были закрыты плотной черной сетью. Может быть, в соответствии с местными правилами. Возможно, городские власти опасались, что кто-нибудь пострадает от кирпича, который случайно выпадет из разрушающейся стены, причинит вред прохожему или тому, кто остановится перевести дыхание. Так или иначе, но в результате получилось импровизированное убежище, и они могли частично спрятаться под сетью.

Процентов на шестьдесят. Сеть была толстой.

Ну, или процентов на сорок. Утро выдалось солнечным. Лучше, чем ничего.

Эбби рассказала Вантреске, где их искать.

— Пять минут, — повторил тот. — Может быть, десять.

— Какая у тебя машина? — спросил Ричер. — Мы не хотим случайно напороться не на тех людей.

— Угольно-черный ноль-пятый «Си-тайп Эр».

— Ты помнишь, что я говорил про бронетанковые войска?

— Мы преклоняемся перед машинами.

— Я не понимаю, что означают буквы и цифры.

— Довольно старый «Ягуар». Крутая спортивная версия восстановленной ретромодели, сделанная в конце девяностых. С модернизированными кулачковыми роликами и расточенным двигателем. Естественно, с турбонагнетателем.

— Легче не стало, — проворчал Ричер.

— Черный седан, — сказал Вантреска.

И повесил трубку. Эбби убрала телефон, и они стали переходить улицу по диагонали, направляясь к зданию с опорами.

Из-за угла выскочил автомобиль.

На высокой скорости.

Черный седан.

Слишком скоро. Пять секунд, а не пять минут.

И не старый «Ягуар».

Новый «Крайслер». С низкой крышей, высокой поясной линией кузова и узкими окнами, похожими на щели. Как бойницы броневика.

# Глава
# 34

Черный «Крайслер» направился прямо к ним, притормозил и снова набрал скорость. Словно споткнулся. Словно автомобиль удивился, не поверил своим глазам. Маленькая стройная женщина и крупный уродливый мужчина. Прямо посреди улицы. Перед ветровым стеклом. В натуральную величину. Будьте начеку.

Машина остановилась, передние двери распахнулись. Двадцать футов. Два бойца. Два пистолета «Глок 17». Оба правши. Поменьше, чем Гезим Хокса, но выше среднего. Вне всякого сомнения, не мелочь с Адриатики. Оба в черных брюках, черных футболках и черных галстуках. И солнечных очках. Оба не успели побриться. Очевидно, их вытащили из постелей и отправили патрулировать улицы, как только нашли машину Гезима Хоксы.

Они сделали шаг вперед. Ричер посмотрел налево, потом направо. Никакого укрытия выше пожарного гидранта или шире фонарного столба. Он положил руку в карман, где лежал «Хеклер и Кох», который, как он точно знал, прекрасно работал и который ему совсем не хотелось использовать. Выстрел на городской улице вызовет реакцию. И она будет в десять раз хуже, если это случится в невинные утренние часы. Утром гораздо больше дежурных полицейских; всех тут же отправят в город. Появятся дюжины патрульных машин с пульсирующими прожекторами, завоют сирены. Взлетят в воздух вертолеты новостных агентств, прохожие начнут снимать происходящее на телефоны. Будет куча бумажной работы. Сотовый телефон Эбби позволит обвинить Бартона, Хогана и Вантреску. Хаос станет всеобъемлющим. Потребуются недели, чтобы во всем разобраться. Ричер этого не хотел, а у Шевиков такого времени попросту не было.

Парни с «Глоками» сделали еще один шаг и обошли распахнутые двери, выставив пистолеты перед собой, шаркающими шагами, крепко держа рукояти двуручным хватом, тщательно целясь.

Еще один шаг. И еще. Затем тот, что находился справа — водитель, — продолжил движение, а второй остановился. Пассажир. Они хотели иметь разбег. Как овчарки. Один из них собирался обойти Ричера и Эбби сзади, чтобы оттеснить их к дальнему тротуару, к стене трехэтажного дома, где они будут лишены маневра. Очевидная, инстинктивная стратегия.

Они рассчитывали, что Ричер и Эбби сначала останутся на месте, а потом отступят назад.

Они ошиблись.

— Эбби, сделай шаг назад, — сказал Ричер. — Вместе со мной.

Он отступил назад, Эбби последовала за ним. Геометрия движения водителя изменилась. Теперь ему предстояло пройти более значительное расстояние.

— Еще раз, — сказал Ричер.

Он отступил на шаг, Эбби последовала за ним.

— Стойте на месте, — сказал водитель. — Или я буду стрелять.

«В самом деле?» — подумал Ричер.

Один из главных вопросов жизни. И такие же сдерживающие факторы, как у Ричера. Дюжины патрульных машин с воющими сиренами и мерцающими прожекторами. Вертолеты новостных агентств и камеры сотовых телефонов. Бумажная работа. Часы в комнате с полицейским. И совершенно непредсказуемый исход. Неизбежно. Возможен любой вариант. Никаких гарантий. *Не пугайте избирателей.* Скоро у нас будет новый полицейский комиссар.

К тому же у этих двоих имелись профессиональные обязательства. Им требовались ответы на вопросы. Они считали, что Ричер — агент со стороны. *Мы хотим знать, кто ты такой.* Если они его поймают и он будет в состоянии говорить, их ждет бонус. А если доставят мертвым, или в коматозном состоянии, или смертельно раненным, не исключено наказание. Ведь мертвые и коматозные не могут говорить, а смертельно раненные живут недостаточно долго, чтобы применить к ним ложки, электрические пилы, раскаленные утюги и сверла или какие-то другие инструменты, которые принято использовать к востоку от Центральной улицы.

Так что будет ли неприятель стрелять? «Маловероятно, — подумал Ричер. — Скорее всего, нет». Впрочем, такой вариант нельзя исключать. «Готов ли ты поставить на кон свою жизнь?» Вероятно, да. Как уже делал не раз прежде. Он рисковал и выигрывал. И через десять тысяч поколений инстинкты все еще работали. Ему удавалось уйти и жить дальше, чтобы иметь возможность рассказать свою историю. В любом случае его это не особо беспокоило. Никто не живет вечно.

Но готов ли он рискнуть жизнью Эбби?

— Покажи руки, — сказал водитель.

Если он так и сделает, игра будет закончена. Точка невозврата, прямо здесь и сейчас. К тому же ситуация ухудшалась. Геометрия стала плохой. Водитель и пассажир разошлись на шестьдесят градусов и заняли удобные позиции для продольного обстрела. Предсказать вероятную последовательность событий уже не составляло труда. Ричер выстрелит через карман и попадет в водителя. Один готов. Никаких проблем. Но поворот к пассажиру будет медленным и неловким, потому что его рука останется в кармане, что даст неприятелю возможность открыть огонь, сделать два или три выстрела, которые попадут в Эбби, или самого Ричера, или в них обоих, или стрелок промахнется. «Почти наверняка последний вариант, — подумал Ричер, — в реальном мире». Парень заметно нервничал, а к тому моменту будет напуган и начнет паниковать.

Но готов ли он поставить на это жизнь Эбби?

— Покажи руки, — повторил водитель.

— Ричер, — сказала Эбби.

Десять тысяч поколений говорили: оставайся живым и посмотри, что тебе принесет следующая минута.

Ричер вытащил руки из карманов.

— Сними куртку, — сказал водитель. — Я вижу, что в карманах что-то есть.

Джек снял куртку и бросил на проезжую часть. Пистолеты в карманах громко стукнули об асфальт. Украинские «Хеклеры», албанские «Глоки». Весь его арсенал.

Почти.

— А теперь садись в машину, — приказал водитель.

Пассажир отступил к «Крайслеру», и Ричер подумал, что он откроет заднюю дверцу, как швейцар в дорогом отеле. Но он поступил иначе. Вместо этого поднял крышку багажника.

— Вполне подошло для Гезима Хоксы, — сказал водитель.

— Ричер? — повторила Эбби.

— С нами все будет в порядке.

— Как?

Ричер не ответил. Он забрался в багажник первым, по диагонали, и сложился в форме буквы U; вслед за ним влезла Эбби и устроилась рядом в позе зародыша, словно они лежали в постели. Вот только это было совсем не так. Пассажир захлопнул багажник с дешевым металлическим лязгом. Мир потемнел. Светящейся рукояти не было. Ее убрали.

В этот момент Дино звонил Джетмиру. Срочное собрание в офисе, прямо сейчас. Дино явно что-то задумал. Джетмир вошел к нему через три минуты и сел перед письменным столом. Дино смотрел на свой телефон. На длинную последовательность сообщений о Гезиме Хоксы, которого нашли полумертвым в багажнике собственной машины рядом с домами старой застройки.

— Мы с Хоксой знакомы много лет, — сказал Дино. — Я знал его, когда он служил полицейским в Тиране. Однажды он меня арестовал. Он был самым злым ублюдком во всей Албании и по-настоящему крутым парнем. Мне он нравился. Именно по этой причине я дал ему работу.

— Он хороший человек, — сказал Джетмир.

— Он не может говорить. Возможно, больше никогда не сможет. У него серьезно повреждено горло.

— Мы должны надеяться на лучшее.

— Кто это сделал?

— Я не знаю.

— Когда именно на него напали?

— Его нашли на рассвете. Очевидно, его избили раньше на час или два.

— Вот чего я не понимаю. Гезим Хокса обладал полезным опытом, ведь он служил полицейским в Тиране, а потом стал важным членом нашей организации; я сам дал ему работу, он с нами уже очень давно, всегда оказывался на высоте и считался серьезной фигурой. Я прав?

— Да.

— Тогда почему он выполнял какое-то поручение ночью?

Джетмир не ответил.

— Может быть, я поручил ему что-то сделать, а потом забыл?

— Нет. Я так не думаю.

— Ты просил его что-то сделать? — спросил Дино.

*Следите за светом за шторами. Стучите в двери и задавайте вопросы, если потребуется.*

— Нет.

— Я не понимаю, — повторил Дино. — Я не бегаю посреди ночи. Для этого у меня есть специальные люди. Хокса должен был спать в своей постели. Что он делал на улицах?

— Я не знаю.

— Кто еще бегает по городу по ночам?

— Я не знаю, — повторил Джетмир.

— А тебе следовало бы знать. Ты — начальник моего штаба.

— Я могу поспрашивать.

— Я уже это сделал, — сказал Дино, тон которого изменился. — Выяснилось, что многие из наших ребят бегают по городу по ночам. Очевидно, тут что-то очень важное, если такому крутому ублюдку, как Хокса, перебили горло. А учитывая ставки и нашу численность, происходящее представляется мне исключительно серьезным делом. Тебе следовало поставить меня в известность. И для начала хотя бы обсудить. Так мы здесь работаем.

Джетмир не ответил.

Дино долго молчал.

— Кроме того, я слышал, что сегодня приходил Грегори, — продолжил он наконец. — Очередной государственный визит. Естественно, мне интересно, почему мне о нем не сообщили.

Джетмир молчал; в его сознании прокручивалось неминуемое продолжение разговора, быстро, сокращенно, как в шахматном блице. Туда и обратно. Дино будет продолжать расследование, неуклонно и безжалостно, пока не узнает про прдательство во всех его подробностях. Возможно, ему уже все известно. *Я могу поспрашивать. Я уже это сделал.* Что-то он уже наверняка раскопал.

Джетмиру стало холодно от мысли о том, что, возможно, уже слишком поздно. Потом он немного пришел в себя и подумал: а вдруг еще нет? Он не знал ответ. Значит, лучше перестраховаться, чем потом жалеть. Древний инстинкт. *Десять тысяч его собственных поколений.* Рука Джетмира скользнула под пиджак — раз, он вытащил пистолет — два, выстрелил Дино в лицо — три. С расстояния в ярд, через письменный стол. Голову Дино отбросило на дюйм назад; кровь, мозг и фрагменты костей забрызгали стену у него за спиной. Выстрел девятимиллиметровой пулей наполнил маленький кабинет Дино грохотом, подобным взрыву бомбы.

Потом наступила шипящая тишина, длившаяся долгую секунду, но уже в следующее мгновение в комнатку вбежали люди. Самые разные. Важные парни из соседних офисов, члены внутреннего совета, рабочие с лесопилки, покрытые древесной пылью, охранник, продавцы, рядовые бандиты; все они кричали и вытаскивали пистолеты, точно в кино, как после убийства президента. Смятение, безумие, хаос, паника.

В этот момент во двор лесопилки въехал черный «Крайслер» с Ричером и Эбби в багажнике.

# Глава
# 35

Водитель на мгновение замер, держа ногу на тормозе. Открытые ворота никто не охранял. Это было необычно. Но ему хотелось поскорее избавиться от своего груза, и он не стал обращать на это внимания; просто въехал и развернулся, чтобы багажник оказался перед поднимавшейся вверх дверью. Его напарник вылез из машины, ладонью нажал на зеленую кнопку, и дверь начала медленно подниматься под дребезжание цепей и грохот металлических планок. Водитель въехал внутрь, заглушил двигатель и направился к своему напарнику, стоявшему возле багажника. Они достали пистолеты и отошли на шаг назад.

Затем водитель нажал на кнопку на брелоке для ключей.

Крышка багажника начала подниматься, медленно и величественно.

Они ждали.

Вокруг царила тишина.

Запах сосны, но не слышно визга пил. В низком ангаре из гофрированного железа тоже тихо. И никого, ни одного человека. Потом послышались голоса, приглушенные стенами и дверями, но достаточно громкие, панические и недоуменные. И шаги, напряженные, но не приближавшиеся. Внутри кто-то топтался на месте, словно в одном из кабинетов происходило нечто странное.

Они прислушались.

Может быть, в кабинете Дино?

* * *

Восемь первых парней, вбежавшие в комнату, увидели одну и ту же картину. Дино с простреленной головой сидит за письменным столом, откинувшись на спинку кресла; Джетмир на стуле перед столом, с «Глоком» в руке. Дуло его пистолета в буквальном смысле дымилось. Они уловили запах сгоревшего пороха. Трое из тех, кто появился первыми, входили во внутренний совет и примерно представляли, что случилось. Остальные занимали более низкое положение и понятия не имели, что все это значит. Все находились в шоке и не знали, что делать. Просто ничего не понимали.

Джетмир являлся вторым по значимости человеком в их мире. Его слово имело силу закона. Он все делал безупречно. Ему подчинялись, им восхищались, его уважали. О нем рассказывали истории. Он был лучшим, настоящей легендой. Но он убил босса, самого главного человека в их мире. Их преданность принадлежала Дино, и только ему. Как клятва на крови. Как в средневековом королевстве. Как абсолютный долг.

Одним из пяти парней, которые не имели представления о том, что случилось, был рядовой костолом из города Поградец, стоявшего на берегу Охридского озера. Его сестру преследовал партийный функционер, и Дино восстановил его семейную честь.

Костолом был простым человеком, верным Дино, точно пес, и любившим его, как отца. Ему очень нравилось его любить. А еще он любил внутреннее устройство их организации, иерархию, правила и кодекс и железную уверенность, которую они придавали его жизни. Он жил этим. Вытащив пистолет, костолом трижды выстрелил в грудь Джетмира, оглушив всех, кто находился в замкнутом пространстве кабинета.

В следующее мгновение его застрелили двое других парней; один из них являлся сборщиком откупных денег и действовал совершенно автоматически, защищая нового босса, хотя тот только что застрелил старого босса. Второй стрелок являлся членом внутреннего совета; он догадывался, что произошло, и рассчитывал хоть что-то спасти после разразившейся катастрофы.

Но его надежды оказались тщетными, потому что вторая пуля прошла навылет и убила сборщика, стоявшего за костоломом. Охранник, оказавшийся за сборщиком, запаниковал, рефлекторно выстрелил в ответ и попал члену внутреннего совета в голову. И тогда второй представитель внутреннего совета прикончил охранника. Мастер с лесопилки, имевший зуб на внутренний совет, в ответ открыл огонь и промахнулся, но рикошет по чистой случайности угодил в верхнюю часть плеча третьего члена внутреннего совета; тот взвыл и принялся отчаянно палить в ответ. Дуло его «Глока» неконтролируемо дергалось в руке, пули метались по комнате, разили вбегавших в офис людей, которые падали на липкий от крови пол, пока в «Глоке» третьего члена совета не закончились патроны и не наступила новая ревущая версия тишины. Но она тут же прервалась, потому что раздались другие громкие звуки.

Также выстрелы. Всего два. Обдуманных. С четкой паузой. Приглушенных расстоянием. Из девятимиллиметрового пистолета. Возможно, во дворе лесопилки. Возможно, со стороны поднимавшейся вверх двери.

* * *

Водитель и пассажир стояли достаточно далеко от багажника «Крайслера», держа его под прицелом «Глоков», которые они сжимали все тем же двуручным хватом; но оба комично вытягивали шеи, пытаясь заглянуть через собственное левое плечо в сторону дальнего заднего угла ангара, где начинался коридор, уходивший к административным помещениям. Оттуда доносился страшный шум.

Потом началась стрельба. Довольно далеко, приглушенно, внутри кабинетов. Сначала три одиноких выстрела, потом еще три, один за другим, *бум-бум-бум*, затем еще, и еще, и еще, повторяющиеся, поспешные, сделанные в гневе и бесцельно.

Через некоторое время снова наступила тишина.

Водитель с напарником повернулись к «Крайслеру».

Ничего. Крышка багажника поднята. Пленники не шевелятся.

Водитель и его напарник снова повернулись назад.

Еще одна секунда тишины.

Потом они опять посмотрели на «Крайслер». Ничего. Ни поднятых голов, никто не пытался выглянуть наружу. Никаких признаков жизни. Парни переглянулись, внезапно почувствовав беспокойство. А если в багажник попали выхлопные газы? Может быть, произошла утечка? Треснувшая труба глушителя... Вдруг мужчина и женщина задохнулись?

Водитель и его напарник сделали осторожный шаг вперед. И еще один.

По-прежнему ничего.

Они снова посмотрели в сторону дальнего угла ангара. Тишина. Сделали еще по шагу вперед, чтобы заглянуть в багажник. Что и сделали с некоторой опаской. И увидели нечто новое: мужчина и женщина поменялись местами. Исходно он находился в задней части багажника, она — перед ним. Теперь же мужчина лежал впереди, а женщина — *за* ним, защищенная его телом. Исходно его голова была слева, теперь — справа. Получалось, что мужчина повернулся на левый бок. Из чего следовало, что он высвободил правую руку. И она двигалась. Очень быстро. А вместе с ней — маленький автоматический пистолет, который застыл, когда мужчина направил его в голову водителя.

* * *

Ричер выстрелил водителю в лоб, затем переместил ствол вправо и всадил его напарнику пулю в левый глаз. Из украинского «Хеклера», который достал из ботинка. Именно туда Ричер его спрятал, когда заново распределял по карманам свои вещи перед тем, как они вышли из дома Шевиков. Два пистолета в левом кармане, два в правом и один в носке. Всегда хорошая идея.

Он приподнялся на дюйм, осторожно огляделся по сторонам и увидел длинный ангар из гофрированного железа, окутанный запахом сырой мягкой древесины, но совершенно пустой. Здесь вообще никого не было. Что-то вроде штаб-квартиры. Может быть, та самая лесопилка, которую они уже видели один раз, когда проезжали мимо на машине, и еще один, когда шли пешком. Операция прикрытия. Тусклый металл выглядел знакомым. Вроде складов электроинструментов и сантехники.

Ричер сел, чтобы получше изучить дислокацию. По-прежнему никого. Он выбрался из багажника, выпрямился и помог вылезти Эбби. Та посмотрела на мертвых бандитов, распростертых на земле. Не слишком приятное зрелище. У одного один глаз, у другого — три.

Окинув взглядом пустой ангар, она спросила:

— Где мы находимся?

Однако Ричер не стал делиться с ней своими выводами, потому что в этот момент произошли сразу две вещи. Откуда-то выбежала группа парней, которые бросились к дальнему заднему углу ангара, где имелось нечто вроде арки, ведущей к внутренним помещениям. Одновременно с противоположного направления, из арки, выскочила вторая группа. Они выглядели дико. С белыми лицами и пистолетами в руках, дрожащие от мощного выброса адреналина. Группы столкнулись. Раздались пронзительные крики, посыпались вопросы и невнятные ответы, все на иностранном языке — Ричер решил, что это албанский. Затем один парень толкнул в грудь другого, тот пихнул его в ответ, началась стрельба, первый упал, кто-то приставил дуло к его виску и выстрелил в упор. Как в наказание, как при казни. Его голова взорвалась. Столкновение быстро превращалось в хаос, но тут кто-то громко закричал и указал вперед по диагонали. Все вопили в ответ, поворачиваясь, чтобы посмотреть.

Маленькая стройная женщина и огромный уродливый парень.

Однажды Ричер прочитал в книге в мягкой обложке, которую кто-то оставил в автобусе, что люди склонны обманывать себя в течение часов и дней, даже если они поняли правду сразу. Ему понравилась книга, потому что он считал так же. Однако сам Ричер научился верить интуитивному первому впечатлению. И сейчас понял, что о любых ставках можно забыть. Никто не станет задавать вопросы. *Мы хотим знать, кто ты такой.* Больше нет. Все были охвачены яростью и жаждой крови, никто не думал о бонусах, которые они смогут получить, если он будет в состоянии говорить. Данная возможность уже не рассматривалась.

Вот почему, когда эхо крика заметившего их парня стихло, Ричер выстрелил три раза в массу далеких фигур. Три бандита легли. Он не мог промахнуться. Остальные разбежались, как тараканы. Ричер повернулся, подхватил Эбби за локоть и оттащил ее за машину и багажник. Краем глаза посмотрел назад, увидел ворота, тротуар и улицу. Теперь он точно знал, где они находились.

Ворота были открыты.

— Беги к пассажирской двери, — прошептал Ричер. — Затем перебирайся за руль и увози нас отсюда. Ехать нужно по прямой. Жми на газ и не смотри вперед. И опусти голову вниз.

— Сколько сейчас времени? — спросила Эбби.

— Это не важно. Люди платят за такие развлечения.

— Когда их поливают краской, а не пулями.

— Значит, это будет еще более аутентичным. Они заплатят больше.

Наклонившись вперед, Эбби пробежала вдоль машины, схватилась за ручку снизу, слегка приоткрыла дверцу и протиснулась внутрь, касаясь животом сиденья.

— Ключа нет, — прошептала она.

Кто-то сделал одиночный выстрел издалека. Пуля пролетела в футе над багажником и в двух футах над головой Ричера. Звук выстрела наполнил ангар грохотом; металлический потолок завибрировал, как гигантский барабан.

— Они забрали ключ с собой, чтобы открыть багажник, — прошептала Эбби.

— Замечательно, — ответил Ричер. — Похоже, мне придется за ним сходить.

Он прижался щекой к бетону, выглянул из-под машины и увидел на земле пятерых мужчин. Двое остались лежать в результате первого столкновения, еще трое — после следующих трех выстрелов. Двое последних не шевелились, один двигался. Но лишь слегка. Без особой энергии и энтузиазма. В ближайшие день или два он едва ли сможет сделать вклад в общее дело. Девять гангстеров оставались в вертикальном положении, но все спрятались за укрытиями, которые сумели отыскать. Впрочем, возможностей у них оказалось не слишком много. Пирамида контейнеров с химическими реактивами. Возможно, какое-то пропитывающее средство. Одиночные и невысокие груды древесины. У них здесь было что-то вроде штаба под прикрытием лесопилки, а вовсе не серьезный бизнес.

Ричер перекатился на спину и выщелкнул обойму из «Хеклера» — два патрона и еще один в стволе. Всего три. Не слишком вдохновляющий результат. Он вставил обойму на место, перевернулся на бок и пополз вдоль машины, пока не добрался до багажника. Водитель и его напарник лежали на расстоянии пяти футов друг от друга. Один глаз и три глаза. Головы в лужах крови. Водитель ближе. И это обрадовало Ричера, потому что он показался ему главным. Ведущей фигурой. Значит, ключ наверняка у него. Скорее всего, в кармане пиджака. Слева. Потому что он был правшой, пистолет держал в правой руке, а левой нажимал на кнопку брелока.

Еще одна пуля ударила в стену на высоте фута. Грохот, отразившийся от потолка, металлическое эхо, и снова тишина. Потом шаги. Шаркающие, торопливые, но осторожные. Кто-то начал двигаться. Кто-то приближался. Ричер снова посмотрел из-под машины. Девять оставшихся в живых албанцев быстро обменивались жестами и махали руками. Сигналы. Они координировали атаку, собираясь выступать по очереди, по одному или по двое, от одного укрытия к другому. Командовал крупный тип, немного похожий на Гезима Хоксу. Тот же возраст, такое же телосложение. Он уже готовился выскочить из-за химических контейнеров, намереваясь добежать до груды досок, лежавших примерно в пятнадцати футах впереди. Остальные последуют за ним. Предположительная скорость достаточно высока, и никаких препятствий на пути.

Пришло время замедлить их движение вперед.

Существовал только один способ.

Ричер вытянул руку под машину и тщательно прицелился. Классическая позиция для стрельбы одной рукой, только с поворотом на девяносто градусов, потому что он лежал на боку. Ричер подождал, когда опорная нога албанца приготовится к действию, а потом выстрелил с упреждением на пару дюймов, и второй Гезим Хокса встретил пулю. Она вошла в верхнюю часть груди, с левой стороны. Что было удачей. Там находились жизненно важные органы, артерии, нервы и вены. Главарь албанцев упал, и наступление захлебнулось; остальные восемь гангстеров отползли назад, как черепахи. Только один надежный способ: сделать пример из лидера на глазах у его соратников.

Ричер повернулся на грудь и пополз вперед, пока его голова не оказалась на одном уровне с задним бампером. Ближайшей частью тела водителя была его нога. Ричер, продолжая лежать на земле, вытянул вперед руку. До цели один ярд. У него появился план: затащить тело за машину, а потом обыскать карманы. Так безопаснее. Ричер сделал вдох, быстро скользнул вперед, схватил водителя за щиколотку и сильно рванул к себе. Через секунду он вернулся в свое укрытие. Голова албанца оставила кровавый след на бетоне. Движение Ричера вызвало ответный огонь, но выстрелы запоздали и не попали в цель.

Оставаясь на корточках, он подтянул тело еще на ярд к себе и перевернул. Дальше одновременно произошло две вещи: Ричер искал ключ от зажигания, а восемь живых албанцев пытались понять, что он делает и зачем. Очевидно, они не были дураками и довольно быстро сообразили, что происходит. Примерно в тот самый момент, когда левая рука Ричера оказалась в левом кармане пиджака водителя, албанцы начали стрелять по машине. Крупная цель. Шестнадцать футов в длину, пять в высоту. Они полностью изрешетили автомобиль; сначала разбились окна со стороны водителя. Пули с визгом ударяли в щитовой металл. Машина перекосилась влево, шины были пробиты, на бетон стала капать зеленая маслянистая жидкость. Ричер отполз туда, где Эбби скорчилась на пассажирском сиденье, вытащил ее наружу и толкнул к передним колесам, чтобы она оказалась за двигателем, в самом безопасном месте.

Все познается в сравнении. Безопасно в данных обстоятельствах. Шум был оглушительным. Пули залетали внутрь через разбитые окна с дальней стороны, крушили стекла на ближней к Ричеру, стучали по корпусу «Крайслера». Вниз хлынули осколки. Выстрелы приближались. Албанцы снова перешли в наступление.

У Ричера осталось два патрона.

Не слишком вдохновляющий результат.

Он посмотрел на подъемную дверь. Яркий утренний свет. Открытые ворота. Пустая улица. Около тридцати ярдов до края тротуара. И еще семьдесят до первого угла. Десять секунд для спортсмена. По меньшей мере двадцать для него. Может быть, больше. Восемь преследователей. Паршивое дело. Но Эбби, возможно, справится менее чем за двадцать. Она сможет бежать быстрее. К тому же она — небольшая цель, которая будет с каждой секундой опережать более медленную и крупную. У нее появится шанс на спасение. Если она согласится. Но Ричер знал, что она откажется. Они начнут спорить и упустят свой единственный шанс.

Человеческая природа. По большей части чепуха, но иногда оказывается решающим фактором.

Ворота были открыты.

Человеческая природа. Водитель заехал внутрь, хотя не вызывало сомнений, что на лесопилке происходит нечто странное, и сразу открыл багажник. Потому что не хотел ждать — ему не терпелось поскорее получить награду и аплодисменты. Он мечтал стать героем часа. Иными словами, принес в жертву тактическую осторожность ради удовлетворения собственного эго. Он спешил и поступил неосмотрительно. Ричер вспомнил, как снял куртку и бросил ее на асфальт. Вспомнил, как стукнули пистолеты в карманах. Два украинских «Хеклера» и два албанских «Глока». Все заряженные. Вероятно, более сорока патронов.

Что неосмотрительный человек, который слишком торопится, сделает с брошенной на улице курткой?

Ричер подполз к задней дверце пассажирского сиденья и открыл ее так же, как открыла переднюю Эбби, надавив на ручку и потянув дверь снизу. Наружу полетели осколки, и в воздухе закружились обрывки обивки.

Его куртка лежала на заднем сиденье.

Ричер подтащил ее к себе. Она оказалась тяжелой. Частично из-за осколков стекла, но главным образом из-за содержимого карманов — двух «Хеклеров» и двух «Глоков». Ричер прижался спиной к заднему колесу и приступил к инвентаризации. У того «Хеклера», который, как он точно знал, прекрасно работал, был один патрон в стволе и еще шесть в обойме. В другом «Хеклере» — один патрон в стволе и полная обойма. Как и в двух «Глоках». Всего пятьдесят две штуки, толстые, маленькие девятимиллиметровые патроны для «Парабеллума», подмигивающие в дымном свете. Против восьми противников, каждый из которых уже явно испытывал нехватку боеприпасов, ведь они с таким энтузиазмом палили по «Крайслеру».

Что принципиально изменило соотношение сил.

Ричер зацепил пальцем все четыре предохранительные скобы и пополз к Эбби.

# Глава

# 36

Эбби сидела спиной к переднему колесу, обхватив руками колени и как можно ниже опустив между ними голову. Прямо у нее за спиной находился мощный блок восьмицилиндрового двигателя, сотни фунтов железа, почти в три фута длиной и полтора высотой. Не вызывало сомнений, что танкист Вантреска посмеялся бы над таким укрытием, но в данных обстоятельствах оно было лучшим из возможных. Вполне надежная защита от пистолетных пуль.

Ричер занял позицию в восьми футах позади нее, приняв позу, которую в армии называют «модифицированной сидячей». Он сидел на бетоне; левая нога согнута, точно перевернутая буква V, правая лежит как треугольник, указывающий наружу, в другом направлении, каблук ботинка упирается в ягодицы. Левый локоть стоит на левом колене, левая рука поддерживает правое предплечье, составляющее прямую линию с плечом. В целом он превратился в человеческий геодезический купол, с твердой опорой и жесткостью.

Армии настолько нравилась эта поза, что ей придумали специальное название. Позицию на расстоянии восьми футов от противника также описывали в учебниках. Благодаря такому положению Ричер мог пригнуться очень низко, и тогда от дальней стороны машины будут видны только ствол его пистолета, глаза и верхняя часть головы. Пули полетят ровно на девять миллиметров выше металлической поверхности, параллельно земле. Все отлично. Если не считать того, что он будет стрелять непосредственно над головой Эбби и она почувствует зону пониженного давления прямо над собой.

Ричер начал с «Глока» албанцев, посчитав такое решение правильным в данных обстоятельствах. К тому же в нем была полная обойма. Восемнадцать патронов. По оценкам Ричера, достаточно для его целей. Тем не менее он положил рядом остальные — в форме веера возле правого колена. Надейся на лучшее, готовься к худшему. Чтобы проверить пистолет, а также начать вечеринку, он выстрелил в пирамиду химических контейнеров, прицелившись в тот, что находился во втором ряду; это соответствовало центру масс стоящего человека. Раздался щелчок, удар и звон, из отверстия полилась густая коричневая жидкость. Это примерно входило в его намерения. «Глок» работал хорошо.

Албанец, стоявший справа, приподнялся, выстрелил из-за груды досок и снова спрятался. Пуля ударила в машину. Может быть, в дверцу водителя. Плохая стрельба. Судорожная и паническая. Парень, находившийся слева, попытался сработать лучше. Он наклонился вперед и прицелился. Ошибка. Ричер попал ему в грудь, а потом выстрелил в голову, когда он упал, чтобы довести дело до конца. Потрачено три патрона. Остались семь бандитов. Они отступили на ярд — возможно, чтобы обдумать новую стратегию — и принялись негромко переговариваться. Обменивались короткими фразами. Очевидно, составляли план. «Интересно, насколько хорошим он будет, — подумал Ричер. — Вероятно, не слишком». Очевидная идея — разделиться на две группы, одну из которых выдвинуть к заднему входу, обойти здание и вернуться через подъемную дверь, чтобы Ричеру пришлось сражаться на два фронта. Он поступил бы именно так.

Но у оставшихся семи бойцов не было лидера. Их командная структура развалилась. Возможно, произошел переворот. Или переворот потерпел неудачу. Дворцовая революция. Ричер слышал стрельбу, когда они приехали, — сначала дважды приглушенную крышкой багажника, потом более отчетливую после того, как ее открыли. Не вызывало сомнений, что в конфликте участвовала большая группа людей. В дальних кабинетах, где обитают шишки.

Их план оказался традиционной атакой пехоты, основанной на стрельбе и движении. Иными словами, одни будут стрелять, другие побегут, потом они упадут и откроют огонь, а стрелявшие вскочат и бросятся вперед. Как чехарда. Вот только их осталось слишком мало. К тому же им не хватало боеприпасов. Что сделало огонь прикрытия недостаточно плотным. Он должен был отвлекать, подавлять, смущать или пугать. Или хотя бы заставить обратить на него внимание. Однако Ричер вполне мог его игнорировать. Десять тысяч поколений кричало, что он должен спрятаться в укрытии, но передняя часть мозга сопротивлялась, противопоставляя инстинктам новые знания, геометрию и вероятность.

Ричер прикинул, насколько велики шансы у семи случайных стрелков попасть в такую маленькую цель, как человеческий глаз. На значительном расстоянии, из пистолета, находясь в состоянии крайнего волнения, к тому же при слабом отвлекающем огне. Древние инстинкты проиграли спор, были блокированы и на время забыты, предоставив современному человеку делать свою летальную работу, не отвлекаясь. Что-то вроде стрельбы по уткам на ярмарочном шоу. Албанцы справа начали палить из своих пистолетов, а двое их напарников слева вскочили и бросились в атаку.

Ричер попал в первого.

Потом во второго.

Они с громким стуком упали на бетон, что привело к нарушению плана — потому что два албанца справа решили, что пришла их очередь идти в атаку, вскочили и побежали, теперь уже без огневой поддержки.

Ричер застрелил первого.

Потом второго.

Они упали, их тела скользнули вперед по бетону и замерли в неподвижности.

Осталось трое неприятелей.

Как вставной номер на ярмарке.

А потом все изменилось. Такого Ричер никогда прежде не видел. И больше не хотел увидеть. Потом он радовался, что Эбби так и не подняла голову и продолжала сидеть, крепко зажмурив глаза. После долгой зловещей паузы три оставшихся албанца одновременно вскочили, начали бешено стрелять, взревели, закинули назад головы, выпучили глаза, как берсеркеры из древних легенд или дервиши из мифов. Они атаковали машину с оглушительным воем, продолжая палить из пистолетов в диком эпическом жесте, точно кавалерия, атакующая танки; три безумца, устремившиеся навстречу неминуемой смерти, понимавшие это, жаждавшие гибели.

Ричер застрелил первого.

Потом второго.

И третьего.

В длинном ангаре с низким потолком наступила тишина.

Ричер выпрямил ноги и встал. И увидел двенадцать распростертых тел — неровная линия протяженностью в пятьдесят футов, — кровь на бетоне и большую лужу коричневой жидкости, которая продолжала капать из контейнера.

*Плинк, плинк, плинк.*

— Всё в порядке, — сказал он.

Эбби посмотрела на него.

Она молчала.

Ричер стряхнул осколки стекла с куртки, надел ее и положил пистолеты в карманы, отметив про себя, что у него осталось сорок четыре патрона.

— Нам нужно проверить кабинеты в задней части здания, — сказал он.

— Зачем? — спросила Эбби.

— Там могут быть деньги.

* * *

Ричер и Эбби аккуратно перешагивали через тела, кровь и пролитую из контейнера жидкость, когда шли в дальний конец ангара. Впереди маячила арка, а за ней — длинный узкий коридор. Двери слева. Двери справа. Первой слева оказалась комната без окон с четырьмя ламинированными столами, сдвинутыми вместе торцами так, что они образовали единое целое. Как в зале для заседаний. Первым справа был кабинет с письменным столом, стулом и картотечными шкафами. Никаких подсказок относительно его назначения. Наличных в шкафах они не обнаружили. В письменном столе лежали обычные офисные мелочи, дюжина сигар в коробке и кухонные спички. Они двинулись дальше. И не нашли ничего интересного, пока не открыли последнюю дверь слева.

Приемная и внутренний кабинет. Как в номере отеля. Нечто вроде кабинета исполнительного директора, командира части или начальника штаба. Дверной проем между ними был завален телами. В дальней комнате они увидели еще тела. Всего Ричер насчитал двенадцать трупов. В том числе мужчины за большим письменным столом, который получил пулю в лицо, и еще одного, с тремя пулями в груди. Странная статичная картина. Беспредельно неподвижная. Абсолютно безмолвная. Реконструировать произошедшее не представлялось возможным. Казалось, все стреляли во всех. Необъяснимый приступ безумия.

Эбби осталась во внешнем кабинете. Ричер, держась за дверную ручку, перебрался через тела, шагнул внутрь и обошел письменный стол сзади. Мужчина, получивший пулю в лицо, сидел в кожаном кресле с колесиками. Ричер отодвинул его в сторону и занялся ящиками письменного стола. В нижнем слева он обнаружил стальной сейф для хранения наличности размером с семейную Библию, выкрашенный в суровые металлические тона, похожий на своих старомодных собратьев. Он был заперт. Ричер придвинул кресло поближе и похлопал по карманам мужчины. Ключи нашлись в правом кармане брюк. Ричер вытащил связку, держа ее двумя пальцами. Большие и маленькие. Третий маленький ключ открыл сейф.

Сверху лежал поднос с грязными купюрами по одному и пять долларов и монетами. Бесполезно. Дальше стало лучше. Под подносом Ричер обнаружил кирпич перевязанных стодолларовых купюр. Совершенно новых. Из банка. Десять тысяч долларов. Уже близко к тому, что требовалось Шевикам. Не хватало тысячи, но все лучше, чем ничего.

Ричер положил деньги в карман, вернулся к двери и снова перешагнул через тела.

— Я хочу отсюда уйти, — сказала Эбби.

— И я, — ответил Ричер. — Осталось сделать еще одну вещь.

Он отвел ее к первому кабинету, который они видели справа, напротив зала для заседаний, где работал любитель сигар. Теперь уже мертвый, заключил Ричер. Но не от курения. Он взял из ящика письменного стола коробок спичек и сгреб все бумаги. Затем зажег спичку и поднес ее к одному листу. Подождал, когда тот разгорится, и бросил в мусорную корзину.

— Зачем? — спросила Эбби.

— Мало просто одержать победу, — ответил Ричер. — Противник должен знать, что он точно проиграл. К тому же так безопаснее. Мы тут побывали и, вероятно, оставили следы. Так что будет лучше, если здесь воцарится хаос.

Они продолжали чиркать спичками, поджигать бумагу и разбрасывать горящие листы по всем комнатам. Когда вышли в коридор, там уже было полно серого дыма. Затем пришла очередь целлофановой пленки, накрывавшей груду досок. Ричер бросил спичку в лужу коричневой жидкости, но она сразу погасла. Что вполне естественно для лесопилки. Однако бензин — горючее вещество, поэтому Ричер снял крышку с бензобака и отправил туда последний листок горящей бумаги.

А потом они быстро ушли. Тридцать ярдов до тротуара и еще семьдесят до первого угла.

* * *

Телефон Эбби показывал множество пропущенных звонков от Вантрески. Тот сказал, что ждет их на противоположной стороне улицы от дома, который подпирают деревянные опоры, накрытые тяжелой сетью, и ждет очень долго. Он сказал, что знает, как им действовать дальше. Эбби позвонила ему, и они договорились, что он поедет в их сторону, а они пойдут навстречу, пока не увидят друг друга. Прежде чем двинуться дальше, Ричер оглянулся назад. На расстоянии полумили к небу тянулась белая струйка. Когда он посмотрел в следующий раз, над лесопилкой, в миле у них за спиной, поднимался столб дыма, который постепенно превратился в далекую кипящую массу черного цвета с танцующим под ней пламенем. А вскоре они услышали рев пожарных сирен, эхом разносившийся по боковым восточным улицам.

Потом появился Вантреска на черной машине, широкой, приземистой и мощной. Капот украшала окантовка из хрома с застывшей в прыжке большой кошкой. Вероятно, ягуар для «Ягуара». Внутри автомобиль оказался тесным. За рулем сидел Вантреска. Рядом с ним Хоган. Бартон устроился сзади. Оставалось одно место, и Эбби пришлось сесть Ричеру на колени. Что его вполне устраивало.

— Там что-то горит, — заметил Хоган.

— Твоя вина, — заявил Ричер.

— Почему? — удивился тот.

— Ты сказал, что если украинцы будут уничтожены, албанцы завладеют городом, — сказал Ричер. — Я не хотел, чтобы так случилось. Мне показалось, что это будет поражением в победе.

— И что горит?

— Албанский штаб. Он находился в задней части лесопилки, так что будет гореть несколько дней.

Хоган ничего не сказал.

— Их место займет кто-нибудь другой, — заметил Бартон.

— Или нет, — сказал Ричер. — Перед комиссаром будет лежать чистый лист. Может быть, легче помешать появлению новых людей, чем избавиться от старых.

— Что дальше? — спросил Вантреска.

— Нам необходимо найти нервный центр украинцев.

— Но как?

— Я думаю, нужно понять, чем именно они занимаются. Возможно, тогда мы будем знать, что искать. До некоторой степени функция определяет форму.

— Я понятия не имею, что они делают, — признался Вантреска.

— Позвони журналистке, которой ты помогал, — предложил Ричер. — Возможно, она что-то знает. По меньшей мере может представлять, чем они занимаются. Если потребуется, мы начнем с противоположного конца, чтобы понять, какая территория им требуется для их дел.

— Она не станет со мной говорить, — возразил Вантреска. — Она была в ужасе.

— Дай мне ее номер, — сказал Ричер. — Я сам позвоню.

— Ты думаешь, она согласится говорить с тобой?

— Я очень милый человек. Люди постоянно со мной разговаривают. Иногда я даже не могу их остановить.

— Мне нужно заехать в офис.

— Сначала к Шевикам. У меня для них кое-что есть. Сейчас им требуется поддержка.

# Глава
# 37

Грегори узнал, что случилось, получив информацию из трех разных источников: от полицейского, которому платил, парня в пожарном департаменте, который был должен ему деньги, и осведомителя бармена, работавшего в баре в восточной части города. Грегори тут же созвал малый совет, и они собрались в офисе за кабинетом диспетчера такси.

— Дино мертв, — сообщил Грегори. — Джетмир мертв. Весь внутренний совет албанцев мертв, а также верхушка, состоявшая их двадцати человек. Вот так, сразу. Может быть, жертв даже больше. Они перестали быть реальной силой. И никогда уже не будут. У них не осталось лидеров. Выжил один из самых старших, боксер Хокс, но он уцелел только из-за того, что находится в больнице. К тому же он не в состоянии говорить. Лидер из него получится тот еще...

— Как это произошло? — спросил кто-то.

— Очевидно, за бойней стоят русские. Шок и трепет к востоку от Центральной улицы. Они очистили половину поля, предотвратив возможный оборонительный альянс, перед тем как обрушить на нас все свои силы.

— Хорошая стратегия.

— Только вот они плохо ее реализовали. Они действовали на лесопилке исключительно неуклюже. Сейчас там все полицейские и пожарные города. В ближайшие месяцы восточная часть города станет бесполезной для всех. Там будет проходить серьезное расследование. Взятками невозможно решить все проблемы. А некоторые вещи и вовсе нельзя игнорировать. Могу спорить, эта история уже попала на телевидение и в буквальном смысле находится в центре общественного внимания. Никто не захочет там обосноваться. В результате единственным шансом остается западная часть города, и русские еще сильнее постараются ее заполучить.

— И когда они придут за нами? — спросил кто-то.

— Не знаю, — ответил Грегори. — Но мы будем готовы. С настоящего момента я объявляю Положение Б. Усильте охрану. Займите оборонительные позиции. Никого не пропускайте.

— Мы не можем бесконечно находиться в Положении Б. Нам необходимо знать, когда они появятся.

Грегори кивнул.

— Аарон Шевик должен знать, — сказал он. — Нам следует спросить у него.

— Мы не можем его найти.

— Наши люди все еще находятся рядом с домом старухи? — спросил Грегори.

— Да, но Шевик там не появлялся. Наверное, она его предупредила. Очевидно, она его мать, или тетка, или еще кто-то в таком же духе.

Грегори снова кивнул.

— Хорошо, — сказал он. — Вот и ответ. Позвоните нашим парням и скажите, чтобы они привезли ее сюда. Она позвонит ему по телефону, пока мы будем над ней работать. И он прибежит, как только услышит ее крики.

* * *

Вантреска подобрал их в миле от лесопилки, из чего следовало, что до дома Шевиков оставалась всего миля на юго-запад, как две стороны треугольника. Черный «Ягуар» с шумом промчался по улицам. Была уже середина утра, солнце стояло высоко в небе, и все вокруг пятнали свет и тени. Ричер попросил Вантреску остановиться возле кафе на бензоколонке, и они припарковались за выездом с мойки. Белый седан медленно выползал наружу под орудовавшими над ним щетками, окутанный белой пеной и пузырями.

— Полагаю, теперь мы можем перевезти Шевиков в отель, расположенный в восточной части города. Там им не придется скрываться. И никого не заинтересует, что мы приедем вместе с ними.

— Но они не могут позволить себе отель, — возразила Эбби.

Ричер проверил бумажник Гезима Хоксы, имевший форму картофелины.

— С деньгами всё в порядке.

— Я уверена, что они предпочтут потратить их на Мэг.

— Это капля в море. И речь больше не идет о демократии. Они не могут оставаться в своем доме.

— Почему?

— Нам нужно продолжать игру. Я хочу, чтобы капо украинцев испытывал тревогу. Грегори; кажется, его так зовут? Он должен услышать, как мы стучим в его дверь. Можем начать прямо отсюда, пока его парни еще здесь. Они торчат у дома Шевиков достаточно давно. Мы должны провести ответную акцию. Поэтому Шевикам необходимо переехать. Хотя бы на некоторое время.

— Но в машине нет места, — напомнил Бартон.

— Мы возьмем «Линкольн». И отвезем Шевиков в хороший отель в лимузине. Им это наверняка понравится.

— Они живут в тупике, — заметил Вантреска. — Нас сразу заметят, и мы лишимся элемента неожиданности.

— Возможно, *вы* лишитесь, а может, и нет, — сказал Ричер. — Я же снова проберусь к дому Шевиков задними дворами и выйду через входную дверь. За спиной украинцев, пока они будут пытаться понять, кто вы такие. Вот и получится элемент неожиданности.

«Ягуар» с ревом выехал на главную улицу, свернул направо, налево, остановился в том самом месте, где Ричер и

Эбби еще до рассвета припарковали «Крайслер», рядом с соседкой Шевиков. Напротив информатора, чьи звонки теперь останутся без ответа, потому что телефоны на другом конце линии уже некоторое время назад расплавились. Как и «Крайслер».

«Ягуар» остановился параллельно с «Линкольном», нос к носу, багажник к багажнику, на расстоянии примерно двухсот ярдов или двух домов с участками. Но только на мгновение. Ричер вышел, и «Ягуар» покатил дальше.

Ричер прошел через двор, сдвинул в сторону секцию забора, пересек задний дворик и остановился перед шатким забором, который принадлежал либо соседям, либо Шевикам, либо тем и другим. Но сейчас у него не было желания еще раз через него перелезать. Если он принадлежал Шевикам, Труленко купит им новый. А если соседям, то информаторов нужно наказывать. Ну а если общий, получится пятьдесят на пятьдесят.

Ричер прошел через задний двор Шевиков, мимо того места, где они делали семейные фотографии, к кухонной двери и тихонько постучал в окно. Никакого ответа. Он постучал чуть сильнее. И вновь ничего.

Ричер попробовал открыть дверь. Заперто изнутри. Тогда он заглянул в окно, но никого не увидел. Людей на кухне не было. Лишь столик и виниловые стулья. Он прошел мимо места, где были сделаны фотографии, к следующему окну. Спальня. Никого. Только убранная постель и закрытая дверь шкафа.

Однако дверь в комнату была распахнута. А за ней он увидел движущуюся в сторону коридора тень. Сложную, двухголовую, с четырьмя ногами. Одна часть высокая. Другая вполовину ниже. Слабое движение, словно кто-то пытался сопротивляться.

Ричер положил руку в карман, рядом со свежим «Глоком». Семнадцать патронов плюс один в патроннике. Потом поспешно вернулся к двери на кухню. Сделал один вдох, второй, ударил локтем в стекло, засунул внутрь руку, одним быстрым движением отпер замок и вошел. Конечно, получилось шумно, поэтому из коридора высунулась голова, чтобы выяснить, что, черт подери, происходит. Бледное лицо, светлые глаза, светлые волосы. Черный пиджак, белая рубашка, черный шелковый галстук.

Ричер прицелился на дюйм ниже узла галстука, но он был честным человеком, поэтому не стал стрелять, пока не увидел описывающую быструю дугу руку с пистолетом, после чего нажал на спусковой крючок и проделал в гангстере дыру, в которую вполне прошел бы большой палец. Пуля пробила его насквозь и ударила в противоположную стену. Парень рухнул вертикально, как марионетка, у которой перерезали веревочку.

Грохот выстрела и эхо смолкли.

Тишина в коридоре.

Затем — сдавленное мычание, словно слабый старый человек пытался закричать, а сильная мужская рука зажимала ему рот. Или ей. Потом — скрип туфель, безнадежный, на месте. Попытка сопротивления. Из мертвого типа на пол начала вытекать кровь, которая впитывалась в швы. Непорядок. Ричер поймал себя на мысли, что придется поменять несколько ярдов паркета. Труленко может заплатить и за это. И за штукатурку в стене, где осталась дыра от пули. И за краску. А также за новое стекло для кухонной двери. Все нормально.

Тишина в коридоре. Ричер отступил к кухонной двери. Очевидный ход: разбиться на две группы и отправить одну в обход, к заднему входу, вокруг дома. Он переступил через разбитое стекло, вышел во двор, свернул направо и еще раз направо. И немного помедлил перед входом в дом. Пустой «Линкольн», припаркованный на улице. «Ягуара» нет. Пока. Ричер мысленно представил путь, который им требовалось проделать. На север до следующей улицы, затем на запад, на юг к основному повороту, после чего въехать в старую застройку с узкими улицами. Около пяти минут. Максимум шесть. Они не могут заблудиться. Эбби знает дорогу.

Ричер прошел по траве вдоль фасада дома, в ярде от стены, чтобы не топтать растения, заглянул в окно коридора под острым углом и увидел еще одного громилу с бледным лицом и в черном костюме. Его мясистая левая ладонь закрывала рот Марии Шевик. В правой руке он держал пистолет, дуло которого было прижато к ее голове. Еще один «Хеклер и Кох П7», стальной и изящный. Палец лежал на спусковом крючке. Аарон Шевик, застывший, точно статуя, стоял в ярде от него, и в его широко раскрытых глазах плескался ужас. Ричер заметил, что губы у него плотно сомкнуты. Очевидно, ему приказали молчать, и он даже подумать не мог о том, чтобы не подчиниться. Только не когда бандит угрожал его жене пистолетом.

Ричер еще раз проверил тупик. «Ягуара» все еще не было. Гангстер, державший Марию, продолжал смотреть в сторону двери, ведущей на кухню. Он ждал, когда из нее кто-то выйдет. Классическая патовая ситуация. Фиксированный треугольник. Векторы угроз будут постоянно перемещаться по кругу, точно цикл обратной связи, с воем и криком.

Ричер принялся считать углы. Бледный украинец был на голову выше Марии Шевик. В буквальном смысле. Он прижимал пистолет к ее виску, Мария стояла к нему спиной, его левая рука закрывала ей рот, верхняя часть ее головы идеально входила под его подбородок. Дальше шла его собственная голова. В данный момент Ричер смотрел на них сбоку. Слегка отвисшая белая щека, маленькое розовое ухо, короткие светлые волосы, блестевшие у корней. Возраст больше тридцати, но меньше сорока. Занимает ли он достаточно высокое положение, чтобы знать, где находится нервный центр? Сейчас этот вопрос был для Ричера главным.

«И ответ на данный вопрос — "нет"», — подумал Ричер. Как и прежде. «Мы из тех, кто сидит в машине и наблюдает за дверями. Ты думаешь, нам рассказывают, где Труленко?» Парень был бесполезным.

Не повезло.

В особенности ему.

Ричер опустился на землю и пополз по дорожке к двери, которая осталась открытой. Бледный громила продолжал смотреть в сторону кухни. Он ждал. Ричер переместился так, чтобы вид в открытую дверь сдвинулся на четверть круга от окна, через которое он наблюдал за украинцем. Теперь Джек видел его затылок. Широкая белая шея, жесткие складки, короткие светлые волосы. Ричер смотрел на него снизу, поскольку лежал на земле, под крыльцом и порогом, ниже уровня пола в коридоре. Он прицелился из «Глока» под углом вверх, в то место, где спина соединялась с черепом. Выше стрелять Ричер не осмеливался. Он хотел, чтобы пуля вошла в тело, но не отскочила, как иногда случалось, когда выбираешь такой угол. У некоторых людей черепа прочные, как бетон.

Ричер досчитал до трех и сделал долгий медленный выдох.

И нажал на спусковой крючок.

Голова парня треснула, как упавший арбуз. Пуля прошила череп насквозь и вошла в потолок над ним. Воздух тут же наполнился розовым и пурпурным туманом. Мгновенная смерть мозга. Грязно, но необходимо, когда палец неприятеля лежит на спусковом крючке. Единственный безопасный способ. Доказано медициной.

Громила отвалился от Марии Шевик, словно та стряхнула на пол тяжелое зимнее пальто. Она осталась стоять в ярде от мужа; оба застыли, лишившись дара речи.

Грохот выстрела сменился тишиной. Розовый туман рассеивался бесконечно медленно.

В этот момент подъехал «Ягуар».

* * *

План Ричера состоял в том, чтобы представить переселение в отель как веселое приключение, а потом добавить к празднику десять тысяч долларов, приятно пахнущих новенькими сотнями. Но у него не получилось. Кровь и частички костей попали в волосы Марии Шевик. Аарона трясло. Он чудом держался. Вантреска вывел их из дома и посадил на заднее сиденье «Ягуара». Эбби собрала для них сумку с вещами. Она переходила из комнаты в комнату и бросала в нее вещи, которые, как ей казалось, могли им пригодиться.

Ричер и Хоган отнесли тела в багажник «Линкольна», оставив себе деньги, пистолеты и телефоны. Эта работа уже стала для них привычной.

Ричер отдал Вантреске наличные, лежавшие в похожем на картофелину бумажнике Гезима Хоксы, чтобы он отвез Шевиков в отель и расплатился. Вантреска обещал довезти их до номера и помочь устроиться. Ричер сказал, что с остальными разберется с «Линкольном».

— А что мы с ним сделаем? — поинтересовался Бартон.

— Уедем на нем, — ответил Ричер.

— Куда?

— У вас сегодня выступление. Нам нужно заехать за вашим фургоном, чтобы вы могли погрузить ваши инструменты.

— С ними в багажнике? — удивился Бартон.

— Ты когда-нибудь летал на самолете? — ответил вопросом на его вопрос Ричер.

— Конечно.

— В багажном отделении наверняка перевозили гроб. Мертвых людей уже много лет репатриируют.

— Ты знаешь, что выступление будет к западу от Центральной улицы?

Ричер кивнул.

— В баре, — сказал он. — С вышибалой у двери.

# Глава

# 38

Фургон Бартона стоял на пустой парковке с оградой из плоской колючей проволоки и воротами на цепи. Они с Хоганом поехали на нем к своему дому, а Ричер и Эбби последовали за ними на «Линкольне». Фургон был подержанным автобусом, на котором раньше мамы возили детей на футбол. Задние сиденья сняли, окна закрыли черным пластиком. Ричер помог погрузить аппаратуру. Он занимался самыми разными вещами после того, как закончил службу в армии, но никогда прежде не исполнял обязанности администратора рок-н-ролльной группы. Джек отнес в фургон смертельно опасную гитару Бартона в жестком футляре, а также другие инструменты, усилитель размером с чемодан богача и колонку с восемью динамиками. Потом пришла очередь разобранной ударной установки Хогана. И в конце он помог им все аккуратно поставить внутри.

Потом они с Эбби поехали на «Линкольне» за фургоном на запад, в сторону территории украинцев. Приближался полдень. День наполовину прошел. Ричер вел машину. Эбби считала деньги, которые они забрали у парней из багажника. Не слишком много. «Мы из тех, кто сидит в машинах». Очевидно, им платили заметно меньше, чем такому старому коню, как Гезим Хокса. В их телефонах они обнаружили те же тексты, что вчера, а также заметное количество новых. Все на украинском. Эбби запомнила некоторые слова после краткого курса занятий с Вантреской.

— У них снова все изменилось, — сказала она.

— И что теперь? — спросил Ричер.

— Я не могу прочитать. Я не знаю, какая это буква. Либо та, что стоит выше «с», либо ниже «а».

— Едва ли что-то ниже. Учитывая все обстоятельства.

— Мне кажется, они во всем винят русских. Похоже, считают Аарона Шевика русским агентом.

— Откуда приходят сообщения?

— Все с одного и того же номера. Наверное, у них автоматическая система рассылки.

— Вероятно, в компьютере нервного центра, — предположил Ричер.

— Пожалуй, — согласилась Эбби.

— Проверь список звонков.

— Что искать?

— Сообщение, в котором им приказали забрать Марию Шевик.

Эбби принялась изучать список свежих звонков.

— Последний входящий звонок пришел примерно час назад, — сказала она. — Пятьдесят семь минут, если говорить точно.

Ричер стал вспоминать события в обратном порядке, как секундомер, делающий отсчет. Он следовал за фургоном на запад, загружал фургон, Бартон с Хоганом забрали его с парковки, он покинул дом Шевиков, провел внутри примерно четыре минуты и тридцать секунд, пробрался к нему через задний двор, вышел из машины. Потом — из «Ягуара», стоявшего параллельно «Линкольну», нос к носу и багажник к багажнику, но на расстоянии примерно двухсот футов. Пятьдесят семь минут. Два украинца могли выйти из лимузина примерно в этот момент.

— Откуда сделан звонок? — спросил он.

Эбби проверила.

— Странный номер сотового телефона. Вероятно, дешевый одноразовый аппарат, купленный в аптеке.

— Наверное, кто-то из верхушки, — сделал вывод Ричер. — Возможно, сам Грегори. Это серьезное стратегическое решение. Они хотели узнать, когда прибудут русские. Они думают, что я могу им рассказать. А Марию решили использовать в качестве инструмента давления на меня. Должно быть, они думают, что мы родственники.

— Какого рода давление?

— Неправильное. Позвони по тому номеру.

— Ты серьезно? — удивилась Эбби.

— Я хочу им кое-что сказать.

Эбби включила громкую связь и выбрала номер из длинного меню. В машине раздался гудок, затем голос с иностранным акцентом произнес иностранное слово: «привет», «алло», «да», «что» или любое другое, которые используют люди, когда берут трубку.

— Говори по-английски, — сказал Ричер.

— Кто ты такой?

— Сначала ты. Назови мне свое имя.

— Ты Шевик?

— Нет. Тут ты все перепутал. Ты вообще многое понимаешь неправильно.

— Тогда кто ты такой? — повторил голос.

— Сначала ты.

— Чего ты хочешь?

— У меня послание к Грегори.

— Меня зовут Данило, — сказал парень.

Эбби заметно напряглась.

— Я начальник штаба Грегори и готов выслушать твое сообщение, — продолжил он.

— Оно для Грегори, — сказал Ричер. — Соедини меня с ним.

— Только после того, как ты скажешь, кто ты такой, — потребовал Данило. — И откуда.

— Я родился в Берлине.

— Ты из Восточной Германии? Не русский?

— Мой отец служил в морской пехоте США, его откомандировали в наше посольство. Я там родился. Но через месяц находился уже в другом месте. А теперь я здесь. С посланием для Грегори.

— Твое имя?

— Джек Ричер.

— Так зовут старика.

— Я же говорил, что ты все перепутал. Я уже не так молод, как прежде, но и не настолько стар. В целом у меня все хорошо. А теперь переведи звонок.

Данило довольно долго молчал. Начальник штаба. Ему требовалось принять важное решение. Примерно как исполнительному директору. Ты не должен морочить голову начальству мелочами, но обязан уметь отличить крупную проблему, замаскированную под мелкую. Ну, и главное правило бюрократа: если испытываешь сомнения, лучше подстраховаться.

Данило так и сделал. Послышался щелчок, долгие мгновения молчания, потом еще один щелчок, и другой голос произнес иностранное слово: «привет», «алло», «да», «что» или любое другое, которые говорят люди, когда берут трубку.

— Говори по-английски, — сказал Ричер.

— Что ты хочешь? — спросил Грегори.

— Ты знаешь, с какого телефона я тебе звоню?

— А что?

— Чтобы ты понял, *кто* звонит.

— Ты сказал Данило, что тебя зовут Ричер.

— А чей телефон сейчас у меня в руках?

Ответа не последовало.

— Они мертвы, — сказал Ричер. — Они оказались совершенно бесполезными. Впрочем, как и все остальные твои парни. Они мрут как мухи. И очень скоро у тебя не никого не останется.

— Что ты хочешь? — снова спросил Грегори.

— Я иду за тобой, Грегори, — сказал Ричер. — Ты собирался причинить вред Марии Шевик. Я не люблю таких, как ты. Когда я найду тебя, ты будешь плакать, как маленькая девочка. А потом я оторву тебе ногу и забью тебя ею до смерти.

— Ты думаешь, что способен это сделать? — после паузы спросил Грегори.

— Совершенно уверен, — ответил Ричер.

— У тебя ничего не выйдет, если я увижу тебя раньше.

— Ты не увидишь. Ведь до сих пор тебе не удалось. И не удастся. Ты не сможешь меня найти. Ты недостаточно хорош. Ты — любитель, Грегори. А я — профессионал. Ты не заметишь, как я приду. Ты можешь перейти на военное положение, но это не поможет. Вот тебе мой совет: попрощайся со всеми и составь завещание.

Он выключил телефон и выбросил его в окно.

— Данило, — тихо сказала Эбби.

Едва слышный голос, полный сомнений.

— А что с ним такое? — спросил Ричер.

— Тот самый подонок.

— Какой?

— Который сделал это со мной.

# Глава
# 39

Эбби начала рассказывать свою историю, когда они остановились на перекрестке — загорелся красный цвет, — и продолжала до тех пор, пока они не проехали еще три. Ее голос был тихим и спокойным. Застенчивым, неуверенным, полным боли и стыда. Ричер слушал, стараясь не перебивать. Он решил, что так будет лучше всего.

Она рассказала, что тринадцать месяцев назад работала официанткой в баре к западу от Центра. Он был новым и стильным и приносил много денег. Флагманское заведение. В таких у дверей всегда стоит тип в костюме. Главным образом для того, чтобы Грегори получал правильный процент, но иногда он играл роль охранника. Что-то вроде вышибалы. Грегори работал именно так. Ему нравилось создавать иллюзию честного обмена услугами.

Эбби в целом не имела ничего против такой системы. Она работала в барах всю свою сознательную жизнь и знала, что плата за защиту неизбежна, а от вышибалы бывала определенная польза, когда пьяные посетители начинали ее лапать и делать непристойные предложения. В большинстве случаев Эбби предпочитала заключить сделку с дьяволом. Она была готова плыть по течению, чтобы жить спокойно, и иногда делала вид, что ничего не замечает; в других ситуациях вмешательство вышибалы шло ей на пользу.

Но однажды молодой парень двадцати с небольшим лет устроил в баре вечеринку в честь своего дня рождения. Он был специалистом по компьютерам, худой, нервный, в постоянном движении, громко смеявшийся над самыми разными вещами. Но совершенно безобидный. По правде говоря, Эбби думала, что у него не всё в порядке с головой. Вроде как разболтались какие-то винтики и потому он находился в сильном возбуждении. И все же никто не возражал. За исключением мужчины в костюме за тысячу долларов, который рассчитывал, что атмосфера в баре будет другой. Может быть, более изысканной. Он пришел с женщиной в платье за тысячу долларов, и они всячески демонстрировали, что им здесь не нравится, причем так активно, что даже вышибала обратил на них внимание.

Вышибала занимался тем, что ему и полагалось делать: следил за посетителями в зале и тщательно их оценивал, чтобы понять, какую пользу можно извлечь из каждого гостя в дальнейшем. Очевидно, его заинтересовала пара в одежде на пару тысяч долларов. Они пили модные коктейли. Их счет наверняка составил бы несколько сотен долларов. Компьютерщик двадцати с небольшим лет медленно потягивал местное пиво. Его счет не превысил бы двенадцати «баков», и вышибала предложил ему покинуть бар.

— В тот момент, — продолжала Эбби свою историю, — я не собиралась возражать. Ну да, печально и подло, но таков реальный мир. Все заботятся о собственном бизнесе. Но когда они оказались лицом к лицу, я поняла, что вышибала ненавидит того парня. Думаю, дело в подсознании. Конечно, он был слегка не в себе. И вышибала на него отреагировал. Все предельно примитивно. Как если бы паренек оказался не таким, как все, и его следовало вышвырнуть вон. Или вышибала испугался. Некоторые боятся людей с психическими отклонениями. Так или иначе, он вытащил его на улицу через задний выход и избил до полусмерти. То есть очень сильно. Проломил череп, сломал ребра, таз и ногу. И это меня уже не устраивало.

— И что ты сделала? — спросил Ричер.

— Я обратилась в полицию. Конечно, я знала, что Грегори платит всему департаменту, но мне казалось, что должна существовать граница, которую ему не позволяют переходить.

— Не пугать избирателей, — сказал Ричер.

— Однако оказалось, что я ошибалась, — продолжала Эбби. — Потому что ничего не произошло. Копы полностью меня проигнорировали. Не сомневаюсь, что Грегори договорился с ними за кулисами. Вероятно, сделав телефонный звонок. Между тем я осталась совершенно без защиты. Одна.

— И что было дальше?

— В первый день — ничего. А потом меня вызвали на дисциплинарный трибунал. Они любят такие вещи. Организованная преступность еще более бюрократична, чем почта. За столом сидели четыре человека. Заседание возглавлял Данило. Он ничего не говорил. Просто наблюдал. Сначала я молчала. Я считала происходящее полной чепухой, ведь я работала не на них, значит, они не имели никакого права диктовать правила. По мне, так они могли забрать свой дисциплинарный трибунал и засунуть туда, где не светит солнце. И тут они объяснили, какова реальность. Если я не буду с ними сотрудничать, то больше никогда не найду работу к западу от Центра. А это составляло половину возможных мест. Естественно, я не могла их потерять. Тогда мне пришлось бы голодать. Или уехать из города и начать все сначала в другом месте. Ну, я им ответила: ладно, как скажете.

— И что было дальше? — повторил свой вопрос Ричер.

Эбби пожала плечами, покачала головой, но не стала прямо отвечать на его вопрос.

— Мне велели подробно описать мое преступление, — продолжала она. — Объяснить мотивы, а потом указать, в какой момент я поняла, что совершила ошибку. И принести извинения самым искренним образом, снова и снова — за то, что пошла в полицию и донесла на вышибалу, что думала, будто знаю, как следует правильно поступать. Я обещала, что исправлюсь, заверяла их, что мне можно разрешить работать в дальнейшем. Потом они приказали сделать официальное заявление, сказать: «Пожалуйста, сэр, позвольте мне работать в вашей половине города». Правильным голосом. Как хорошая маленькая девочка.

Ричер промолчал.

— Затем мы перешли к следующему этапу, — продолжала Эбби. — Они объяснили, что я должна заплатить неустойку и продемонстрировать мою искренность. Они принесли видеокамеру со штативом. Мне приказали встать прямо, выдвинуть вперед подбородок, а плечи отвести назад. И сообщили, что я должна получить сорок пощечин. Такова неустойка. Двадцать по правой щеке и двадцать по левой, а они заснимут все на камеру. Они сказали, что я должна выглядеть храброй и не плакать. И еще мне не следовало уклоняться, а предлагать себя смело и с желанием, потому что я заслужила наказание.

Ричер молчал.

— Они включили камеру, — продолжала Эбби. — Меня бил Данило. Это было ужасно. Открытой ладонью, но по-настоящему сильно. Полдюжины раз он сбивал меня с ног, а я должна была вставать, улыбаться и говорить: «Простите, сэр». И занимать прежнюю позицию добровольно и с желанием. А еще мне приказали вести счет. Один, сэр, два, сэр. Я не знаю, что было хуже — боль или унижение. Он остановился в середине. И сказал, что я могу прекратить наказание. Но тогда сделка будет разорвана. Мне придется покинуть город. Я ответила, что останусь. Он заставил меня громко повторить: «Пожалуйста, сэр, я хочу, чтобы вы продолжали давать мне пощечины». Когда он закончил, лицо у меня распухло и страшно покраснело, в голове звенело, во рту появилась кровь. Но сейчас я думаю о камере. Я уверена, что они снимали для Интернета. Иначе быть не может. Для порнографического сайта, посвященного насилию и унижениям. И теперь мое лицо там повсюду — и все видят, как мне отвешивают пощечины.

Ехавший впереди фургон Бартона начал тормозить.

— Хорошо, — сказал Ричер. — Данило. Хорошо, что я это знаю.

## Глава

# 40

Зал, в котором выступали музыканты, находился в подвале широкого кирпичного здания, на приличной улице в трех кварталах от первых высотных домов центра. На первом этаже расположились кафе и бутики, другие заведения занимали остальные; всего их было двенадцать, с общим грузовым входом сзади, куда и направился Бартон. Ричер поставил «Линкольн» рядом, и они вместе перенесли всю аппаратуру к лифту. Следом подъехал Вантреска на «Ягуаре» и припарковался по другую сторону от фургона.

— Я с оркестром, — сказал Вантреска, когда вышел из машины.

Бартон и Хоган поехали с аппаратурой вниз на лифте.

Ричер и Эбби остались на улице. Эбби спросила Вантреску про Шевиков.

— Они в отеле, — ответил Вантреска. — В номере на одном из верхних этажей. Далеко от всех и безопасно. Они приняли душ и прилегли отдохнуть. Я объяснил им, как работает обслуживание номеров. С ними все будет в порядке. Они показались мне неунывающими. Они слишком старые, чтобы быть снежинками[1]. К тому же теперь они могут смотреть телевизор. И они счастливы. Но изо всех сил это скрывают.

Эбби отдала ему второй телефон украинцев. Тот, что Ричер не выбросил в окно. Вантреска прочитал цепочку последних текстовых сообщений.

— Им известно, что албанская группировка уничтожена, — сказал он. — Украинцы считают, что против них и албанцев действует организованная преступность русских. Они перешли на Положение Б. Усилили охрану. Занимают оборону. Они говорят: никто не пройдет. С восклицательными знаками. Очень драматично. Звучит как лозунг с плакатов Восточного блока.

— Есть упоминания Труленко? — спросил Ричер.

— Ничего. Предположительно, усиление охраны относится и к нему.

— Но они не прекратили с ним отношений?

— Об этом речи не было.

— Следовательно, они не могут остановить то, что он делает. Даже из-за войны с организованной преступностью русских. А это должно нам кое-что сказать.

— И что же?

— Пока не знаю. Ты заезжал в свой офис?

Вантреска кивнул, достал листок бумаги из заднего кармана брюк и протянул Ричеру. Имя и номер. Барбара Бакли. «Вашингтон пост». Код округа Колумбия.

---

[1] Поколение снежинок — оскорбительный термин для обозначения поколения, годы взросления которого пришлись на начало XXI века. Название подчеркивает уязвимость этих молодых людей и их уверенность в своей исключительности.

— Пустая трата времени, — сказал Вантреска. — Она не станет с тобой разговаривать.

Ричер взял добытый у украинцев телефон. Набрал номер. Послышались гудки. Трубку кто-то поднял.

— Госпожа Бакли? — спросил Джек.

— Ее нет, — ответил голос. — Попробуйте позвонить позже.

Трубку повесили. Почти полдень. Середина дня. Они спустились на пустом грузовом лифте в подвал, где нашли Бартона и Хогана, устанавливавших аппаратуру. На сцене находились двое их друзей. Парень, игравший на гитаре, и женщина, которая пела. Раз в неделю они встречались здесь в обеденное время.

Ричер остался в тени. Помещение было большим, но с низким потолком и без окон. Зато имелись стойка бара, шедшая вдоль правой стены, прямоугольник паркетной танцплощадки, несколько стульев и столов и немного свободного пространства, где люди могли стоять. В зале уже собралось около шестидесяти человек, и зрители продолжали приходить. Мимо парня в костюме, сидевшего на стуле в дальнем левом углу. Не совсем швейцар. Скорее солдат, стоящий на посту у подножия лестницы.

Однако он исполнял ту же роль, что и типы в костюмах в других заведениях. Считать головы и выглядеть крутым. Крупный мужчина. Черный костюм, белая рубашка, черный шелковый галстук. В ближнем левом углу зала находились широкий коридор, ведущий к туалетам, пожарный выход и грузовой лифт. Именно оттуда они пришли. На потолке, на большом кольце были смонтированы разноцветные прожектора, все, как один, направленные на сцену. Другое освещение практически отсутствовало. Тусклый огонек пожарного выхода над входом в коридор и еще один над головой вышибалы.

Все хорошо.

Ричер отступил к сцене. Музыканты уже установили аппаратуру, и та тихонько гудела и жужжала. Бас-гитара Бартона стояла возле огромного усилителя. Все готово к началу выступления. За спиной Бартона находился запасной ин-

струмент, на случай экстренной ситуации. Сам Бартон сидел за столом рядом и поглощал гамбургер. Бартон сказал,
что оркестр получает бесплатную кормежку. Все, что они
пожелают из меню в пределах двадцати долларов.

— А какую музыку вы будете играть? — спросил Ричер.

— В основном фоновую, — ответил Бартон. — Может
быть, споем пару наших песен.

— Вы очень шумные?

— Если мы захотим.

— А люди здесь танцуют?

— Если мы захотим, — повторил Бартон.

— Тогда заставьте их танцевать во время третьего номера, — попросил Ричер. — И пусть музыка будет громкой.
И чтобы все не сводили с вас глаз.

— Такие вещи мы обычно играем в конце.

— Мы очень спешим.

— У нас есть рок-н-ролльное попурри. Все под него танцуют. Пожалуй, мы сможем сыграть его пораньше.

— Годится. Спасибо тебе.

Все хорошо.

План составлен.

\* \* \*

Свет погас, включились прожектора на потолке, оркестр
заиграл первую песню в среднем темпе, с печальным тек-
стом и мощным рефреном. Ричер и Эбби отошли к ближайшему углу зала, по диагонали от сидевшего на стуле охранника в костюме, потом пробрались сквозь толпу у бара
и двинулись вдоль правой стены, направляясь к дальнему
правому углу. Они оказались там как раз в тот момент, когда оркестр заиграл вторую песню, более быструю и завод-
ную, чем первая. Музыканты постарались разогреть зрителей, чтобы подготовить их к попурри, которое должно было
последовать за второй песней. У них получилось просто замечательно. Они попали в яблочко. Даже Ричера проняло.
Он заметил, что у Эбби точно такое же настроение. Она

шла впереди, и он видел это по ее бедрам. Ей очень хотелось танцевать.

И, как это ни смешно, они принялись танцевать, находясь снаружи толпы, рядом со стеной, подпрыгивая, но сохраняя направление движения, два шага вперед, шаг назад, но в целом получая удовольствие от процесса. Нечто вроде освобождения, или отвлечения, или утешения. Или нормального поведения. То, что должны делать два человека, которые только что познакомились.

Все вокруг них были заняты тем же самым. Вот почему, когда настало время третьего номера, в зале воцарился настоящий хаос; люди топали по паркетному полу или по ковру, прыгали на месте, задевали столики, разливали выпивку, сходили с ума. «Заставьте их танцевать. И пусть музыка будет громкой. И чтобы все не сводили с вас глаз». Бартон оказался на высоте.

Ричер и Эбби перестали танцевать.

Они незаметно прошли вдоль задней стены за массой танцующих в сторону дальнего левого угла и оказались за спиной у вышибалы, сидевшего на стуле. Ждали в полумраке, в шести футах, пока на лестнице не появилась группа опоздавших зрителей. Охранник на стуле посмотрел на них. Ричер шагнул вперед и хлопнул его по плечу. Словно по-дружески приветствовал. Или в качестве сюрприза, как будто просто пошутил, как любят делать некоторые посетители. Джек решил, что опоздавшие воспримут это именно так. Однако они не заметили, как его пальцы стиснули ворот рубашки, а другая рука снизу и сзади прижала дуло пистолета к основанию спины охранника в костюме. Очень сильно. Настолько, что он должен был получить серьезную травму еще до того, как Ричер нажмет на спусковой крючок.

Джек подался вперед и заговорил в ухо вышибалы:

— Мы с тобой выйдем прогуляться.

Потом потянул его вверх левой рукой, подтолкнул сзади дулом пистолета, заставил встать и сохранить равновесие и еще сильнее сжал ворот. Эбби подошла к охраннику, похлопала его по карманам и вытащила телефон и пистолет. Еще один стальной «П7». Оркестр перешел ко второй песне в попурри. Более быстрой и громкой. Ричер снова подался вперед.

— Слышишь музыку? — крикнул он. — Я могу засадить тебе четыре пули в задницу, и никто ничего не заметит. Так что делай, что я говорю.

Он начал подталкивать охранника-вышибалу вдоль левой стены, и они двигались вперед, точно тень с четырьмя ногами, вроде той, что Ричер видел в коридоре Шевиков. Эбби следовала за ними, отставая на шаг, как ведомый, одновременно раскачиваясь под звуки музыки вперед и назад, вправо и влево. Оркестр перешел к третьей части. Еще энергичнее и громче. Ричер заставил громилу идти быстрее, и они почти выбежали в коридор. К грузовому лифту. Вверх на улицу. К свету дня. Затем Ричер подвел его к багажнику «Линкольна», заставил выпрямиться и посмотреть внутрь.

Эбби нажала на кнопку.

Крышка багажника поднялась.

Два трупа. Такие же костюмы и галстуки. Неподвижные, залитые кровью, воняющие.

Парень отвернулся.

— Ты будешь таким же ровно через минуту, — сказал Ричер. — Если не ответишь на мой вопрос.

Вышибала ничего не сказал. Он не мог говорить. Ворот его рубашки был натянут слишком туго.

— Где работает Максим Труленко? — спросил Ричер.

Он слегка ослабил ворот, и его пленнику удалось сделать пару глотков воздуха. Он посмотрел налево, направо, потом на небо, как будто взвешивал все варианты. Перевел взгляд вниз, на трупы в багажнике.

Потом присмотрелся внимательнее. И сказал:

— Это мой двоюродный брат.

— Который из двух? — спросил Ричер. — Тот, кого я застрелил в голову, или тот, что получил пулю в горло?

— Мы приехали сюда вместе, — сказал вышибала. — Из Одессы. Наш самолет приземлился в Нью-Джерси.

— Должно быть, ты путаешь меня с кем-то, кому до этого есть дело. Я задал вопрос. Где работает Максим Труленко?

Парень произнес слово, которое они видели в текстовых посланиях. Биологически неточное. Муравейник, гнездо или нора. Для тех, кто гудит, жужжит или стрекочет.

— Где это находится? — спросил Ричер.

— Я не знаю. Секретная информация.

— Насколько велико это место?

— Не знаю.

— Кто еще там с ним находится?

— Не знаю.

— А как насчет Грегори и Данило?

— Нет.

— И где они работают?

— В офисе.

— Он находится в другом месте?

— Относительно чего?

— Слова, которое ты произнес. От муравейника.

— Конечно.

— Где находится офис?

Парень назвал улицу и ту, которая ее пересекала.

— За компанией такси, напротив ломбарда, рядом с залоговой конторой.

— Мы там были, — сказала Эбби.

Ричер кивнул. Его левая рука сбоку скользнула под воротник парня, и он продолжал сжимать пальцы до тех пор, пока узел галстука не оказался в центре его ладони. Он чувствовал его под тканью рубашки. Шелковый галстук, примерно в полтора дюйма шириной в том месте, где он его держал. Более высокий предел прочности, чем у стали. Шелк мерцал из-за того, что волокна были треугольными, как вытянутые призмы, которые эффектно преломляли свет, но так плотно прилегали друг другу, что было практически невозможно разорвать их по всей длине. Стальной кабель не выдержал бы нагрузок раньше.

Ричер сжал кулак. Выбрал всю слабину. Сначала его рука лежала прямо, костяшки пальцев параллельно смятому краю ворота. Словно он висел на одной руке на перилах лестницы. Затем повернул большой палец к себе, а мизинец — в противоположном направлении, как будто собирался начать вращать лестницу наподобие пропеллера. Или натянул поводья, заставляя лошадь остановиться. Все это привело к тому, что костяшки мизинца вдавились в шею парня и петля, более прочная, чем сталь, натянулась на шее вышибалы сильнее. Ричер подержал так руку несколько мгновений, потом еще немного ее повернул. И еще. Вышибала сохранял спокойствие. Давление усиливалось с боков, а не сзади и спереди, и не мешало ему дышать. Он не задыхался из-за недостатка воздуха. И не дергался в панике. Но обе артерии, снабжавшие кровью мозг, были перетянуты, и она не поступала в мозг. Расслабление. Умиротворение. Как наркотик. Тепло и комфортно.

Сонно.

Почти эйфория.

Все почти закончилось.

Ричер подержал его еще минуту, для верности, а потом толкнул в багажник, к двоюродному брату, и захлопнул крышку. Эбби посмотрела на него, словно спрашивала: мы их всех убьем? В ее взгляде он не увидел неодобрения. Не было в нем и укора. Просто ей требовалась информация. «Надеюсь, что так», — подумал Джек.

— Пожалуй, пришло время еще раз позвонить в «Вашингтон пост», — вслух сказал он.

Эбби протянула ему телефон мертвеца. На экране появилось новое сообщение. Отмеченное как непрочитанное. В толстом зеленом пузыре была фотография Ричера. Портрет, сделанный в баре ростовщика. Бледный мужчина взял телефон, раздался щелчок. Под портретом довольно длинное сообщение на кириллице.

— Проклятье, и какие у них теперь проблемы? — спросил Ричер.

— Вантреска нам переведет, — сказала Эбби.

Джек по памяти набрал номер «Вашингтон пост» — ведь он звонил по нему совсем недавно — и услышал только один гудок. Потом трубку сняли.

— Госпожа Бакли? — спросил Ричер.

— Да, — ответил женский голос.

— Барбара Бакли? — уточнил Джек.

— Что вы хотите? — спросила женщина.

— У меня для вас есть две вещи. Хорошие новости и история.

## Глава

# 41

На заднем фоне Ричер слышал шум и суету. Большое открытое пространство. Может быть, низкий твердый потолок. Стук клавиатуры. Дюжины одновременно идущих разговоров.

— Я полагаю, вы сидите за письменным столом в отделе новостей, — сказал Ричер.

— Да неужели, Шерлок? — съязвила Барбара Бакли.

— Полагаю, что у вас имеется телеграфная лента и кабельные новости, которые показывают сразу на нескольких мониторах, — продолжал Ричер.

— Их сотни.

— Может быть, прямо сейчас идут новости о пожаре на лесопилке в городе, который вы знаете.

Ответа не последовало.

— Хорошая новость состоит в том, что на лесопилке находилась штаб-квартира албанской банды, — продолжал Ричер. — Она сгорела дотла. Большинство гангстеров мертвы, а их тела остались внутри. Остальные сбежали. Они уже в прошлом. И вещи, которые они вам говорили, больше не имеют значения. Те, что вы от них услышали во время встречи в задней комнате ресторана два месяца назад. Угрозы исчезли навсегда. С сегодняшнего дня. Мы считаем, что вы должны об этом знать — часть нашего протокола прав жертв.

— Вы из полицейского управления? — спросила Бакли.

— Строго говоря, нет.

— Но вы представляете правоохранительные органы?

— Имеющие много уровней.

— А на каком уровне находитесь вы?

— Мэм, с величайшим возможным уважением, но вы журналистка. Есть вещи, которые лучше не произносить вслух.

— Вы хотите сказать, что можете ответить на мой вопрос, но тогда вам придется меня убить?

— Мэм, на самом деле мы не говорим такие вещи.

— Вы звоните из того города? — спросила она.

— Я предпочел бы не обсуждать конкретные места. Но здесь у нас очень тепло.

— Подождите. А как вам вообще удалось меня найти? Я никому не сообщала об угрозах.

Ричер сделал вдох, чтобы перейти ко второй части сценария, но Барбара Бакли была специалистом по журналистским расследованиям и опередила его. Ей хватило сообразительности моментально, на основе догадок, предположений и допущений, выстроить цепочку причинно-следственных связей, к которой Ричер хотел ее подвести.

— Подождите, о моей встрече с гангстерами знал только нанятый мною местный охранник, который потом отвез меня в аэропорт, — сказала она. — Бывший военный, довольно высокого ранга, о чем я знаю наверняка, потому что проверяла его; следовательно, именно он сделал доклад, вероятно, другу или коллеге, имеющему определенный интерес, вероятно, в Пентагоне — скорее всего, вы оттуда. Какое-нибудь секретное трехбуквенное агентство.

— Мадам, — ответил Ричер, — я предпочел бы ничего не подтверждать и не отрицать.

— Как пожелаете, — сказала Барбара Бакли, потом сделала глубокий вдох, и ее голос изменился. — Я ценю, что вы мне позвонили. Благодарю вас. Ваш протокол работает очень успешно.

— Вы чувствуете себя лучше?

— Вы сказали, что у вас есть для меня история. Она о том, что организация албанцев прекратила свое существование?

— Нет. Речь о другом. Это связано с вами.

— Я не буду ничего предавать огласке. Я бросила расследование. Поступила совсем не так, как следовало бесстрашному репортеру.

— Это другая сторона монеты. О том, как бесстрашный репортер совершает прорыв в расследовании. Благодаря проделанной им работе. Вы приехали сюда не просто так. Не из-за албанцев. Вы дали понять, что вас интересовали украинцы. Нам поможет, если вы расскажете о причинах вашего интереса.

— Я не понимаю...

— Чем, по-вашему, занимались здесь украинцы?

— Я поняла вопрос. Мне лишь неясно, почему его задаете вы, представитель трехбуквенного агентства. Вы наверняка знаете, по какой причине вас отправили в этот город. Или сейчас вы как раз и делаете свою работу? Передаете расследование газете?

Ричер сделал вдох и перешел к третьей части сценария:

— Очевидно, вы откуда-то получили информацию. Как и мы, конечно. Но ваш источник не совпадает с нашим. Это я могу вам гарантировать. Вот почему, если мы сделаем вас звездой шоу, сами останемся в тени и направим подозрения в другую сторону. Мы защищаем наши источники. Они живут, чтобы продолжить сражение в будущем. И это может оказаться важно. Но правила применения силы требуют озвучивания правдоподобного обвинения из уст надежного человека, перед тем как мы получим шанс действовать. Мы не можем просто придумать историю. Это вопрос, требующий серьезного рассмотрения.

— Вы записываете наш разговор? — спросила Бакли.

— Для этого мне требуется ваше разрешение.

— И вы признаете, что я раскрыла дело?

— Я думаю, мы обязаны. Так будет лучше для всех. Никто не станет искать наших людей. К тому же нам все равно. Я не хочу, чтобы меня показывали по телевизору.

— Но я журналистка. Никто не скажет, что я заслуживаю доверия.

— Это все для галочки. С тем же успехом мы могли бы привлечь гадалку на картах Таро.

— Все началось со слуха, который дошел до меня через друга моего друга, — начала Бакли. — История состояла в том — что бы там ни утверждали политики, — что профессионалы разведки на самом деле сумели отследить фальшивые новости в Интернете до российского правительства в Москве и неплохо научились их блокировать, но неожиданно возникли препятствия. Слух гласил, что русским каким-то образом удалось проникнуть внутрь системы. Они действовали в Соединенных Штатах, и блокировка перестала работать.

— Хорошо, — сказал Ричер.

— Но я пришла к определенным выводам. Очевидно, их посольство в операции не участвовало, в противном случае мы узнали бы об этом. Мы полностью контролируем его электронным образом. И русские не стали размещать здесь весь проект, потому что они суют нос не только в наши дела. Они действуют по всему миру. Судя по всему, русские передали американскую часть проекта своему агенту, который уже находился здесь. Что-то вроде честной деловой сделки. Или франшизы. Но кому? Русская мафия в США не так уж сильна, к тому же российское правительство вряд ли станет с ней связываться.

Я попыталась разобраться. У меня появилась кое-какая информация. Компьютерщики в газете отслеживают такие вещи. У них есть рейтинги, как в Национальной футбольной лиге. Бывшие советские республики очень хороши в современных технологиях. Например, Эстония. И Украина, как выяснили наши парни. Москва и Киев не общаются, потому что находятся в ссоре. Однако Москва может вести переговоры с украинской мафией в США. И это будет идеальным прикрытием. Никто не подумает, что между ними существует связь. Наши гении сказали, что украинцы весьма неплохо разбираются во всем, что связано с программированием и компьютерами. И вот что произошло, как мне кажется. Между российским правительством и украинской мафией в США был подписан контракт на год по меньшей мере на десятки миллионов долларов. У меня нет доказательств, но я уверена, что права. Считайте мои выводы догадкой журналиста.

— Хорошо, — снова сказал Ричер.

— Но пару месяцев назад все изменилось, причем это произошло буквально за один вечер. Они стали не просто хороши в своем деле; внезапно они начали выдавать результаты высочайшего класса. Наши парни предположили, что они купили нового талантливого программиста. Может быть, выписали консультанта из Москвы. И тогда я поехала проверить. По наивности я рассчитывала, что найду в городе русского, который там заблудился.

— Значит, вы собирались довести расследование до конца.

— И не сумела.

— И где вы стали бы искать?

— Понятия не имею. По плану, это был мой следующий шаг. Но я так его и не сделала.

— Хорошо, — еще раз сказал Ричер. — Благодарю вас.

— Этого достаточно? — спросила Бакли.

— Человек, заслуживающий доверия, разумная причина. Галочки расставлены.

— Еще раз благодарю вас за первую часть звонка. Теперь я чувствую себя намного лучше.

— Согласитесь, замечательное чувство. Разве не так? Вы живы, а они — нет.

* * *

В конце часового выступления вспотевшие Бартон и Хоган, нагрузившись аппаратурой, вышли на улицу. Вантреска им помогал. Он прочитал новое сообщение украинцев под фотографией в большом зеленом пузыре.

— Абсурд, — заявил он.

— Она застала меня врасплох, — признался Ричер.

— Не фотография, — пояснил Вантреска. — Послание от Грегори. Он пишет, что ты — авангард атаки, направление которой он более не в силах предсказать. Он даже не исключает, что ты — агент Киева. Вот почему тебя необходимо поймать любой ценой. И доставить к нему живым.

— Ну, полагаю, это лучший из возможных вариантов.

— Вышибала что-нибудь рассказал?

— Довольно много. Но журналистка — больше.

— Она стала с тобой разговаривать? — удивился Вантреска.

— Речь идет о сфабрикованных новостях в Интернете. Они инспирированы Россией, но источник на данный момент находится в Соединенных Штатах. Мы больше не можем блокировать фальшивки. Бакли пришла к выводу, что Москва наняла украинцев в качестве своих представителей. Но примерно два месяца назад качество их работы резко улучшилось. Она сказала, что компьютерные специалисты из газеты считают: украинцам удалось привлечь новый талант. Других объяснений не существует.

— Труленко исчез с радаров примерно два месяца назад, — заметил Вантреска.

— Совершенно верно, — подтвердил Ричер. — Он прекрасный программист и теперь работает по контракту на русских. Их правительство платит Грегори, а тот — Труленко. Естественно, забирая себе солидный процент. Наверное, он чувствует себя как утром в Рождество. Журналистка говорит, что контракт может стоить десятки миллионов долларов.

— А что рассказал вышибала?

— Это тайная вспомогательная операция, существующая отдельно от главного офиса. Он не знает, где она базируется, насколько велика, кто там работает и сколько их там.

— И ты считаешь, что узнал много?

— Если мы сведем полученную информацию вместе, то сможем начать выяснять, что им требуется для успешного ведения дел. Безопасность, размещение, надежный источник энергии, высокоскоростной Интернет, изоляция; но база должна находиться не слишком далеко, чтобы ее снабжение не представляло особых трудностей.

— База может располагаться в любом городском подвале. Им вполне по силам провести нужные коммуникации и поставить пару коек.

— Койками тут не обойтись, — возразил Ричер. — Речь идет о годичном контракте. И я не сомневаюсь, что он может быть продлен. Вероятно, это долговременный проект.

— Ладно, — не стал спорить Вантреска, — кроме коек они доставили туда материалы для обшивки стен, покрасили их и положили ковры. Может быть, поставили двуспальные кровати.

— Нам пора начинать поиски, — вмешалась Эбби.

— Но сначала нужно сделать кое-что еще, — сказал Ричер. — Мне об этом напомнила жуткая фотография в телефоне. Я хочу нанести ее автору визит. Уже больше двенадцати часов. Могу спорить, что его посетили несколько клиентов, которые погасили долги. Деньги нужны Шевикам сегодня, и нам все еще не хватает тысячи долларов.

* * *

На этот раз за руль села Эбби. Ричер чувствовал, что в багажнике лежит тяжелый груз. На поворотах «Линкольн» слегка заносило. Более шестисот фунтов — вес немалый. Вполне возможно, что конструкторам лимузина не приходило в голову, что может возникнуть подобная ситуация.

Они остановились, не доезжая до бара, на соседней улице. Предполагало ли Положение Б увеличение охраны повсюду? Ричер решил, что нет. Для этого им просто не хватит людей. Они консолидируют ресурсы в самых важных местах, которые ценят выше всего. Ричер сомневался, что ростовщический бизнес относится к данной категории.

Он подошел к углу и осторожно посмотрел в сторону бара. На улице никого, нет припаркованных неподалеку автомобилей; нигде не стояли, опираясь о стены, головорезы в костюмах с галстуками.

Ричер вернулся в «Линкольн», они проехали дальше, пересекли улицу с баром и оказались в переулке с противоположной стороны, в старой части города, построенной во времена, когда Александр Грэм Белл изобрел телефон, а все более новое появилось уже позднее. С клонившихся к тротуарам столбов неровно свисали толстые пучки проводов и кабелей, на стенах болтались случайным образом прикрепленные счетчики воды и газа. И стояло несколько высоких контейнеров для мусора. За баром Ричер заметил припаркованный «Линкольн». Пустой. Наверняка на нем приехал один из белокожих парней, который в конце дня отправится на нем домой.

Эбби остановилась рядом с ним.

— Могу я помочь? — спросила она.

— А ты хочешь? — сказал Ричер.

— Да.

— Тогда зайди в бар со стороны главного входа, как обычный посетитель. Сделай секундную паузу. В дальнем правом углу будет сидеть ростовщик; ты иди к дальней стене.

— Зачем?

— Я хочу, чтобы он отвлекся. Он будет все время за тобой наблюдать. Частично из-за того, что ты можешь оказаться новым клиентом, но, главным образом, ты самая красивая картинка, которую он увидит за целый день. Возможно, за всю свою жизнь. И не обращай внимания на бармена и то, что он скажет. Он настоящий ублюдок.

— Я поняла.

— Хочешь пистолет?

— А мне он нужен?

— Не помешает.

— Давай. — Эбби кивнула.

Он отдал ей «Хеклер и Кох» вышибалы из зала, где выступал оркестр Бартона. В его руке пистолет выглядел изящным, а в ее — громадным. Эбби взвесила его на ладони, засунула в карман и зашагала вдоль переулка к входу в бар. Ричер нашел заднюю дверь. Обычная стальная панель, потускневшая, старая, поцарапанная и покрытая вмятинами, оставшимися после ударов тележек, бочек и ящиков. Он нажал на ручку. Не заперто. Наверняка один из городских законов. Это еще и пожарный выход.

Ричер проскользнул внутрь и оказался в дальнем конце короткого коридора. Слева и справа находились туалеты. Дальше — дверь помещения для персонала. Потом — офис или кладовая. Или и то и другое. Ричер подошел к концу коридора, откуда можно было заглянуть в зал. С того места, где он стоял, прямоугольник бара находился в ближайшем правом углу, центральный проход между столиками на четверых уходил к входной двери. Ничего не изменилось. Такое же тусклое освещение, пахнет пролитым пивом и дезинфектантом.

На этот раз в баре были пятеро посетителей, как и прежде сидевших за отдельными столиками и с несчастным видом защищавших свою выпивку. За стойкой стоял все тот же тип, только щетина у него на лице стала шестидневной, однако через плечо он перебросил свежее полотенце.

Бледный парень сидел за задним столиком слева от Ричера. Тот же самый, со светящейся в полумраке кожей, блестящими волосами, толстыми белыми запястьями, большими белыми руками и черной бухгалтерской книгой. И с той же татуировкой.

Эбби вошла через уличную дверь и немного постояла после того, как та закрылась у нее за спиной. Настоящий перформанс. Все глаза устремились в ее сторону. Сзади ее освещал тусклый неоновый свет. Миниатюрная и похожая на мальчика, аккуратная и стройная, одетая в черное. Короткие темные волосы, живые карие глаза. Смущенная, но заразительная улыбка. Незнакомка, впервые попавшая сюда, ждущая достойной встречи.

Однако она так ее и не дождалась. Все пятеро посетителей отвернулись. Но только не бармен. И не белокожий парень за дальним столиком. Эбби пошла вперед; оба не сводили с нее глаз.

Ричер сделал шаг. Он находился в шести футах позади и шести футах сбоку от ростовщика. Тот вполне мог краем глаза заметить приближение Ричера, и ему оставалось надеяться, что Эбби полностью завладела его вниманием. Она продолжала идти вперед, а Джек сделал еще один шаг.

— Эй, — позвал бармен.

Ричер знал, что он также находится в поле зрения бармена. В шести футах позади и шести сбоку. Далее произошли одновременно несколько вещей. Как в сложном балете.

Или в бейсболе, когда сразу три игрока оказываются в ауте во время одного иннинга. Бледный парень оглянулся, начал вставать, а Ричер шагнул к стойке, схватил двумя руками большую голову бармена, подпрыгнул и впечатал ее лбом в красное дерево, как если бы поймал высокий бейсбольный мяч. При приземлении он использовал инерцию, чтобы повернуться к ростовщику; один шаг, второй — и мощнейший удар прямой правой, в который Ричер вложил всю массу своего тела, в центр лица, когда тот поднимался со стула. Ростовщика отбросило назад, словно в него выстрелили из пушки; он распростерся на полу и остался лежать на спине. Изо рта и носа тут же полилась кровь.

Все пятеро посетителей вскочили и выбежали на улицу. Должно быть, стандартная местная реакция в подобных ситуациях. Ричер мог только поаплодировать им. Свидетелей больше не было. На стойке бара остались зубы и кровь, а сам бармен свалился за нее и исчез из виду.

— Пожалуй, он не все время смотрел на меня, — заметила Эбби.

— Я же тебе говорил, — ответил Ричер. — Он настоящий ублюдок.

Они опустились на корточки возле бледного ростовщика и забрали его пистолет, телефон и ключи от машины, а также что-то около восьми тысяч долларов из карманов. У него был сильно разбит нос, и он дышал ртом. На губах пузырилась кровь. Ричер вспомнил, как тот постукивал по своей блестящей голове белым, точно кость, пальцем. Что-то вроде скрытой угрозы.

— Да или нет? — спросил Ричер.

Эбби помедлила несколько секунд.

— Да, — сказала она.

Ричер прижал ладонь ко рту бледного типа; ему было трудно ее там удерживать, потому что лицо стало скользким от крови. Однако он справился. Ростовщик потратил некоторое время, пытаясь достать из кармана пистолет, которого там уже не было, а в оставшиеся мгновения своей жизни стучал каблуками по полу и пытался оттолкнуть руку Ричера. В конце концов он прекратил сопротивление и замер.

* * *

Они взяли «Линкольн» украинца, потому что у него был пустой багажник и он держал дорогу гораздо лучше, вернулись в центр и припарковались возле гидранта, напротив отеля Шевиков. Эбби проверила телефон украинца. Однако там не оказалось новых сообщений. Ничего, если не считать теории заговора Грегори.

— Последнее сообщение пришло с номера Грегори? — спросил Ричер.

Эбби сравнила его с предыдущими текстами.

— Думаю, да, — ответила она. — Это не новый номер.

— Нужно позвонить ему еще разок. Чтобы держать его в курсе.

Эбби нажала кнопку быстрого набора и включила громкую связь. Они услышали гудок. Трубку сняли. Грегори произнес слово, короткое и резкое, скорее всего, не «алло». Наверное, «да» или «что?».

— Говори по-английски, — сказал Ричер.

— Ты, — ответил Грегори.

— Ты только что лишился еще двоих людей. Я иду за тобой, Грегори.

— Кто ты?

— Я не из Киева.

— Тогда откуда?

— Сто десятое подразделение ВП.

— И что это такое?

— Скоро узнаешь.

— Чего ты от меня хочешь?

— Ты совершил ошибку.

— Какую?

— Пересек черту. Так что готовься. Настало время расплаты.

— Ты американец.

— Как яблочный пирог.

Грегори довольно долго молчал. Очевидно, думал. Скорее всего, размышлял о многочисленных взятках, которые дал, о столь же многочисленных одолжениях и специальных ранних системах оповещения. Все они давно должны были сработать. Но он не получил никаких предупреждений. Никто ничего ему не доложил. Ни единая душа.

— Ты не полицейский, — сказал Грегори. — И не работаешь на правительство. Ты сам по себе. Верно?

— Тебе это будет трудно принять, в особенности после того, когда твоя организация будет лежать в руинах, а все твои люди окажутся мертвы, за исключением тебя, — и тогда я войду в твою дверь, — пообещал Ричер.

— Тебе до меня не добраться.

— А как у меня получалось до сих пор?

Ответа не последовало.

— Готовься, — сказал Ричер. — Я иду за тобой.

Он закончил разговор и выбросил телефон в окно. Они проехали еще немного, свернули за угол и припарковались на десятиминутной стоянке напротив отеля Шевиков.

## Глава

# 42

Ричер и Эбби поднялись на лифте на этаж, где находился номер Шевиков, что по стандартам Нью-Йорка или Чикаго было бы серединой небоскреба, а здесь являлось самой высокой точкой в радиусе сотни миль. Они нашли нужную дверь. Мария Шевик посмотрела на них в глазок и открыла. Номер состоял из двух комнат. Отдельная гостиная, светлая, новая и чистая. Два огромных окна от пола до потолка в углу. Была середина дня, солнце стояло высоко, и воздух оставался прозрачным. Из окон открывался превосходный вид. Внизу раскинулся город. Как неожиданно ожившая карта, которую Ричер изучал в отеле.

Эбби выложила деньги. Десять тысяч из покойницкой на лесопилке. И почти восемь взятых в баре у ростовщика. Купюр оказалось так много, что часть упала со стола на пол. Шевики только что не смеялись от радости. Сегодняшняя проблема решена. Аарон сказал, что положит деньги в банк, а потом обычным способом переведет их в больницу, сохранив остатки достоинства. Эбби предложила пройтись до центрального отделения банка вместе с ним. Просто за компанию. Никакой другой причины не было. Теперь Аарон стал ходить гораздо лучше, а к востоку от Центральной улицы стало совершенно безопасно. Так что просто для развлечения. Они ушли вместе, а Ричер снова подошел к окну. Мария присела на диван рядом с ним.

— У вас есть дети? — спросила она.

— Думаю, нет, — ответил Ричер. — Во всяком случае, насколько мне известно.

Он смотрел на раскинувшийся внизу город. Толстая часть груши. Из угловых окон открывался вид на весь северо-западный квадрант — от девяти часов до двенадцати. Ричер видел Центральную улицу, находившуюся почти под ним, за ней, немного левее, стояли две офисные башни и еще один высотный отель. Здания выглядели совершенно новыми и отважно устремлялись к небу, окруженные ковром трехэтажных и четырехэтажных домов, по большей части старых, кирпичных и неряшливых, с выкрашенными в серебряный цвет плоскими крышами в заплатах. У большинства имелись кондиционеры, установленные в прямоугольных железных рамах.

Над ресторанными кухнями в небо уходили металлические дымоходы, на крышах были установлены спутниковые тарелки размером с батут. Внизу находились парковочные гаражи с открытыми верхними этажами. Улицы были узкими, в некоторых местах возникали пробки, другие оставались тихими и пустыми. Ричер видел крошечные фигурки пешеходов на тротуарах. Перспектива терялась в туманной дали.

«База может располагаться в любом городском подвале», — сказал Вантреска.

— Вы женаты? — спросила Мария.

— Нет, — ответил Ричер.

— А вы никогда не хотели жениться?

— Такое решение принадлежит мне только на пятьдесят процентов. Пожалуй, это и есть ответ на ваш вопрос.

Он снова повернулся к окнам, словно смотрел на карту. Где компетентный командир спрячет тайную операцию, связанную со спутником? В каком месте? Безопасность, помещение, электроэнергия, Интернет, изоляция, удобное снабжение. Ричер искал варианты. Ковер маленьких коричневых зданий. Подмигивающие крыши. Движение транспорта.

— Вы нравитесь Эбби, — сказала Мария.

— Может быть.

— Вы не хотите это признать?

— Я согласен, что ей здесь пришлось нелегко. Полагаю, причина именно в этом.

— А вам не кажется, что вы именно тот мужчина, который ей нужен?

Ричер улыбнулся.

— Вы кто, моя мать?

Ответа не последовало. Он продолжал смотреть. Как всегда, ответ зависел от ряда обстоятельств. Если юго-западный квадрант такой же, как северо-западный, там может находиться либо меньше десяти, либо больше ста подходящих мест. Тут все зависело от требований. Безопасность, помещения, электричество, Интернет, изоляция, удобное снабжение. Вещи, недоступные его пониманию.

— Какие новости о Мэг? — спросил Ричер.

— Общий настрой остается позитивным. Завтрашнее сканирование должно это подтвердить. Все так считают. Лично я чувствую, что мы делаем ставки. Очевидно, теперь так и есть — либо огромная победа, либо сокрушительное поражение.

— Я бы принял такую ставку. Победа или поражение. Мне нравится простота.

— Это жестоко.

— Только в том случае, ели вы проиграете.

— А вы всегда выигрываете?

— До сих пор — всегда.

— Но как такое возможно?

— Такое невозможно. Я не могу всегда выигрывать. Я знаю, что однажды проиграю. Но не сегодня. В этом я уверен.

— Я бы хотела, чтобы вы были врачом.

— У меня даже нет научной степени.

Мария немного помолчала. Затем продолжила:

— Вы сказали, что сможете его найти.

— Так и будет, — ответил Ричер. — Сегодня. До конца рабочего дня.

\* \* \*

Они снова встретились в доме Фрэнка Бартона, раньше находившемся глубоко на албанской территории. В небе все еще клубился дым над сгоревшей лесопилкой. Бартон и Хоган вернулись после выступления, Вантреска присоединился к ним, Ричер и Эбби приехали после визита к Шевикам. Они собрались в гостиной, вновь заставленной самой разной аппаратурой, которую нельзя было оставлять в фургоне, иначе ее обязательно украли бы.

— Ключевой вопрос состоит в том, чтобы сначала понять: вы пытаетесь оценить действия умного парня, очень умного парня или гения? — сказал Хоган. — Потому что это три совершенно разные ситуации.

— Грегори показался мне достаточно умным, — заметил Ричер. — Я уверен, что он обладает немалой толикой крысиной хитрости. Однако сомневаюсь, что именно он принимал решения. Во всяком случае, если речь шла о контракте на несколько десятков миллионов долларов с правительством иностранной державы. Я бы даже сказал, что это рынок, на котором предложение превышает спрос. Могу спорить, что в договоре имелось множество оговорок, условий, проверок и согласований. Москва хотела получить только лучшее. Они совсем не дураки и сразу отличили бы плохую идею от хорошей. Вот почему с точки зрения расположения мы должны попытаться представить, как стал бы вести себя гений.

— Безопасность, помещение, электроэнергия, Интернет, изоляция, удобное снабжение, — сказал Вантреска.

— Начнем с конца, — предложил Ричер. — Удобное снабжение. Сколько кварталов от их офиса можно считать удобными?

— Тут важнее то, каков сам квартал, — вмешался Хоган. — Я бы поставил на весь центр. Деловая часть города. Любое место, где есть коммерческая зона. Там постоянно привозят и увозят самые разные грузы и странные вещи. И никто не обращает на это внимания. В жилых кварталах совсем не так. Я бы сказал, что граница центра является естественным ограничением. К западу от Центральной улицы.

— Но там нет достаточной изоляции, — заговорил Бартон. — Они окажутся в самом центре деловой активности.

— Это как прятаться у всех на виду, — сказал Хоган. — Возможно, и не будет физического уединения, но анонимность обеспечена, и никто ничего не заметит. Там не принято интересоваться чужими именами.

— Что необходимо для Интернета? — спросил Ричер.

— Надежная механическая связь с кабелем интернет-провайдера или со спутником; второй вариант более вероятен, ведь его сложнее отследить, — ответил Вантреска.

— В городе полно спутниковых тарелок, — заметил Ричер.

— Ими пользуются многие, — сказал Вантреска.

— Какова потребность в электроэнергии?

— Недавний монтаж, сделанный по современным стандартам, с дополнительными резервами для безопасности. И автоматический генератор на случай отключения сети. Они не могут позволить себе разрыв в питании. Это приведет к отказу оборудования.

— А что относительно помещения?

— Спальни, ванные комнаты, столовая, может быть, гостиная с телевизором, возможно, комната отдыха. Стол для настольного тенниса или чего-то в таком духе.

— Похоже на федеральную тюрьму, — заметил Ричер.

— И окна, — сказала Эбби. — Не подвальное помещение. Труленко — суперзвезда. Возможно, сейчас у него плохой период, и тем не менее у него должны быть высокие стандарты. Он захочет жить почти нормальной жизнью и потребует определенных удобств.

— Хорошо, окна. — Ричер кивнул. — Теперь поговорим о безопасности.

— Железные решетки на окнах, — сказал Бартон.

— Или анонимность, — предположил Хоган. — Миллионы окон. Иногда свет горит, иногда нет. Никого это не волнует.

— Им нужен единственный контролируемый вход, — сказал Вантреска, — вероятно, с продвинутым экраном на входе и запасным барьером последнего шанса в конце. Быть может, они входят через подвал, а потом поднимаются по задней лестнице. Что-то в таком роде. И весь путь под наблюдением. Как если б им предстояло пройти по длинному туннелю. Метафорически, а не буквально.

— Ну, и где именно? — спросил Ричер.

— Существует тысячи таких зданий, ты их видел.

— Мне они не нравятся. Потому что они соединены друг с другом. Из-за ССО морской пехоты. Хоган сформулировал это в самом начале. Им требуются аварийные выходы, зоны загрузки, вентиляционные шахты, водопроводные трубы, канализация и тому подобное, но прежде всего их будут интересовать места, где они смогут убрать стены соседних структур. Вы же знаете, как это делается. Они разбудят какого-нибудь старичка из департамента городского планирования, и он найдет древние чертежи, где показано, что чей-то подвал соединяется с нужным им подвалом, постройка была завершена в тысяча девятьсот двадцатом году, но там кладка всего в один кирпич и плохая штукатурка. Стоит на нее дунуть, и все развалится. Или они могут входить сбоку, через стену первого этажа или окно. Или через верхний этаж. Не забывайте, решение принимало московское правительство. Речь шла о крупном бизнесе. Не исключено, что контракт рассчитан на многие годы. Именно поэтому им требовалось правильное помещение. У них превосходная квалификация. Им известны все наши трюки. Они знают, что спецназ постоянно тренируется именно в таких городских кварталах.

— Но вдали от города усложняется снабжение, — ответил Вантреска. — Невозможно получить и то и другое.

— Нет такого понятия, как невозможно; есть плохое планирование. Я думаю, они получили то, что хотели. Где-то очень близко, чтобы иметь возможность заскочить с чашкой сахара. Но одновременно достаточно уединенное место. Потенциально в сотнях футах от ближайших людей. Максимально надежная инфраструктура с точки зрения проводов, кабелей, автономных генераторов и надежных механических соединений. Роскошное жилье, залитое солнечным светом. С полной невозможностью попасть внутрь сбоку, снизу или сверху. Или хотя бы приблизиться. Нулевые шансы проникновения через водопроводные трубы или вентиляционные шахты. Единственный, тщательно контролируемый вход, система раннего оповещения и множество охранных систем. Я думаю, Москва поставила условие, что место должно быть идеальным, и, думаю, они его нашли.

— Где? — спросила Эбби.

— Я смотрел прямо на него в окно отеля. Вместе с Марией Шевик. Когда она спросила у меня, хочу ли я жениться.

— На ней?

— Думаю, она имела в виду вообще.

— И что ты ответил?

— Я сказал, что нужны двое, чтобы танцевать танго.

— Где Труленко?

— То слово означало «гнездо», а не «муравейник» или «нора». Оно находится в воздухе. Они взяли в аренду три верхних этажа одного из новых офисных зданий, которых всего два к западу от Центральной улицы. Используют верхний и нижний этажи как буферные зоны, а сами живут и работают на среднем. И к ним нет доступа сверху, снизу или сбоку.

# Глава

# 43

Они обсудили все условия одно за другим. Безопасность, помещение, электроэнергия, Интернет, изоляция, удобное снабжение. Три верхних этажа новых офисных зданий полностью отвечали всем требованиям. Лифты можно перепрограммировать. Не проблема для Труленко. Только один лифт останавливается на верхних этажах. Остальные запаяны. Снаружи. Как и двери на лестничных площадках. Единственный работающий лифт открывается в специальную клетку. Возможно, внутри коридора установлена металлическая сетка. Далее — что-то вроде ворот с замком. Охрана с пистолетами. Двери лифта закроются за спиной посетителя, и он окажется в ловушке. А они получат достаточно времени, чтобы изучить гостя. Если он сумеет пройти так далеко. Еще охрана в вестибюле. Возможно, многочисленная из-за Положения В. И они будут обращать внимание на незнакомые лица.

— А какая именно башня? — спросила Эбби.

— Должны существовать документы, — ответил Ричер. — В каком-то городском департаменте. Три этажа, отданные в аренду неизвестной компании с банальным и незапоминающимся названием. Или можно поговорить с комендантами зданий и спросить у них о необычных поставках. Может быть, строительные леса или большие металлические загоны для собак... Что-то в таком роде. Для клетки.

— Это может оказаться проблемой, — сказал Хоган. — Я не представляю, как мы туда проникнем.

— Мы?

— Рано или поздно удача от тебя отвернется. И для твоего спасения потребуется морская пехота. Армия всегда так поступает. Операция будет более эффективной, если я стану присматривать за ней с самого начала.

— Я в деле, — сказал Вантреска. — В целом по той же причине.

— Я тоже, — присоединился к ним Бартон.

Небольшая пауза.

— Полная честность, — сказал Ричер. — Это не прогулка в парке.

Возражений не последовало.

— С чего начнем? — спросил Вантреска.

— Вы с Бартоном выясните, какая это из башен. И какие три этажа. Остальные нанесут визит в головной офис, находящийся за диспетчерской такси, напротив ломбарда, рядом с компанией по залоговому поручительству.

— Почему? — спросил Вантреска.

— Потому что некоторые величайшие ошибки в истории совершались, когда тайные вспомогательные операции оказывались отрезанными от базы. Отсутствие управления и контроля. Прекращение снабжения. Полная изоляция. Вот что я хочу сделать с этими парнями. Теперь нет нужды осторожничать. Время изощренных ходов прошло.

— Ты по-настоящему не любишь этих людей, — заметил Вантреска.

— Ты и сам отзываешься о них не слишком хорошо.

— У них будут часовые повсюду.

— Сейчас они удвоили посты. Я звонил Грегори по телефону и подергал его цепочку. Он определенно большой и отважный парень; тем не менее могу спорить, что он вызвал подкрепление. Просто для уверенности.

— В таком случае дергать его цепочку было глупой идеей, — заметил Вантреска.

— Нет, я хочу, чтобы все они находились в одном месте. Точнее, в двух. И больше нигде. Чтобы не осталось никаких концов. И случайно выживших членов банды. Мы можем назвать это Положением Г. Так будет гораздо лучше. Уничтожить собранные вместе цели намного легче, чем преследовать их по всему городу, на что может уйти несколько дней. Таких вещей лучше избегать. Мы спешим. Нам следует позволить им сделать за нас часть нашей работы.

— Тебе известно, что ты псих? — поинтересовался Вантреска.

— И это говорит парень, который был готов атаковать противотанковую артиллерию, оснащенную ядерными боеголовками, ровным строем на скорости двадцать пять миль в час.

— Это совсем другое дело.

— И в каких же аспектах?

— Пожалуй, я не знаю, — признался Вантреска.

— Отыщите башню, — сказал Ричер. — И узнайте номера этажей.

* * *

Они снова воспользовались «Линкольном» ростовщика. Привычное место, к западу от Центральной улицы. И неприкосновенное. Лимузин вела Эбби. Хоган устроился рядом с ней впереди. Ричер улегся на заднем сиденье. На улицах царила тишина. Совсем мало машин. И они ни разу не встретили полицейских. Их вообще не было. Сейчас все они собрались к востоку от Центральной улицы. Гарантированно. Пожарники уже вытащили хрустящие скелеты из развалин. Один за другим. Настоящая сенсация. Все захотят там находиться. История для внуков.

Эбби остановилась возле гидранта, ровно в четырех кварталах от ломбарда, который расположился напротив диспетчерской такси. Прямая линия на карте. Простая линейная прогрессия.

— Как далеко они выставят первые посты? — спросил Ричер.

— Не слишком, — ответил Хоган. — Им нужно контролировать все триста шестьдесят градусов. Так что они не могут понапрасну расходовать людей. Будут держать небольшой периметр. Все четыре угла квартала, где расположен их офис. Такова моя оценка. Не исключено, что они даже перекроют там движение. Но не более того.

— То есть они будут охранять вход в ломбард и диспетчерскую такси.

— С двух сторон улицы. Скорее всего, по два человека на угол.

— Но они не будут видеть заднюю часть ломбарда.

— Верно. Им потребуется в три раза больше людей, чтобы контролировать каждую улицу с двух сторон. Простая арифметика. Они не могут себе это позволить.

— Ладно, — ответил Ричер. — Хорошо. Мы войдем в ломбард с заднего входа. Нам в любом случае нужно туда попасть. Мы должны вернуть фамильные ценности Марии. Они обманули ее, заплатив всего восемьдесят долларов. Мне такое не нравится. Нам следует высказать им свое неодобрение. Может быть, нечистая совесть заставит их сделать щедрое пожертвование на медицинские цели...

Они вышли из машины, оставив ее возле пожарного гидранта. Ричер решил, что штраф за парковку будет не самой серьезной проблемой Грегори. Они миновали первый квартал. Потом второй. Дальше стали осторожнее. Возможно, здесь и не поставили часовых, но они могли наблюдать за соседними кварталами издалека, менять линии обзора и смотреть вдаль. Никаких проблем. Им не составит труда различить лица с расстояния в квартал, обратить внимание на скорость движения и язык тел. Вот почему Ричер старался держаться ближе к витринам и четким дневным теням, опережая Эбби на двадцать футов. Далее следовал Хоган, и все они делали вид, что просто гуляют, останавливаясь случайным образом, показывая, что между ними нет никакой связи с точки зрения направления, скорости передвижения и цели.

Ричер свернул налево, к соседнему перекрестку, и скрылся из вида. Он ждал. Вскоре появилась Эбби. Потом Хоган. Дальше они пошли вместе, в десяти шагах от края тротуара. Затем остановились еще раз. Задний вход в ломбард находился впереди и справа. Однако справа находилось много других входов, и все они не имели никаких обозначений. Двенадцать дверей. И у каждого заведения свой пожарный выход.

Ричер включил в памяти предыдущий визит. Поиски Марии Шевик на «Тойоте» Эбби. Грязный ломбард, расположенный на противоположной стороне узкой улицы от диспетчера такси и рядом с компанией по залоговому поручительству. Мария вышла из дверей ломбарда, Эбби подъехала, Аарон высунулся в окно и позвал жену по имени.

— Я помню, что ломбард находился посередине квартала, — сказал Ричер.

— Вот только двенадцать не имеет середины, — заметила Эбби. — У двенадцати шесть слева и шесть справа, а в середине ничего нет.

— Двенадцать — четное число. Так что середина — это выбор из двух вариантов. Последняя дверь из первых шести или первая из следующих шести.

— А я помню, что он находился не точно посередине квартала.

— До или после?

— Может быть, после. Или даже две трети. Я помню, как она вышла и я свернула к тротуару. Определенно после середины.

— Хорошо, — сказал Ричер. — Мы начнем с проверки номеров семь, восемь и девять.

Дома стояли вплотную друг к другу, и у них были одинаковые задние фасады — высокие, убогие, узкие, построенные из угрюмого кирпича столетней давности, со случайным образом расположенными зарешеченными окнами, увешанные гирляндами проводов и кабелей, свисавших и переплетавшихся между собой. Не всегда надежных. Задние двери также выглядели одинаково. Массивные, столетние прямоугольники из дерева, открывавшиеся внутрь; около пятидесяти лет назад кто-то усилил их нижние части металлическими листами. Может быть, новый домовладелец решил внести улучшения, чтобы его собственность выглядела более привлекательно. Металлические листы за пятьдесят лет покрылись царапинами и вмятинами — их множество раз открывали и закрывали ударами ног, в них врезались тележки и фургоны.

Ричер проверил.

Двери под номерами семь, восемь и девять пострадали меньше других.

Заметно меньше. И выглядели очень неплохо — для пятидесятилетних.

Номер восемь. Ровно две трети от двенадцати.

— Я думаю, нам нужна именно эта дверь, — сказал он. — В ломбард ничего не завозят на тележках. Разве что очень редко. Как если бы Бартон отправился туда со своим усилителем. Все остальное можно унести в руках или карманах.

Дверь была заперта изнутри. Не пожарный выход. Не бар и не ресторан. Другие правила. Дерево на двери было массивным, но рама не произвела на Ричера впечатления. Более мягкая древесина, красили ее редко, и она успела подгнить и пропитаться влагой.

— Как поступила бы морская пехота? — спросил Ричер.

— Базука, — ответил Хоган. — Самый лучший способ войти в здание. Нажимаешь на гашетку и проходишь в дымящуюся дыру.

— Ну а если представить, что у нас нет базуки?

— Очевидно, нужно выбить дверь. Но лучше сделать это с первого раза. У них там дюжина парней, которые прибегут на помощь, услышав шум. Мы не можем долго возиться.

— А морскую пехоту учат выбивать двери?

— Нет, нам дают базуки.

— Сила равна массе, умноженной на ускорение. Сделай разбег и ударь подошвой в дверь.

— Ты меня имеешь в виду? — уточнил Хоган.

— Под ручкой, — добавил Ричер.

— А я думал, нужно бить над ручкой.

— Максимально близко к замочной скважине, где находится язычок замка. Именно тут удается при помощи стамески выбить больше всего дерева из рамы. Отсюда и следует, что там самое слабое место. То, что нужно. Ломается не дверь, а рама. Дверь всегда выдерживает.

— Прямо сейчас?

— Мы сразу последуем за тобой.

Хоган отступил назад на десять или двенадцать футов, перпендикулярно двери, и устремился вперед с решимостью прыгуна в высоту, идущего на рекорд, — Ричер видел такое по телевизору. Он был молодым парнем, к тому же музыкантом, обладал ритмом, грацией и энергией, и Ричер выбрал его именно по этой причине. Хоган с разгона подпрыгнул вверх, развернулся в воздухе и ударил каблуком под ручку — так повар в заведении быстрого питания давит таракана, резко и четко, тщательно рассчитав время. Дверь с треском распахнулась, и Хоган, слегка пошатнувшись, по инерции влетел внутрь, размахивая руками, чтобы сохранить равновесие, Ричер последовал за ним, последней вошла Эбби. Они оказались в коротком темном коридоре перед дверью с застекленной верхней половиной. На ней с обратной стороны было написано золотыми буквами: «Не входить».

Причин для остановки не было никаких, как, впрочем, и возможности. Хоган вломился в дверь, за ним последовали Ричер и Эбби, и все трое оказались за стойкой, сразу за кассой, перед которой стоял похожий на ласку тип. Он уже начал поворачиваться к ним; его лицо перекосила гримаса страха и удивления. Хоган ударил его в грудь плечом, отбросив к Ричеру, тот развернул и приставил «Хеклер и Кох» к его голове. Сейчас он уже не отличал, какой именно; выбор был случайным. Но это не имело значения. Ричер знал, что все они работают.

Эбби забрала у владельца ломбарда пистолет. Хоган нашел бухгалтерскую книгу. Она оказалась большой, написанной от руки. Может быть, этого требовал городской закон. Хоган провел пальцем по линиям.

— Вот, — сказал он. — Мария Шевик, обручальные кольца, маленькие бриллианты, часы с разбитым стеклом. Восемьдесят долларов.

— Где эти вещи? — спросил Ричер.

— Я могу их принести, — предложил парень.

— Ты считаешь, что восемьдесят долларов — честная цена?

— Честная для данного рынка, — ответил тип, похожий на ласку. — Все зависит от того, какова мера отчаяния человека.

— А какова сейчас мера твоего отчаяния?

— Я могу найти для вас эти вещи.

— Что-нибудь еще?

— Ну, я мог бы добавить пару вещей. Что-нибудь хорошее. Может быть, с бриллиантами побольше.

— У тебя есть деньги?

— Конечно. — Хозяин ломбарда принялся энергично кивать.

— Сколько? — поинтересовался Ричер.

— Наверное, пять тысяч; вы можете их забрать.

— Я знаю, что можем. Тут и говорить нечего. Но это наименьшая из твоих проблем. Потому что речь идет не просто о злостном обмане. Ты перебежал на другую сторону улицы и предал пожилую леди. Ты причинил ей ужасные неприятности. Зачем ты так поступил?

— Вы из Киева?

— Нет. Но я однажды ел их национальное блюдо из курицы. Оно оказалось очень неплохим.

— Чего вы от меня хотите?

— Грегори конец, — сказал Ричер. — Мы хотим знать, последуешь ли ты за ним.

— Если получаю текстовое сообщение, я должен ответить. Выбора нет. Таковы условия.

— Какие еще условия?

— Когда-то магазин принадлежал мне. Грегори забрал его у меня. И заставил взять в аренду. Таковы неписаные условия.

— То есть ты должен бегать на другую сторону улицы.

— У меня нет выбора, — повторил бывший хозяин ломбарда.

— Как там все устроено?

— Там? — не понял парень.

— Внутри.

— Входите и идете по коридору налево. Справа дверь диспетчерской такси. Они занимаются нормальным бизнесом. Но вам нужно идти прямо. Там находится зал для совещаний. Проходите через него в следующий коридор, в дальнем противоположном углу. И оказываетесь около кабинетов. Последний по счету принадлежит Данило. А уже через его кабинет вы попадете к Грегори.

— Как часто ты там бываешь?

— Только в тех случаях, когда должен.

— Ты работаешь на них, хотя не хочешь, — подвел итог Ричер.

— Именно, — не стал спорить бывший владелец ломбарда.

— Все так говорят.

— Не сомневаюсь, но в моем случае это правда.

Ричер промолчал.

— Нет, — сказала Эбби.

— Нет, — сказал Хоган.

— Принеси то, о чем мы говорили, — сказал Ричер.

Парень ушел и вернулся с обручальными кольцами с маленькими бриллиантами и часами с разбитым стеклом. Он положил все в конверт, и Ричер убрал его в карман. И добавил к нему наличные из кассы. Около пяти тысяч. Конечно, капля в море, но он любил наличные. Так было всегда. Ему нравилась их тяжесть и постоянство. Хоган проверил полки, оторвал шнуры от старых стереосистем и надежно связал бывшего хозяина ломбарда — тому было не слишком удобно, но здоровью не грозило. Рано или поздно кто-нибудь войдет и освободит его. Ну а что он будет делать дальше — его проблема.

Они оставили его на полу за стойкой, подошли к запыленному окну и посмотрели на диспетчерскую такси на противоположной стороне улицы.

# Глава
# 44

Им удалось изучить весь квартал из задней комнаты ломбарда, прячась в тенях; они прошли сначала в одну сторону, потом в другую, выглядывая из-за разных углов. На тротуаре возле входа стояли двое громил, еще двое на посту на некотором расстоянии, возле левого угла; и еще двоих они увидели на правом углу. Всего шесть человек. Ну, и внутри штаба украинцев примерно столько же. И это по меньшей мере. Двое в коридоре, который описал владелец ломбарда, еще двое в зале для совещаний, двое у входа в коридор, ведущий к кабинетам, где, несомненно, сидели представители верхушки организации с пистолетами в карманах и запасным оружием в ящиках письменного стола.

Паршивое дело. То, что в военных академиях называют тактическим вызовом. Лобовая атака на противника, обладающего серьезным численным превосходством, в замкнутом пространстве. К тому же на помощь неприятелю могли прийти бойцы, которые сейчас стояли на углах. Плохие парни впереди и сзади, а у вас нет бронежилетов, автоматического оружия, дробовиков и огнеметов...

— Полагаю, главный вопрос состоит в том, доверяет ли Грегори Данило, — произнес Ричер.

— А какое это имеет значение? — спросил Хоган.

— Почему бы ему не доверять? — встряла Эбби.

— Две причины, — ответил Ричер. — Во-первых, он никому не верит. Ты не станешь Грегори, если будешь слишком доверчивым. Грегори — змея; следовательно, он считает, что и все остальные такие же. Во-вторых, Данило — его самая главная угроза. Он второй в цепочке командования. Лидер в ожидании. О таких вещах каждый вечер рассказывают в новостях. Генералов снимают, а их места занимают полковники.

— А это нам поможет? — спросила Эбби.

— Нам нужно пройти через кабинет Данило, чтобы попасть к Грегори.

— Обычное дело, — заметил Хоган. — Именно так все устроено у начальников штабов.

— Подумай о ситуации в обратном порядке. Чтобы покинуть свой кабинет, Грегори нужно пройти мимо Данило. А он — параноик с вескими на то причинами и хорошими результатами. Ведь он еще жив. В его сознании все происходит совсем не так, как в кино, когда исполнительный директор желает спокойной ночи своей секретарше, называя ее любимой. Для него это словно шагнуть в смертельную западню. За письменным столом сидит отряд убийц. Или еще того хуже, его ждет блокада, пока он не согласится на их требования. Может быть, они позволят ему освободить свое место, сохранив достоинство.

Эбби кивнула.

— Человеческая природа, — сказала она. — По большей части чепуха, но иногда оказывается существенным фактором.

— Что? — переспросил Хоган.

— У него есть запасной выход, — ответил Ричер.

* * *

Они обошли прилавок и сели на пол возле шкафов, рядом со связанным хозяином ломбарда. Совещание высшего руководства. Всегда проводится вдали от переднего края. Хоган играл роль мрачного морского пехотинца. Частично из-за того, что он им был, частично из профессиональной солидарности. Каждый план необходимо проверить на устойчивость под разными углами зрения.

— В худшем случае, — сказал Хоган, — мы окажемся в том же положении, только перевернутом на сто восемьдесят градусов. Парни на соседней улице наблюдают за задней дверью, внутри, в узких коридорах, находятся еще бойцы, которые тоже следят за дверями. Для этого есть специальное слово.

— Симметрия, — подсказал Ричер.

— Вроде того, — проворчал Хоган.

— Человеческая природа, — повторила Эбби. — По большей части чепуха, но иногда оказывается существенным фактором.

— И?.. — спросил Хоган.

— Неправильный подход, — продолжала она. — Существование пути отхода покажет его подчиненным, что он боится. В лучшем случае это будет выглядеть так, будто он не доверяет защите, которую купил, или армии своих солдат. Он не может признаться, что испытывает страх. Он же Грегори. У него нет слабостей. Его организация не имеет уязвимых мест.

— И?..

— Запасной выход — это тайна, — пояснила свою мысль Эбби. — Его не охраняют, потому что о нем никто не знает.

— Даже Данило?

— Данило в первую очередь, — ответил Ричер. — Он — главная угроза. Грегори обеспечил себя тайным путем отхода без его ведома. Могу спорить, что если заглянуть в их книги, там обнаружится, что Данило куда-то отослали на две недели, а перед его возвращением пара строительных рабочих таинственно погибла в результате жуткого несчастного случая.

— Чтобы никто, кроме Грегори, не знал, где находится тайный туннель, — сказал Хоган.

— Совершенно верно. — Ричер кивнул.

— В том числе и мы. Мы также не знаем.

— Какой-то подвал, принадлежащий совершенно постороннему человеку, соединяется с подвалом другого владельца.

— Таков твой план?

— Поставь себя на место Грегори. Он занял свое положение, полностью исключив все риски. Грегори намерен захлопнуть дверь *до* покушения и убраться отсюда к дьяволу. Ситуация с высоким уровнем стресса. Он не может позволить себе сомнений или промедления. Ему нужен простой и чистый путь отхода. Возможно, стрéлки, нарисованные на стене, или аварийное освещение, как в самолете. Нам лишь нужно найти дверь с противоположной стороны. Может быть, мы появимся из-за картины, висящей на стене его кабинета.

— И перед нами окажутся те же громилы, только в обратном порядке, — напомнил Хоган. — Они ворвутся в его кабинет через обычную дверь.

— Хотелось бы.

— Я не вижу, что мы выиграем.

— Две вещи. У нас никого не будет за спиной, и мы станем разбираться с ними не снизу вверх, а сверху вниз. Так намного эффективнее.

— Подожди. Парни на углах улицы. Симметрично. Задние углы станут передними. И проникнуть внутрь окажется так же сложно.

— Если б я хотел, чтобы все было просто, то служил бы в морской пехоте, — ответил Ричер.

* * *

Они вышли из ломбарда тем же путем, через коридор и заднюю дверь, и направились к машине, сначала осторожно, потом ускорив шаг. Она стояла на прежнем месте. Штрафа не было. Даже транспортные полицейские находились в восточной части города. Эбби хорошо знала этот район и села за руль. Она развернулась по широкой дуге, достаточно далеко от диспетчерской такси, и остановилась в двух кварталах за ней, на тихой улице возле семейного магазина, торговавшего шлангами для стиральных машин. Но не стала глушить двигатель. Хоган вышел, Эбби перебралась на пассажирское сиденье, а Хоган сел на водительское место. Ричер остался сзади.

— Готовы? — спросил он.

Хоган коротко кивнул.

Решительный кивок со стороны Эбби.

— Ладно, давайте сделаем это, — сказал Ричер.

Хоган доехал до конца квартала и на перекрестке свернул налево. В другом конце квартала, на углу, на дальней стороне улицы, топтались два парня. Черные костюмы, белые рубашки. Раньше они находились на дальнем левом углу, теперь оказались на ближнем правом. Симметрия. Они стояли спиной к кварталу, который охраняли, и смотрели вперед, как и положено хорошим часовым.

Они увидели один из своих автомобилей, который приближался к ним. Черный «Линкольн». Расплывчатые лица за ветровым стеклом. Тонированное стекло сзади. Лимузин свернул перед ними налево, на поперечную улицу. Владения Грегори находились справа, городские — слева. Впереди, на следующем углу, стояли еще два парня. Раньше они находились у дальнего правого, теперь — у ближнего левого.

Машина замедлила ход и остановилась у тротуара. Заднее стекло опустилось, оттуда появилась рука и поманила охранников, стоявших на углу, и они автоматически сделали шаг в ее сторону. Рефлекторное действие. Затем остановились и задумались. Однако не изменили первоначального решения. И с чего бы им его менять? Перед ними была их машина, и если вспомнить, что Грегори объявил Положение Б, тот, кто занимает достаточно высокое положение в организации, не захочет ждать. Поэтому они пошли дальше, ускорив шаг.

Ошибка.

Передняя дверца открылась, когда до них оставалось десять футов, и из машины вышла Эбби. Задняя распахнулась как раз в тот момент, когда они оказались рядом; из «Линкольна» выскочил Ричер, ударил головой того, кто подошел первым, как нападающий в европейском футболе, замыкающий подачу с фланга, и громила рухнул в канаву, ударившись затылком о край тротуара. Не его день.

Ричер шагнул ко второму часовому. Он узнал его — тот был вышибалой в кафе, где подавали крошечные пиццы и работала Эбби.

«Беги по своим делам, малышка», — сказал ей вышибала.

«Мы еще встретимся, — сказал Ричер. — Надеюсь».

Хорошие вещи случаются с теми, кто умеет ждать.

Ричер провел короткий прямой левой в лицо вышибалы — так, легкий хлопок, чтобы тот выпрямился, — а потом нанес второй короткий удар левой, но теперь уже в живот, чтобы парень согнулся и его голова оказалась в удобном положении. Теперь Ричер мог схватить ее и резко повернуть, используя крутящий момент верхней части собственного тела. Шея хрустнула и сломалась; вышибала упал, а Ричер присел на корточки и вытащил обоймы из их пистолетов.

«Линкольн» уехал.

Ричер наблюдал. Парни на дальнем углу зашевелились и сделали шаг вперед. Что было неизбежно. Симметрия. По тем же причинам. Они продолжали приближаться, а потом побежали. Хоган резко нажал на педаль газа, свернул на тротуар и врезался в них. Не самое приятное зрелище. Их подбросило в воздух, доказывая истинность клише, точно тряпичных кукол, словно они вдруг обрели крылья. Вероятно, они умерли в результате столкновения. Ни тот, ни другой даже не попытались смягчить падение. Оба рухнули на тротуар, разбросав во все стороны руки и ноги. Хоган припарковал машину и вышел. Ричер выпрямился и направился к нему.

Они встретились в середине квартала. Эбби уже была там и указала в ту сторону, откуда пришел Хоган.

— Туда, — сказала она.

— Откуда ты знаешь? — спросил Ричер.

Улица оказалась совсем не такой, как он ожидал, и отличалась от той, где находилась задняя дверь ломбарда. Никакого угрюмого кирпича и зарешеченных окон, со стен не свисали гроздья проводов и кабелей. Перед ними вытянулась улица с недавно отремонтированными домами. Как та, на которой находилась юридическая контора с тремя молодыми юристами. Чистая и светлая. Вот только первые этажи занимали магазины розничной торговли. Намного более приятные, чем участок с диспетчерской такси и ломбардом. Квартал с двумя лицами — одна часть тянулась вверх, а другая падала вниз.

— Я думаю, стартовать нужно с наружной стороны, — сказала Эбби. — Ему не удалось бы сохранить свои планы в секрете, если б он начал изнутри. Грегори не мог допустить, чтобы строительные рабочие ходили через диспетчерскую, иначе возникли бы вопросы. Поэтому он выбрал этот квартал, когда здесь стали обновлять фасады, что явилось для него идеальным прикрытием. Он легко получил доступ к детальным планам и результатам топографической съемки. Грегори знал, что с чем соединяется. И у него все получилось. Задняя часть одного из магазинов ведет в заднюю часть его кабинета.

— Симметрия, — повторил Хоган.

— Но только в принципе, — возразила Эбби. — Я уверена, что в реальности здесь полно зигзагов и поворотов. Этот квартал строили более ста лет назад.

— Какой магазин? — спросил Ричер.

— Человеческая природа. В конце концов я сообразила, что он не мог арендовать помещение на собственное имя, поскольку должен был иметь полную уверенность, что никто не узнает про потайной ход. Грегори совсем не хотел, чтобы кто-то поставил прилавок напротив его секретной двери. Ему требовался полный контроль. И я поискала подходящие места. Нашлось только одно. Окно заклеено бумагой. Вон там.

И Эбби снова указала в ту сторону, откуда пришел Хоган.

* * *

Пустой магазин оказался классическим помещением в старомодном стиле, с изогнутой внутрь витриной от пола до потолка, которая соединялась с дверью, находившейся в двенадцати футах от края тротуара, в конце смотровой галереи с мозаичным полом. Сама дверь была стеклянной, в деревянной раме, но стекло кто-то заклеил бумагой. Ричер решил, что замок не может быть слишком сложным. Повернуть короткий рычаг, потянуть — и можно входить. Ключ не требовался. Ведь в решительный момент он мог оказаться не в том кармане. К тому же это медленно. Грегори будет убегать, спасая свою жизнь. Он не хотел ничего сложного: повернул, нажал — и вперед.

— А как насчет сигнализации? — спросил Хоган. — Он ведь параноик; значит, обязательно захочет знать, если кто-то здесь появится.

Ричер кивнул.

— Я уверен, что ты прав, — сказал он. — Но, в конце концов, Грегори решил мыслить реально. Иногда сигнализация срабатывает случайно, а он не хотел, чтобы кто-то услышал звуковой сигнал, когда его не будет в кабинете, потому что в соседнем помещении мог находиться Данило. Появились бы вопросы, и его тайна была бы раскрыта. Так что, я думаю, сигнализации тут нет. Но уверен, что это решение далось ему непросто.

— Тогда ладно.

— Готовы?

Напряженный кивок Хогана.

Полный решимости кивок Эбби.

Ричер достал из кармана кредитную карту — лучший способ открыть такой замок, — просунул ее в щель, немного наклонил в одну сторону, потом в другую. После нескольких движений простой механизм щелкнул, и замок послушно открылся.

Ричер толкнул дверь и вошел внутрь.

# Глава
# 45

Магазин отремонтировали, но он так и не начал работать. Внутри все еще слабо пахло строительством. Сухая штукатурка, шпаклевка, краска. Бумага на стеклах пропускала мягкий туманный свет, заполнявший пустое белое пространство. Огромный голый куб. Никак не оборудованный. Ричер ничего не знал о розничной торговле, но слышал, что хозяин сам должен завозить все необходимое: стойки, кассы, полки и стеллажи.

В задней стене имелась единственная внутренняя дверь, выкрашенная в белый цвет, с большой медной ручкой. Вовсе не тайный ход. За ней открывался короткий темный коридор. Слева туалет, справа кабинет. В конце коридора еще одна дверь. Также выкрашенная в белый цвет и с большой медной ручкой. Никакого тайного хода. За ней еще одно пустое пространство, на всю ширину, глубиной почти в двадцать футов.

Левая часть, возможно, служила складом. Правую занимали механические приспособления. Воздушные нагреватели, кондиционеры и кипятильники. Для нагревания воздуха служили те же трубы, что и для кондиционера. Трубы выглядели новыми и блестящими. Сочленения замотаны клейкой лентой, которую использовали по назначению. Здесь также имелись водопроводные и газовые трубы, выходившие из бетонного пола. На задней стене — система отопления, вентиляции и кондиционирования воздуха. В полумраке выступали электрические панели. На рубильниках отсутствовала маркировка.

Других дверей они не нашли.

Эбби молчала.

Ричер повернулся и посмотрел назад. Все остальное выглядело правильно. Прямой проход по коридору через магазин, шаг к двери, поворот ручки, и вот ты на улице. Быстро. Беспрепятственно. Ничто не стоит на пути. Все хорошо. Вот только дверей больше нет.

— Грегори — параноик, — сказал Хоган. — Он не сдал в аренду помещение, но знал, что время от времени сюда придется пускать разных людей. Городские инспекторы, дезинсекция, может быть, экстренная работа водопроводчика, если где-то прорвало трубу. Он не хотел, чтобы они увидели дверь и начали спрашивать, что за ней находится. У них могло возникнуть желание в нее заглянуть. Профессиональное любопытство. Следовательно, она каким-то образом замаскирована. Быть может, это даже не дверь, а обычная панель из гипсокартона, которую легко пробить. И за ней нет никаких креплений.

Хоган принялся выстукивать стены. Звук не менялся. Нечто среднее между полостью и сплошным материалом.

— Подожди, — сказал Ричер. — Здесь есть система воздушного обогрева и кондиционер; в них используются те же трубы, которые контролирует какой-то сложный термостат, расположенный где-то на стене. Совершенно новая установка, блестящая и гладкая.

— И что с того? — спросил Хоган.

— Зачем нужна еще одна отдельная система отопления, вентиляции и кондиционирования воздуха на стене? Если б они хотели увеличить доступ воздуха или тепла, то могли просто сделать пару вентиляционных отверстий на потолке. И это стоило бы гораздо меньше.

Они собрались возле системы, расположенной на уровне головы Эбби, и принялись рассматривать ее, как скульптуру в галерее. Нижняя часть на две трети состояла из простой металлической панели, закрепленной натяжными болтами. Дальше шли две вращающиеся ручки управления — одна для переключения тепла-холода, другая для температуры, от холодной до теплой, что иллюстрировал круговой сектор, выкрашенный от синего к красному. Над рукоятями находилась решетка, через которую должен был проходить воздух, холодный или нагретый.

Ричер прикоснулся пальцами к решетке и потянул ее на себя.

Панель целиком и сразу отделилась от стены, соскочила с магнитных защелок и упала на пол. За ней открылся длинный коридор, уходивший в темноту.

* * *

На стенах не было стрелок или аварийной подсветки, как в самолете. Эбби включила телефон, и тусклое сияние его экрана высветило десять футов впереди и десять позади. Ширина коридора составляла три фута, он был новым, построенным совсем недавно. Здесь пахло как в пустом магазине. Гипсокартон, шпаклевка, краска. Сначала коридор шел прямо, потом под углом в девяносто градусов сворачивал направо, затем под таким же углом — налево. Словно прокладывал путь между другими помещениями. Туалеты, кабинеты и склады становились на таинственный ярд у́же, чем им следовало быть. Ричер представил, как Грегори изучает подробные чертежи, крадет фут там, фут здесь, рисует фальшивые стены, создавая общую картину. Лабиринт, но четкий и понятный. Невозможно споткнуться или заблудиться. Фонарь, прикрепленный к стене у входа; Грегори хватает его и мчится, натыкаясь на стены, отбрасывает фальшивую панель системы отопления, вентиляции и кондиционирования и выбегает из пустого магазина.

Они шли по коридору, но постоянные повороты не позволяли им оценить пройденное расстояние. Ричер помнил, что квартал по стандартам старого города представлял собой довольно большой квадрат, может быть, со стороной в четыреста футов. Офис такси и зал для совещаний могли занимать около сотни футов. Может быть, сто пятьдесят — тут все зависело от того, насколько они просторные. Из чего следовало, что им требовалось пройти вдоль ячеек сети в двести пятьдесят футов. Или пятьсот в реальном мире из-за бесконечных поворотов. «Должно занять шесть минут, — подумал Ричер, — если учесть, что мы идем медленно и соблюдаем осторожность».

У них ушло пять с половиной. Они сделали последний поворот, и в свете телефона Эбби увидели конец коридора.

Вся торцевая стена была закрыта массивным стальным листом. Слева направо и от пола до потолка, а в нее врезан люк размером с панель системы отопления, оставшейся в другом конце коридора. Нажим — и шаг в образовавшееся пространство. Как в подводной лодке. С правой стороны массивные металлические петли, приваренные к стали, обесцветившейся от жара, слева — массивный засов. Сейчас он был отодвинут. Грегори толкнет люк, вылезет в него, потом захлопнет и задвинет засов, отсекая преследователей. И ключ не потребуется. Так быстрее. Рядом с засовом висел фонарь.

Они отступили на два поворота и заговорили так тихо, что едва слышали друг друга.

— Думаю, главный вопрос состоит в том, заскрипят ли петли, — прошептал Ричер. — Если да, тогда мы всё сделаем быстро. Если нет, спешить не будем. Готовы?

Напряженный кивок Хогана.

Решительный кивок Эбби.

Они вернулись обратно. Два поворота. К стальному люку. Эбби поднесла телефон к петлям. Они выглядели качественными. Кованая сталь. Зеркальная поверхность. Но никаких следов смазки или масла. Непредсказуемо. У люка не было ручек. Ну, не совсем. Их заменяли два толстых кольца для засова. Ричер продел палец в одно и мысленно повторил все, что будет делать дальше, быстро или медленно. Люк наверняка как-то замаскирован. Ничего особенного. Ничего, что вызвало бы интерес или изменило вид кабинета. Все сделано так, чтобы Данило не заметил перемен после своего возвращения. Вероятно, Грегори использовал какой-то предмет мебели. Высотой с Эбби. Скорее всего, книжный шкаф. Нужно открыть люк и отодвинуть его в сторону. Либо быстро, либо медленно.

Все получилось быстро. Ричер открыл люк, обе петли пронзительно заскрипели; тогда он распахнул его, и свет телефона Эбби показал заднюю часть какого-то массивного предмета деревянной мебели. Джек сильно толкнул его, и он рухнул вперед. Неустойчивое сооружение. Наверняка книжный шкаф. Ричер перепрыгнул через него и оказался в комнате.

* * *

Грегори сидел в зеленом кожаном кресле за письменным столом и размышлял о важных вещах. Неожиданно он услышал скрип петель у себя за спиной и наполовину развернул кресло — и тут на него упал шкаф, заполненный книгами, трофеями и фотографиями в рамках, сделанный из цельного балтийского дуба, — и, разумеется, никакой фанеры. Сначала верхняя полка сломала ему плечо, еще через миллисекунду вторая проломила череп, после чего масса шкафа перевернула кресло, голова Грегори ударилась о край письменного стола, тело рухнуло на пол, а шея гротескно изогнулась и треснула, как ветка, что мгновенно убило Грегори. Дополнительный вес Ричера, наступившего на шкаф, уже не причинил ему никаких повреждений.

* * *

Ричер увидел перед собой шкаф, наклоненный, как трап, и одним концом упавший на письменный стол, перелез через него, разглядел распахнутые двойные двери и еще один кабинет за ними, а там из-за письменного стола поднимался мужчина, на лице которого застыло удивление. Ричер решил, что это Данило. Дверь второго кабинета также была открыта настежь. Оттуда доносился шум отодвигающихся стульев и бегущих по линолеуму ног. Громкий скрип и грохот упавшего шкафа привлекли всеобщее внимание.

Ричер держал «Глок» в правой руке и еще один «Глок» — в левой. Правой рукой он прицелился в Данило. А левой контролировал дверь. Вслед за ним появился Хоган. И последней — Эбби.

— Грегори лежит под шкафом, — сказала она. — Он мертв.

— Что произошло? — спросил Ричер.

— На него упал шкаф. Грегори сидел за письменным столом. Шкаф стоял у него за спиной. Я думаю, у Грегори сломана шея.

— Я толкнул шкаф, — сказал Ричер.

— Ну да, технически, — не стала спорить Эбби.

Джек немного помолчал.

— Повезло ему, — заметил он. Потом кивнул Хогану на Данило. — Арестуй этого типа. Он не должен пострадать. Нам предстоит серьезный разговор.

— О чем? — поинтересовался Хоган.

— Так говорят в армии, когда собираются забить кого-то до смерти.

— Я понял.

А затем события стали разворачиваться, как позднее подумал Ричер, неминуемо и одновременно предсказуемо, частично в соответствии с культурой и частично из-за давления, слепого подчинения и полного отсутствия альтернативы. Трудно такое принять. Но это помогло ему понять груду тел в дверном проеме в задней части лесопилки. Украинские бандиты шли нескончаемым потоком. Сначала крупный парень, который огляделся по сторонам и потянулся за пистолетом. Ричер позволил ему вытащить оружие. Позволил показать свои намерения. А потом выстрелил в центр масс. Один раз.

В кабинет ввалился второй боец, полный смехотворной бравады: «я-все-смогу-сделать-лучше». Но ему не удалось. Ричер пристрелил его, и он повалился на тело своего товарища.

Так начала образовываться груда тел. Однако она никого не остановила. Они продолжали идти. Один за другим. *Перед нами будут те же самые люди. Только в обратном порядке.* Хоган оказался прав. Сначала прибежали из своих кабинетов старшие начальники, затем умные бойцы, находившиеся внутри здания; последними явились глупые бойцы, занимавшие позиции на углах квартала, все переполненные неослабевающей решимостью и обреченные. Сначала Ричер относился к их жертве как к чему-то средневековому, но вскоре изменил оценку, вернувшись назад на сто тысяч поколений к чистому, безумному понятию племени и абсолютному ужасу при мысли остаться без него.

В те времена он сохранял жизни. Но не теперь. Наконец шаги стихли. Ричер подождал еще минуту, чтобы убедиться наверняка. Звуки стрельбы, которой, казалось, не будет конца, сменились злой шипящей тишиной.

Тогда Ричер повернулся к Данило.

# Глава
# 46

Данило, по стандартам Ричера, был мелким мужчиной, что-то около пяти футов и десяти дюймов, скорее жилистым, чем грузным. Хоган заставил его снять пиджак и вынул пистолет из подплечной кобуры. В результате Данило выглядел голым и уязвимым. И уже побежденным. Хоган поставил его во внутреннем кабинете рядом с массивным письменным столом, сделанным из дерева цвета ириски, на который опирался упавший книжный шкаф. Он был огромным и, наверное, весил целую тонну. Книги и безделушки рассыпались по всему полу. И теперь Ричер видел тело Грегори под другим углом. Оно сложилось в форму буквы Z, словно сжалось. В остальном вполне себе здоровый экземпляр. Высокий, жесткий и массивный. Но мертвый. Какая жалость.

Ричер зацепил узел галстука Данило указательным пальцем левой руки, вывел его на свободное пространство, развернул и заставил выпрямиться. Подбородок вверх, плечи назад.

И отошел на шаг.

— Расскажи мне о твоих порносайтах в Интернете, — велел он.

— О чем? — спросил Данило.

Ричер ударил его по щеке — открытой ладонью, очень сильно — и сбил Данило с ног. Тот сделал что-то вроде бокового сальто и упал на пол возле двери.

— Вставай, — приказал Ричер.

Данило встал, медленно и с трудом, сначала на четвереньки, потом опираясь ладонью о стену.

— Попробуй еще раз, — сказал Джек.

— Это наш побочный бизнес.

— Где они находятся?

Данило колебался.

Ричер снова ударил его. Теперь левой рукой. Открытой ладонью, но сильнее. Данило упал, сделал боковое сальто и ударился головой о стену.

— Вставай, — повторил Ричер.

Данило встал. Медленно и с трудом, сначала на четвереньки, потом опираясь ладонью о стену.

— Где они? — снова спросил Джек.

— Нигде. Везде. Это Интернет. Они по частям находятся на самых разных серверах нашей планеты.

— Кто их контролирует и откуда?

Данило следил за правой рукой Ричера. Он уже уловил последовательность действий. Не сложно. Справа, слева, справа. Он не хотел отвечать, но собирался это сделать.

Данило произнес слово. Но не муравейник и не нора, а гнездо, спрятанное очень высоко. Потом сжал губы. Он оказался между молотом и наковальней, но никак не мог рассказать, где именно находится это место — их самая большая и надежно защищенная тайна.

И продолжал смотреть на правую руку Ричера.

— Мы уже знаем, где оно находится, — сказал тот. — Тебе нечего предложить нам с точки зрения торговли.

Данило не ответил. Зазвонил сотовый телефон. Звук был далеким и приглушенным. У дверного проема. В кармане, где-то в груде трупов. Шесть звонков, которые через некоторое время смолкли. А потом еще один, такой же далекий и приглушенный. И два новых.

База не отвечала.

— Я сожалею, — сказал Данило.

— О чем? — спросил Ричер.

— О вещах, которые делал.

— Ты их уже сделал. И этого не изменить.

Данило промолчал.

— Да, — сказала Эбби.

— Да, — сказал Хоган.

Ричер выстрелил Данило в лоб из «Хеклера», который Хоган отобрал у него. Пистолет немецких полицейских. Такой же, как у остальных украинцев. Возможно, у всех последовательные серийные номера. Массовая закупка у коррумпированного немецкого полицейского. Данило упал; остатки его головы лежали в его собственном кабинете, а все тело — в кабинете Грегори. Ричер окинул поле боя взглядом слева направо. *Мы будем разбираться с ними не снизу вверх, а сверху вниз. Так намного эффективнее.* Работа сделана. Они лежали в правильном порядке. Грегори, Данило и остальная верхушка организации. Сотовые телефоны звонили не переставая.

* * *

Они ушли тем же путем, через коридор аварийного выхода. Пересекли пустой магазин. Поворот ручки, толчок — и они на улице. Парни, некогда стоявшие на углах, лежали на прежних местах. Никто и подумать не мог о том, чтобы позвонить в полицию и сообщить о мертвых телах рядом с черным лимузином в западной части города. Частное дело, в которое лучше не соваться.

— Что дальше? — поинтересовалась Эбби.

— Ты в порядке? — спросил Ричер.

— У меня все хорошо. Куда теперь?

Джек посмотрел в сторону центра города. Шесть башен. Три офисных здания, три отеля.

— Мне нужно попрощаться с Шевиками. Возможно, у меня не будет другого шанса.

— Почему?

— Лесопилка не будет гореть вечно. Рано или поздно полицейские вернутся в западную часть города. Они перестанут получать по тысяче баксов в неделю, будут очень недовольны и начнут задавать вопросы. Всегда лучше находиться как можно дальше, когда происходят подобные вещи.

— Ты собираешься уехать?

— Поедем со мной, — предложил Ричер.

Она не ответила.

— Позвони Вантреске и скажи, чтобы он нас встретил, — сказал Джек.

Они оставили «Линкольн» на прежнем месте. В некоторой степени страховка. Как дорожный знак. Только вместо «Нет проезда» или «Не спрашивай». Ярко светило солнце, на небе ни одной тучки. Середина дня. Они пешком прошли той же дорогой, которой приехали. Поднялись на лифте в номер Шевиков. Мария посмотрела на них через глазок и впустила. Бартон и Вантреска уже находились там.

Вантреска показал в окно на левую из двух офисных башен, к западу от центра, простой прямоугольной формы, высотой в двадцать этажей, в многочисленных окнах которой отражалось небо. Над верхним этажом висел плакат с банальным и совершенно безобидным названием. Такое имя могла иметь страховая компания. Или слабительное средство.

— Ты уверен? — спросил Ричер.

— Единственный новый договор об аренде, заключенный в интересующий нас промежуток времени, — ответил Вантреска. — Верхние три этажа. Корпорация, о которой никто не слышал. И на лифте туда доставляют самое неожиданное дерьмо.

— Хорошая работа.

— Благодари Бартона. Он знаком с саксофонистом, который днем работает в строительном департаменте.

Очевидно, Вантреска позвонил в обслуживание номеров, потому что появился официант с тележкой, заставленной закусками. Сэндвичи, канапе, кексы, тарелка с еще теплым печеньем из микроволновки. И напитки: содовая, охлажденный чай, горячий чай и самое лучшее — горячий кофе в высокой хромированной фляге, блестевшей на солнце. Они вместе поели. Вантреска сообщил, что послал в дом Шевиков отряд уборщиков, а также штукатура и маляра. Он обещал им, что они смогут утром вернуться домой. Шевики сказали, что очень этого хотят, и поблагодарили его за то, что он позаботился о дырках в стенах.

А потом вопросительно посмотрели на Ричера.

— Ближе к концу рабочего дня ждите трансфер, — сказал он.

— Какого размера? — после коротких колебаний спросил Аарон.

— Я люблю круглые числа. Если получится слишком много, остальное можете отдать людям, которые оказались в похожей ситуации. Может быть, часть стоит передать адвокатам. Джулиану Харви Вуду, Джино Ветторетто и Исааку Мехай-Байфорду. Они хорошо работают для парней с таким количеством имен.

Затем он достал конверт из ломбарда. Обручальные кольца с маленькими бриллиантами и часы с разбитым стеклом. Протянул конверт Марии и сказал:

— Ломбард закрылся.

А потом они ушли — Ричер, Эбби, Бартон, Хоган и Вантреска. Вместе спустились на лифте и шагнули на улицу.

* * *

В половине квартала от вестибюля офисной башни находилось небольшое кафе со столиками в задней части. Они вошли и впятером уселись за столик на четверых. Вантреска и Бартон рассказали, что им удалось узнать. Здание построено три года назад, двадцать этажей, сорок помещений. На данный момент постройка себя не оправдала. Местная экономика находилась в неопределенном положении. Неизвестная корпорация заключила очень выгодную сделку, сняв восемнадцатый, девятнадцатый и двадцатый этажи. Другими арендаторами являлись дантист, разместившийся на третьем этаже, и агент по продаже недвижимости на втором. Остальные помещения пустовали.

— Что сделала бы морская пехота? — спросил Ричер у Хогана.

— Скорее всего, эвакуировала бы дантиста и агента по продаже недвижимости, а потом подожгла бы здание. И тогда цели, находящиеся на верхних этажах, спустились бы по пожарным лестницам или сгорели вместе со зданием. В любом случае полная победа без особых усилий.

— А как поступили бы бронетанковые войска? — поинтересовался Ричер у Вантрески.

— Стандартная доктрина войны в городе состоит в том, чтобы стрелять по стенам первых этажей, — тогда здание обрушится внутрь. И позаботиться о том, чтобы на улицах не было осколков, если удастся. А все, что через минуту еще будет двигаться, расстреливать из пулеметов.

— Ладно, — сказал Ричер.

— А как поступила бы военная полиция? — спросил Вантреска.

— Несомненно, они придумали бы что-нибудь тонкое и изобретательное. В особенности если учесть отсутствие ресурсов.

— Например?

Ричер с минуту думал, а потом поделился с ними своим планом.

## Глава

# 47

Через пять минут Бартон покинул кафе и направился на воображаемый визит к стоматологу. Ричер, Хоган, Вантреска и Эбби остались на прежних местах — удобная база. Близко расположена. Не вызывало сомнений, что бармен являлся информатором украинцев, но сейчас получать сообщения было некому. Ричер видел, как он сделал пару звонков. Судя по всему, никто не взял трубку, и бармен в недоумении смотрел на телефон.

Потом Хоган и Вантреска отправились на воображаемый визит к агенту по продаже недвижимости. Ричер и Эбби остались за столиком. Их лица были единственными в телефонах украинцев. Они решили, что им не стоит начинать вечеринку слишком рано.

Бармен попытался позвонить в третий раз.

Ему не ответили.

— Полагаю, мы можем провести эту ночь у меня, — сказала Эбби.

— Почему бы и нет, — ответил Ричер.

— Если только ты не уедешь раньше.

— Это зависит от того, что произойдет. Не исключено, что нам придется убегать впятером.

— Предположим, что нет.

— Тогда мы вернемся в твою квартиру.

— И как надолго?

— А каким будет твой ответ?

— Я полагаю, не навсегда.

— Таким же будет и мой ответ. Вот только мой манящий горизонт ближе, чем у большинства. Полная открытость.

— Насколько ближе?

Ричер посмотрел на улицу, на кирпичные здания и послеполуденные тени.

— У меня такое впечатление, что я нахожусь здесь вечно, — признался он.

— Значит, ты уедешь в любом случае.

— Давай уедем вместе.

— А почему ты не хочешь здесь задержаться?

— А почему нельзя уехать?

— Можно. Я не жалуюсь. Я просто хочу понять.

— Что именно?

— Сколько времени у нас есть. Чтобы я смогла его полностью использовать.

— Ты не хочешь уехать со мной?

— Складывается впечатление, что у меня есть выбор из двух вариантов. Либо хорошие воспоминания с началом и концом, либо долгое и медленное фиаско, в процессе которого я устану от мотелей, путешествий автостопом и пешком. Я выбираю воспоминания. Об успешном эксперименте, куда более уникальном, чем ты можешь подумать. У нас хорошо получилось, Ричер.

— Мы еще не закончили. Цыплят по осени считают.

— Ты тревожишься?

— Профессиональное беспокойство.

— Мария рассказала мне, что ты ей говорил. Однажды ты проиграешь. Просто не сегодня.

— Я старался ее подбодрить. И не более того. Она очень волновалась. И мне нужно было что-то сказать.

— Мне показалось, что ты на самом деле так думаешь.

— Этому учат в армии. Ты можешь контролировать только то, насколько напряженно работаешь. Иными словами, если ты по-настоящему, полностью сосредоточишься сегодня, получишь разведывательные данные, спланируешь операцию и проведешь ее на сто процентов точно, то обязательно одержишь победу.

— Придает уверенности, — заметила Эбби.

— Так устроена армия, — продолжал Ричер. — На самом деле они хотят сказать: если сегодня ты потерпишь поражение, это целиком и полностью твоя вина.

— До сих пор у нас получалось неплохо.

— Но игра изменилась. Теперь мы сражаемся с Москвой, а не с бандой сутенеров и воров.

— Но люди те же самые.

— Только их система гарантированно лучше. Более качественное планирование. Работают самые продвинутые специалисты. Меньше слабостей. Меньше ошибок.

— Звучит паршиво.

— Пожалуй, пятьдесят на пятьдесят. Победа или поражение. И это хорошо. Я люблю, когда все просто.

— Как мы это сделаем?

— Разведка, планирование, исполнение. Сначала мы постараемся думать как они. А это совсем не сложно. Мы их бесконечно изучали. Вантреска может тебе рассказать. Они умные люди, организованные, бюрократизированные, осмотрительные, осторожные, владеющие научным подходом и очень рациональные.

— И как нам их победить?

— Мы используем рациональную часть их природы. Сделаем то, что рациональный человек даже не станет рассматривать. Нечто совершенно отвязное.

Вскоре поступило первое донесение разведки. Появился Бартон, приветственно кивнул и направился к барной стойке. Там он взял кофе и вернулся к их столику. Но не успел приступить к отчету, как пришло второе донесение. В кафе вошли Хоган и Вантреска. И сразу направились в их сторону. Им пришлось потесниться. Пять человек за столиком на четверых.

— Передняя стена в вестибюле сделана из стекла, — сказал Бартон. — Внутрь попадаешь через вращающуюся дверь. Задняя стена является фронтоном ядра здания. Там пять входов. Дверь пожарной лестницы, три лифта и еще один вход на пожарную лестницу. Между посетителем и пятью входами расположены турникеты и письменный стол охранника. За ним сидит полицейский по найму в гражданском.

— И всё? — спросил Ричер.

— Полагаю, это охрана, которую обеспечивают владельцы здания, — ответил Бартон. — Но есть еще четверо мужчин в галстуках и костюмах. Вероятно, им платит кто-то другой. Двое стоят сразу за вращающейся входной дверью. Они спросили, что мне нужно. Я ответил, что иду к дантисту. Они отошли в сторону и предложили мне пройти к письменному столу охранника. Там полицейский снова поинтересовался, с какой целью я пришел.

Ричер посмотрел на Хогана и Вантреску.

— А что у вас?

— Так же, — ответил Вантреска. — У них отлично организованная система пропускного режима. Дальше — лучше. Два других парня в костюмах находятся по другую сторону турникета. Рядом с усовершенствованными лифтами установлена новая контрольная панель. Какие увидишь в по-настоящему высоких зданиях, где находятся тысячи людей. Ты нажимаешь номер нужного тебе этажа, и на экране высвечивается, какой лифт тебе следует ждать, а потом он доставляет тебя на место. Внутри кнопок нет. Очень эффективная система. Но совершенно избыточная для полупустого здания. Очевидно, на это имеется причина. И заключается она в том, что два охранника за турникетом не дают тебе прикасаться к кнопкам. Они спрашивают, куда ты направляешься, затем кто-то из них нажимает нужные кнопки и показывает, у какого лифта ты должен встать. Далее ты садишься в лифт и выходишь, когда двери открываются. Других вариантов нет.

— В вестибюле есть камеры?

— На панели лифта имеется маленький стеклянный выступ; почти наверняка там находится камера, передающая видеосигнал наверх.

Ричер кивнул. Потом перевел взгляд на Бартона.

— Как дантист? — спросил он.

— На третьем этаже все разделено на небольшие комнаты, расположенные по обе стороны прямоугольного внутреннего коридора, идущего вокруг центрального ядра здания. Само ядро пустое с трех сторон. Я поднялся на четвертый этаж по пожарной лестнице, и там все выглядит так же. На пятом этаже есть два больших помещения сзади. Мне не удалось обойти ядро до конца. Вероятно, внутри одной из комнат находится глухая стена.

— Мы добежали до шестого этажа и начали оттуда, — сказал Хоган. — Чем выше поднимались, тем больше становились комнаты. Разумно предположить, что девятнадцатый этаж занимает одно огромное помещение. Лифты позволяют попасть в его центр. На этом заканчивается вклад архитектора. Я уверен, что дальше украинцы строили, как хотели.

— Начиная с клетки, — произнес Ричер.

— Именно, — подтвердил Вантреска. — Это даже проще, чем мы думали. Здание высокое, но небольшое. И обслуживается только одно ядро; там пять выходов на этажи, на одной линии. Одна клетка контролирует сразу всё. И нет нужды ничего заваривать. Можно сделать клетку глубиной, скажем, в шесть футов, а высотой в восемь, от первого пожарного выхода до последнего. Двери лифтов и пожарных лестниц открываются внутрь клетки. Получается нечто вроде длинной приемной прямоугольной формы. Недостаточно глубокой. Возможно, посетителю приходится ждать с минуту, пока вооруженные люди изучают его при помощи приборов. Другие вооруженные люди ждут у ворот, чтобы открыть их. Механизм может быть электронным. Возможно, у них две пары ворот, как в воздушном шлюзе.

— Полы и потолки?

— Бетонные панели. Проникнуть внутрь через них едва ли удастся. Все трубопроводы большого диаметра идут через ядро параллельно шахтам лифтов.

— Хорошо, — сказал Ричер.

— Что хорошо? — спросил Вантреска.

— Осторожные, осмотрительные, использующие научный подход и рациональные. Именно об этом я говорил Эбби.

— И еще страдающие от паранойи, — добавил Вантреска. — Могу спорить, что на восемнадцатом и двадцатом этажах все устроено так же. Что делает их буферные зоны практически неприступными.

Ричер кивнул.

— В этом и состоит вся прелесть, — сказал он. — Внутрь попасть невозможно.

— И как мы это сделаем?

— Когда становится слишком тяжело, самые крутые отправляются по магазинам.

— И в какие же?

— Туда, где продают стройматериалы.

* * *

Ближайшим подходящим местом оказалась национальная сеть с множеством лозунгов, призывающих делать все одновременно и прямо сейчас. Москва это одобрила бы. Магазин был достаточно большим, и они смогли купить все, что требовалось, но не настолько большим, чтобы обеспечить выбор. Впрочем, это лишь ускорило процесс. Нож для линолеума и есть нож для линолеума. Торцовочная пила и есть торцовочная пила. И так далее и тому подобное. Они приобрели каждому по сумке для инструментов с логотипом магазина, которые выглядели вполне профессионально. Госпитализированный Гезим Хокса заплатил за все из своего бумажника в форме картофелины.

Они тщательно упаковали покупки в сумки, надели их на плечи и направились обратно тем же путем, но на этот раз не стали заходить в кафе, а пошли прямо, через весь квартал, к входной двери офисной башни.

# Глава

# 48

В соответствии с донесением Бартона, передняя стена вестибюля была полностью стеклянной. Из чего следовало, что охранники у двери заметили их издалека. С расстояния в тридцать футов. Что при их скорости передвижения соответствовало нескольким секундам. Ричер рассчитывал, что это время уйдет на легкое смятение. Охранники будут теряться в догадках. Пятеро людей, которые куда-то спешат, автоматически вызывают подозрения. А пятеро с сумками для инструментов — не обязательно. Может быть, это сантехники по срочному вызову, чтобы устранить протечку. Или электрики. Но среди них женщина. Впрочем, тут нет ничего странного. Разве не так? Ведь они в Америке. Вот только у одного из них лицо парня из Киева. Перед тем как он перестал отвечать на звонки, Грегори прислал фотографию. Является ли агент Киева сантехником? Всего лишь небольшой фальстарт, короткая пауза, сомнения, которые замедлили их, — и все вместе привело к фатальному опозданию.

К этому моменту вращающаяся дверь извергла сначала Ричера, потом Вантреску, затем Бартона и следом Эбби; все они вытащили пистолеты из сумок с инструментами и разошлись веером. Хоган и Вантреска устремились вперед, Эбби поспешила за ними, а Ричер и Бартон прижали дула пистолетов под подбородки двум охранникам, заставив их отступить назад. Хоган, Вантреска и Эбби перепрыгнули через турникет, парни врезались в двух охранников, стоявших за ним, сбили их с ног, а Эбби остановилась возле панели управления лифтами.

Она готовилась к закрытию сезона. С секунду стояла неподвижно. Свет с улицы падал на нее сзади. Миниатюрная. Похожая на мальчика, изящная и стройная, одно бедро слегка опущено, одетая во все черное, с «Глоком 17» в руке. Произведение искусства. Фигура из кошмара.

Затем Эбби потянулась вперед и залила маленький стеклянный выступ краской из баллончика — черной, купленной в хозяйственном магазине. А Бартон начал закрашивать переднюю стеклянную стену; только он использовал белую краску, добиваясь такого же эффекта, как в пустом розничном магазине. Четверых парней в костюмах согнали вместе, Ричер и Вантреска держали их на прицеле, а Хоган готовился связать при помощи длинных кабелей, купленных все в том же магазине.

Полицейский по найму, сидевший за письменным столом, нервно смотрел в их сторону.

— Ты на них работаешь? — спросил у него Ричер.

— Нет, сэр, — ответил тот. — Совершенно точно.

— Тем не менее ты тут сидишь. У тебя есть обязательства по отношению к владельцу здания. Не исключено, что ты давал клятву. Если мы тебя отпустим, ты будешь обязан позвонить в полицию. Ты похож на человека с принципами. Поэтому будет лучше, если мы тебя свяжем и оставим на полу возле твоего письменного стола. Может быть, даже наденем повязку на глаза. Потом ты сможешь сказать, что мы на тебя напали. Устраивает такой вариант?

— Пожалуй, так будет лучше всего.

— Но сначала запри двери.

Полицейский встал.

В этот момент план полетел под откос. Если сначала все шло как по маслу, то теперь поезд сошел с рельсов. Хотя позднее, в периоды серьезного размышления, Ричер понял, что именно в тот момент план пошел правильно, ровно так, как он хотел. Втайне Джек рассчитывал именно на такое развитие событий. Отсюда и торцовочные пилы.

*Нечто совершенно отвязное.*

Хоган наклонился, чтобы связать пластиковым хомутиком лодыжки первого охранника, а тот либо запаниковал, либо посчитал, что это его последний шанс, или и то и другое; возможно, рассчитывал поднять восстание — но, так или иначе, он бросился на Вантреску с диким выражением в глазах и такой же дикой энергией и практически сам нарвался на дуло его пистолета.

Вантреска все сделал правильно. Краем глаза он заметил, что Хоган откатился в сторону, как и должен поступать хороший морской пехотинец, чтобы не попасть под ноги атакующему и избежать дружественного огня. Вантреска видел, что сзади никого нет. Опасность поразить еще кого-то сквозным попаданием отсутствует. Он знал, что они находятся в бетонном здании. Случайных жертв на улице не будет. И даже громкого шума, учитывая, что выстрел будет сделан практически в упор. Грудная полость послужит гигантским глушителем.

Вантреска нажал на спуск.

Восстание не началось.

Остальные трое охранников остались стоять на прежнем месте.

— Вот дерьмо, — пробормотал полицейский по найму.

— Мы займемся тобой через минуту, — сказал ему Ричер. — А пока запри двери.

* * *

На девятнадцатом этаже кто-то заметил, что экран, на котором отображался вестибюль, погас. Никто не знал, как давно это произошло. Сначала все решили, что возникла техническая неполадка. Но потом кто-то другой обратил внимание на то, что экран не полностью темный. Проблема состояла не в отсутствии напряжения. Что-то другое. Тогда они включили запись, отмотали ее назад и увидели, что молодая женщина поливает камеру из аэрозольного баллончика. Перед этим она стояла с пистолетом в руке. А еще раньше вбежала через вращающуюся дверь вместе с четырьмя мужчинами. Все в разной уличной одежде, но с одинаковыми сумками. Спецгруппа, которую возглавляла женщина. В Америке и такое возможно.

Конечно, они первым делом позвонили в вестибюль. На всякий случай. По четырем сотовым телефонам. И четыре раза не получили ответа. Как они предполагали и опасались. Аналогичная ситуация со звонками по всем другим номерам в течение двух последних часов. Они даже попытались связаться с полицейским по найму. По наземной линии, по телефону, стоявшему на его глупом письменном столе.

Никакого ответа.

Полная изоляция. Никакой информации. Даже из вестибюля. Они понятия не имели, что происходит. Отрезаны от всего мира. И ничего в новостях. Ничего на сайтах со слухами. Никаких необычных сообщений. Никаких пресс-секретарей, выступающих по телевидению.

Они снова попробовали позвонить по всем номерам.

Тишина.

Потом послышался шум поднимавшегося лифта. Центральная шахта.

Шипение воздуха, лифт остановился.

Двери открылись плавно, с легким свистом.

На задней стене кто-то спреем написал на украинском: «Вы проиграли». А под свежей надписью на кириллице сидел один из их парней из вестибюля, в черном костюме и галстуке, раскидав в сторону руки и ноги. Он получил пулю в грудь.

Ему отрезали голову.

И положили между ног.

Двери закрылись, плавно, с легким свистом.

Заработал двигатель.

Лифт пошел вниз.

Полная изоляция. Никаких контактов. Все, кто не был занят в этот момент, собрались возле лифтов. Снаружи от клетки. Возле проволочных стен. Они смотрели на двери, расположившись так, словно делали ставки. Некоторые напротив центральной шахты лифта. Другие у первого лифта и третьего. Часть наблюдала за дверьми, выходившими на пожарные лестницы. Появились самые разные теории.

Они ждали.

Ничего не происходило.

Люди поменялись местами у входа в клетку. Словно ожидание слегка изменило ставки. Словно один сценарий становился более вероятным, чем другой. Или менее невероятным.

Они ждали.

Сделали еще три попытки, набирая разные номера. Сначала Грегори, потом Данило, затем начальника охраны внизу. Без особой надежды.

Никакого ответа.

Они ждали. Менялись местами.

Слушали.

Зашумел лифт. На этот раз левая шахта.

Двери открылись плавно, с легким свистом.

На полу еще один охранник из вестибюля. Черный костюм и галстук. Он лежал на боку. Надежно упакованный — запястья и лодыжки крепко связаны за спиной стяжками. Во рту кляп, вокруг головы обмотана черная тряпка. Он безумно извивался и дергался, умоляюще смотрел на них, хотел что-то сказать сквозь кляп, словно кричал: «Пожалуйста, спасите меня, пожалуйста, спасите»; отчаянно кивал, будто манил их к себе, собирался сказать: «Да, да, это безопасно, пожалуйста, заберите меня»; изо всех сил пытался подползти к порогу, точно мечтал только об одном — выбраться из лифта.

А потом двери закрылись, плавно, с легким свистом.

Лифт снова пошел вниз.

Сначала все молчали.

— Нам следовало его спасти, — наконец сказал кто-то.

— Но как? — спросил кто-то другой.

— Следовало действовать без промедления. Он каким-то образом сумел от них сбежать. Мы должны были ему помочь.

— Мы не успели бы.

Парень, который заговорил первым, огляделся. Сначала прикинул расстояние до ворот, затем до панели управления лифтами, снова оценил расстояние до левого лифта и время. Двери открываются. Двери закрываются. Нет. Не успеть. В особенности если учесть шок, который овладел всеми.

Просто невозможно.

— Жаль, — сказал он. — Он вырвался, а мы отослали его обратно.

— Но как он вырвался? — спросил кто-то.

— Может быть, они его связали, чтобы отрубить голову, а он каким-то образом докатился до лифта и поднялся сюда в надежде, что мы его спасем. Он находился всего в шести футах от нас, — сказал тот, кто заговорил первым.

Все молчали.

— Послушайте, — сказал он.

Шум поднимающегося лифта.

Снова левая шахта.

Лифт возвращался.

— Откройте ворота, — сказал все тот же парень.

— Это запрещено, — возразил кто-то.

— Мы успеем, — продолжал убеждать всех первый парень.

— Это запрещено, — снова сказали ему.

— Мы успеем. Откройте ворота.

Все молчали.

Лифт приближался.

— Да откройте же проклятые ворота, — сказал кто-то другой. — Мы не можем отправить несчастного ублюдка обратно.

Полная изоляция. Никаких приказов, отсутствие лидера.

— Откройте ворота, — раздался третий голос.

Стоявший у ворот мужчина набрал код. После небольшой программной задержки ворота открылись. Панель скользнула в сторону, и в клетку вошли четверо охранников. С пистолетами в руках, на цыпочках. Остальные столпились снаружи, у проволочной сетки.

Лифт поднимался.

Послышалось шипение воздуха.

Дверь плавно отошла в сторону.

Тот же охранник на полу. Черный костюм и галстук. Так же связан, с таким же кляпом, отчаянно извивающийся и не сводящий с них умоляющего взгляда.

Четверо парней с пистолетами бросились вперед, на помощь своему товарищу.

Но оказалось, что это вовсе не охранник. На полу лежал Вантреска. Среднего роста. Костюм ему подошел. На самом деле он не был связан. Просто держал руки за спиной, пряча два «Глока 17», которые тут же поднял и выстрелил четыре раза, быстро, прицельно и четко.

В этот момент открылась дверь правого лифта и из него вышли Ричер с Хоганом, Бартон и Эбби. Четыре пистолета. Хоган выстрелил первым.

«Главными целями являются любые противники, способные контролировать ворота», — сказал Ричер.

Три пули сделали свое дело. Между тем Ричер очищал заграждение, стреляя в спины и в тех, кто стоял боком и зачарованно смотрел, как Вантреска убивает их товарищей, лежа на полу лифта. Бартон прикрывал один конец вестибюля, Эбби — другой.

Все закончилось быстро. Иначе и быть не могло. Как упражнение — ничего сложного. Атакующие в полной мере сумели использовать элемент неожиданности, а затем обеспечили высокую плотность огня из угла прямоугольника. Вантреска единственный из их команды мог пострадать от дружественного огня, но он находился за пуленепробиваемыми стенами лифта, откуда вел эффективный продольный обстрел. Так что победа была обеспечена. Ворота достались им в качестве приза. Они так и остались открытыми. Слишком сложный замок, который никто не успел активировать. Возможно, электронный. Снаружи имелась панель управления.

Ричер вышел из ворот в секретное пространство, за ним последовали Хоган и Эбби, Вантреска в чужом костюме прикрывал всех с тыла и сейчас на ходу отряхивал пыль, собранную с пола лифта.

# Глава
# 49

Задняя часть мозга Ричера погрузилась в сложные расчеты, состоявшие в делении площади девятнадцатого этажа на общее число погибших в клетке и рядом с ней, что позволило ему — в результате реалистичной оценки необходимых условий для удобного размещения квалифицированных компьютерщиков и скромных клетушек рядовых работников — понять, что стадо сильно поредело. Иначе быть не могло. Едва ли здесь осталось много противников. Если только они не спали по трое в одной постели или не лежали штабелями на полу. Простая математика.

Передняя часть мозга Ричера сказала: «Не бери в голову». *Если сегодня я совершу ошибку, это будет моя вина.* Он прижался к стене коридора, заглянул одним глазом за угол и увидел другой коридор. Такой же ширины. Двери слева и справа. Возможно, кабинеты. Или спальни. Ванные комнаты. Или кладовые. Или лаборатории, нервные центры, муравейники, гнезда или норы.

Ричер пошел вперед. Хоган следовал за ним. Затем Эбби. Потом Бартон и Вантреска. Первая комната слева оказалась постом безопасности. Пустым. Брошенным. Письменный стол и стул. На столе два плоских монитора, на одном написано «*Вестибюль*»; сейчас он потемнел благодаря краске из баллончика Эбби. Второй назывался «*19-й этаж*», на экране картинка с камеры, укрепленной достаточно высоко, напротив стены с лифтами. На полу множество мертвых тел. Больше дюжины.

«Я тебе говорила», — сказала задняя часть его мозга.

Ричер пошел дальше. Первая комната справа оказалась пустой, с окном от пола до потолка, выходившим на север. Внизу раскинулся город. В комнате стояли четыре кресла, гудевший холодильник и кофеварка на столе. Комната отдыха. Или помещение для дежурных. Удобное. Рядом с лифтами.

Они шли дальше. И ничего не находили. Людей не было. Никого оборудования. Впрочем, Ричер понятия не имел, как оно должно выглядеть. Он опирался на описание Эбби. *Как в кино. Безумный ученый в лаборатории, заполненной машинами с мерцающими экранами и потрескивающей от энергии.* Для него «сервер» означал подающего в игре в теннис или официанта, который приносит выпивку. Вантреска считал, что все оборудование должно состоять из полудюжины лэптопов. С использованием «облака», так он сказал. Хоган предположил, что это помещение с низким потолком, белыми ламинированными поверхностями и прохладным воздухом.

Они медленно двигались вперед.

И ничего не видели.

— Подождите, — прошептал Ричер. — Мы напрасно тратим время. У них тут не обычный бизнес. Я думаю, они сразу перешли в эндшпиль. Всадник без головы привлек к клетке лифтов всех свободных людей. Только те, кто работал в тот момент, остались на своих местах и выжили. И теперь притаились. Для них это Последний Бой Кастера[1].

— И сколько их может быть? — спросил Хоган.

— Мне без разницы. Важно, чтобы среди них был Труленко.

— Если лэптопов шесть, — сказала Эбби, — их может быть всего двое.

— И охранники. Столько, сколько Москва решила держать в их кабинете на постоянной основе. Или хотя бы тех, кто поддерживает дисциплину. И тогда численность может быть другой.

— Если б Москва могла решать, там находился бы целый полк, — заметил Вантреска.

— Ну, все зависит от того, насколько велико помещение.

— Если речь идет о шести лэптопах, — предположил Хоган, — они вполне могут сидеть в кладовке для швабр. То есть где угодно. Например, в кладовке для швабр имеется потайная дверь.

— Нет, Труленко захочет, чтобы в помещении были окна, — возразила ему Эбби. — В особенности такие, как здесь. Могу спорить, что ему нравится вид, а еще он любит стоять и смотреть на человечков, мельтешащих внизу. Даже при том, что он неудачник и практически арестант. Могу спорить, что это поднимает ему настроение.

---

[1] Ричер намекает на битву при Литтл-Бигхорн — сражение между индейским племенным союзом и Седьмым кавалерийским полком армии США (1876) в Монтане. Битва закончилась уничтожением пяти рот американского полка и гибелью его командира Дж. Кастера.

— Подождите, — снова сказал Ричер и посмотрел на Бартона. — Ты говорил, что на четвертом этаже можно обойти ядро здания. С трех сторон там пусто, но уже на пятом ты смог пройти его по периметру. Из-за более крупных помещений сзади. Внутри которых длинная пустая поверхность ядра превращается в стену.

— Да, — сказал Бартон.

— Такую стену иметь полезно, — заметил Ричер. — Разве не так? Она находится максимально близко к стоякам труб и другим коммуникациям, которые проходят за лифтами. — Он посмотрел на Вантреску. — Если б тебе пришлось укладывать провода, какую длину ты выбрал бы?

— Максимально короткие, насколько возможно, — ответил тот.

— Почему?

— Провода уязвимы.

Ричер кивнул.

— Им не хватает механической прочности. К тому же эта стена получит первый доступ к электроэнергии и воде, как только в аварийной ситуации включится генератор. Могу спорить, именно такую хотела иметь Москва. — Он произнес слово на украинском языке. «Муравейник», «гнездо» или «нора», где полно чего-то гудящего, жужжащего или мечущегося в воздухе. — Они построили его на основании стены ядра здания до противоположных окон. Потому что Москва хотела стену, а Труленко — вид из окон. Что еще им оставалось?

— Это большая комната, — заметил Вантреска.

Ричер снова кивнул.

— Такого же размера, как вестибюль внизу. Только развернутая на сто восемьдесят градусов.

— Достаточно просторная, чтобы разместить полк охранников.

— Но не больше двух пехотных рот.

— Может быть, там никого нет, — вмешалась Эбби. — Человеческая природа. Эти парни из Украины. Москва для них что-то вроде старшего брата-покровителя. Они должны были придумать собственные правила. Какая разница, будут они торчать в комнате или нет? Ведь у них есть клетка. Значит, равная степень безопасности для всех. Может быть, Труленко даже не хочет, чтобы они находились в одном с ним помещении и заглядывали ему через плечо. Такова человеческая природа.

— Положение В, — сказал Хоган. — Там должен кто-то быть.

— Может быть, и нет, — возразила Эбби. — Они отрезаны от руководства уже два часа. Я думаю, инстинкт подсказал им выйти и сражаться на баррикадах. У проволочной клетки. Полагаю, это желание было для них непреодолимым. Такова человеческая природа. Никто не станет прятаться в коридорах, дожидаясь неизбежного.

— Вот что яйцеголовые назвали бы широкой полосой базовых предположений, — сказал Ричер. — От полного отсутствия до целого полка охраны.

— А ты что думаешь? — спросила Эбби.

— Мне все равно, если Труленко среди них.

— Серьезно?

— Это пропорция. Все зависит от того, сколько у них компьютерщиков. Возможно, дюжины. Ряд за рядом.

— Нет, — Вантреска покачал головой. — Это специализированный цех. Здесь работает скунс. Дроны повсюду. В «облаке».

— Или дом маменькиного сынка, — предположил Хоган.

— Без разницы, — сказал Вантреска. — Труленко — художник. Там кроме него находится кто-то еще. Один или двое. Максимум.

— Ладно, — сказал Ричер. — Значит, в комнате либо четверо охранников, либо один. Вероятно, система защиты Положения В предполагает постоянное присутствие команды из четырех охранников. В худшем для нас случае они соблюдают дисциплину. В лучшем — Эбби права, и Труленко это не нравится. Тогда они могли достигнуть частного соглашения. Я видел, как время от времени такое случается. Обычно командир охраны сидит в углу, как предмет мебели. Может быть, они подружились. Права на съемки фильма всегда можно продать. Между тем остальные трое членов команды болтаются в каком-нибудь другом месте в компании с теми, чьего присутствия требует Положение Б.

— И сколько это — один или три? — спросил Вантреска.

Задняя часть мозга Ричер сообщила: один.

— Четыре, — вслух сказал он.

Они заглянули за следующий угол, и Бартон указал на дверь, которая на пятом этаже вела к большим помещениям, расположенным сзади.

# Глава
# 50

Короткий конец ядра лифта находился у левого плеча Ричера. А дверь — прямо впереди, следовательно, за пределами ширины ядра, а значит, она не являлась частью комнаты. Внешний коридор или входной вестибюль. Ричер толкнул дверь широко расставленными пальцами, медленно и осторожно.

Прихожая. Пустая. В нее внесли три стула и небрежно расставили. Задняя часть мозга Ричера сообщила, что именно здесь остальная тройка команды проводила время. Они услышали шум со стороны лифтов и побежали туда. Теперь все они мертвы. Передняя часть его мозга увидела другую дверь. Впереди и слева. Она была идеально расположена вдоль короткой линии ядра, стало быть, вела в комнату.

Впечатляющий образец. Почти наверняка звуконепроницаемая. Как в фильмах про студии звукозаписи, Ричер видел парочку таких. Она открывалась наружу. Большая и тяжелая. Створка двигается медленно. Первый рубеж системы безопасности. Чтобы сдвинуть ее с места, требовалось одной рукой упереться в стену, а другой приложить силу в двести фунтов — и все это время его центр масс будет уязвим в открытом пространстве, которое станет постепенно увеличиваться благодаря его собственным усилиям. В полевых инструкциях о таком не говорится, поскольку не важно, сколько человек находится внутри — один или четыре: они надежно контролируют вход. Пистолеты наготове. Учебник. Последний рубеж.

Ричер перешел на язык жестов, хлопнул себя по груди. *Это сделаю я.* Потом показал, как распахнет дверь одним резким рывком с применением максимальной силы. Затем прикоснулся к плечу Эбби. Показал, как она опускается на колени и целится в проем, который откроется. Положил руку на плечо Вантрески, чтобы тот слегка присел и прицелился над головой Эбби. За ним встанет Хоган и выставит пистолет над головой Вантрески. Бартона Ричер поставил под углом в девяносто градусов, на случай если распахнувшаяся дверь покажет другую возможную траекторию.

Все заняли свои позиции. На коленях, на корточках и стоя. Ричер взялся за дверь двумя руками. Удобно поставил ноги. Сделал вдох. И кивнул: раз, два, три.

И рванул на себя дверь.

Эбби выстрелила. Вантреска выстрелил. Хоган выстрелил. Все одновременно. Каждый по одному разу. Послышался стук упавшего пистолета и мясистый шлепок тела. После чего наступила шипящая тишина.

Ричер заглянул в дверь. Один боевик. Командир команды охранников. Но он больше не сидел в углу, как предмет мебели, и не пытался завести дружбу. Мгновение назад он стоял наготове и следил за дверью, вероятно держа пистолет двуручным хватом. Но ожидание оказалось слишком долгим. Время шло медленно. Он отвлекся. Утратил фокус. Руки устали. Дуло опустилось.

За спиной мертвого охранника находилась именно такая комната, как говорил Хоган. Белые ламинированные стены и прохладный воздух. Огромная. Величиной с вестибюль на первом этаже. Окна от пола до потолка и от стены до стены. Скамейки и стойки. Чье-то представление о коммуникационно-техническом центре. Возможно, прошлого года. Возможно, прошлой недели. С тех пор всё обновили при помощи свисавших проводов и непонятных коробок. Сердце операции оказалось еще более скромным, чем предполагал Вантреска. Пять лэптопов, а не шесть, стоявших бок о бок на длинной стойке в ряд.

У компьютеров находилось двое мужчин. Ричер сразу узнал Труленко. По описанию Эбби. И фотографиям в газетах. Невысокий, какой-то мелкий, молодой, но с редеющими волосами. В очках. *Он не станет работать в каменоломне.* Одет в брюки из хлопка и футболку. Рядом с ним — парень лет на пять моложе. Выше ростом, но более худой, сутулые плечи; судя по всему, он слишком много печатал.

Труленко сказал что-то на украинском.

— Он только что велел своему приятелю ничего нам не говорить, — перевел Вантреска.

— Не самое хорошее начало, — заметил Ричер.

Бартон и Хоган заставили обоих отойти от клавиатуры. Ричер посмотрел в окно на человечков, которые копошились внизу.

— Предположим, ты пишешь программу, — сказал он. — Вот что тебе нужно знать о нашей части уравнения. Мы не связаны ни с одним правительством или агентством. Это в чистом виде частное предприятие. У нас два очень конкретных и личных требования. На все остальное нам наплевать. Нас не волнует исход любых других сражений. Выполнишь то, что тебе будет предложено, — мы уйдем, и больше ты нас никогда не увидишь.

Ответа не последовало.

— Что подсказывает безупречная логика программиста относительно твоего ближайшего будущего?

Труленко промолчал.

— Верно, — сказал Ричер. — Мы никак не связаны ни с одним правительством или агентством. Из чего следует, что мы не подчиняемся правилам. Никаким. Мы только что прошли сквозь армию самых крутых парней, каких вы только смогли найти, и проникли в ваше тайное логово. Получается, что мы круче, чем вы. А значит, готовы пойти гораздо дальше. Твоя безупречная логика программиста подсказывает, что ты будешь страдать, если не сделаешь того, что мы скажем. Перед тем как прийти сюда, мы заглянули в хозяйственный магазин. Ты можешь разыграть данную ситуацию, как партию в шахматы. Очевидно, мы начнем с мальчишки. Представить, что вы одержите победу, невозможно. Ты все равно сделаешь то, что мы потребуем. Логика диктует, что лучше всего пропустить промежуточную часть. И избавить нас от хлопот.

— Я не являюсь членом банды, — сказал Труленко.

— Однако ты на них работаешь, — напомнил Ричер.

— У меня не было выбора. Я ни с кем не связан. Может быть, мы сумеем что-нибудь придумать. Я сделаю то, что вы хотите, и вы меня отпустите. Вы это предлагаете?

— Только не надо умничать. Мы знаем достаточно, чтобы понимать, чем ты занимаешься. Мы купили прибор для резки стекла в хозяйственном магазине. Так что вполне можем вырезать круг в окне и выбросить тебя в него. Как если бы отправили письмо.

— Какие две вещи вам нужны?

— Первое — это порнография. Все ваши порнографические сайты.

— Вы пришли из-за них?

— Два очень конкретных и личных требования, — повторил Ричер. — Первое — порнография.

— Друг, это побочный бизнес.

— Сотри их. Уничтожь. Уж не знаю, как это называется.

— Все?

— И навсегда.

— Хорошо. Ничего себе... Пожалуй, это реально сделать. Могу я спросить: вы решили выступить в крестовый поход в защиту морали?

— Что в том, что мы сделали до сих пор, показалось тебе моральным?

Труленко не ответил. Ричер подошел к нему и остановился рядом. Бартон и Хоган отступили назад. Труленко шагнул к стойке.

— Расскажи нам, что у тебя здесь, — потребовал Ричер. Программист указал на первые два лэптопа.

— Первые два — это социальные сети, — сказал он. — Непрерывный поток выдуманных историй, который также уходит на разные дурацкие сайты, настолько тупые, что они верят каждому слову. Ну, и в телевизионные сети, часть из которых также не отличается особым интеллектом. Третий лэптоп — кража личностей. Четвертый — смесь всего понемногу.

— Пятый?

— Деньги.

— А где порнография?

— На номере четыре. В смеси. Побочный бизнес.

— Займись им. Это первое требование.

Остальные столпились рядом. На самом деле их знания были зачаточными. Только с точки зрения потребителя. Но они не стали сообщать этого Труленко. Их наблюдение не давало ему уйти в сторону. Он печатал длинные строчки кодов, отвечал «да», «да» и «да» на множество вопросов: «Вы уверены?» По экрану маршировали тексты. Наконец Труленко закончил. И отошел на шаг от лэптопа.

— Всё, — сказал он. — Весь контент уничтожен на сто процентов, а имена доменов выставлены на продажу.

Никто не стал возражать.

— Хорошо, — сказал Ричер. — Теперь перейдем на номер пять. Покажи нам деньги.

— Какие деньги?

— Все ликвидные активы.

— Так вот зачем вы здесь...

— То, что движет миром.

Труленко сделал шаг вправо.

— Подожди, — сказал Ричер. — Задержимся ненадолго на четвертом. Покажи нам свой банковский счет.

— Это не относится к делу, друг, — возразил Труленко. — Я не имею никакого отношения к тем парням. Они существуют отдельно от меня. Я приехал из Сан-Франциско.

— И все равно покажи, — спокойно потребовал Ричер. — Примени свою безупречную логику.

Труленко немного помолчал.

— Мой бизнес — это корпорация с ограниченной ответственностью, — после небольшой паузы сказал он.

— Иными словами, все принимают ванну, кроме тебя, — подытожил Ричер.

— Мои персональные активы были защищены. В этом

смысл корпоративной структуры. Она поощряет предпринимательство и риск. Вот где можно стяжать славу.

— Покажи нам свои персональные активы, — повторил Ричер.

Труленко помедлил еще немного. Затем сделал неизбежный вывод. Складывалось впечатление, что он умел думать быстро и столь же быстро принимать решения. Возможно, благодаря постоянному общению с компьютерами. Он подошел к лэптопу и принялся печатать. Вскоре картинка на мониторе изменилась. Успокаивающий цвет. Список чисел. Максим Труленко, проверка счета, баланс четыре миллиона.

Мария Шевик продала материнские кольца за восемьдесят долларов.

— Пока оставим здесь всё без изменений, — сказал Ричер. — Перейдем к номеру пять. Покажи нам, чем владел Грегори.

Труленко подошел к пятому лэптопу и принялся нажимать на клавиши. На экране появилось новое изображение.

— Это только ликвидные счета. Просто наличные, которые можно снять в любой момент.

— Сколько там сейчас денег?

— Двадцать девять миллионов долларов.

— Добавь к ним свои деньги, — приказал Ричер. — Переведи их на счет Грегори.

— Что? — переспросил Труленко.

— Ты слышал. Опустоши свой банковский счет и переведи всё на счет Грегори.

Труленко не ответил. Он не шевелился. Он размышлял. Быстро, как умел. Уже через несколько секунд он принял решение. Ричер прочитал это на его лице. Лучше уйти отсюда нищим, чем не уйти вовсе. Могло быть хуже. Он быстро смирился с потерями. Очевидно, одна сломанная нога лучше, чем две.

Труленко подошел к четвертому лэптопу и принялся нажимать на клавиши. «Да», «да» и «да» на множество вопросов: «Вы уверены?» Потом отступил назад. Баланс на экране четвертого монитора показывал ноль. А на пятом увеличился до тридцати трех миллионов.

— А теперь введи вот эти цифры, — сказал Ричер.

И повторил по памяти реквизиты счета Аарона Шевика, которые запомнил еще вчера, перед тем как отправился в бар.

*Человек с тюремной наколкой думает, что вы — Аарон Шевик. Вы должны получить у него для нас деньги.* Тогда было восемнадцать тысяч девятьсот долларов.

*Я люблю круглые числа.*

Труленко повторил цифры.

Все правильно.

— А теперь переведи деньги, — сказал Ричер.

— Сколько?

— Все.

— Что?

— Ты слышал. Переведи всю сумму с банковского счета Грегори на счет, номер которого я тебе продиктовал.

Труленко снова немного помедлил. Точка невозврата. Сейчас все его деньги окончательно уйдут из-под контроля. Но одна сломанная нога лучше, чем обе. Он нажимал на клавиши и щелкал мышью. «Да», «да» и «да». Потом отошел от лэптопа. Баланс на экране обнулился. Тридцать три миллиона отправились в путешествие.

Ричер посмотрел на остальных.

— Вы идите вперед, а я догоню вас у лифта.

Все одновременно кивнули. Ричер подумал, что только Эбби знает, что он задумал. Они направились к лифтам мимо мертвого охранника. Вантреска шел последним. Он оглянулся и последовал за остальными.

Ричер подошел к Труленко.

— Я кое-что должен тебе сообщить, — сказал он.

— Что?

— О той части, где я говорил, что выпущу тебя отсюда.

— И что же?

— Это были поддельные новости.

Ричер выстрелил Труленко в лоб и оставил лежать там, где он упал.

# Глава
# 51

Они провели ночь в квартире Эбби. В гостиной с приглушенными тонами, потертой и удобной мебелью с уютной обивкой. На кухне, рядом с кофейным автоматом и белыми фарфоровыми чашками, за крошечным столиком у окна. Но главным образом в спальне. Сначала долго стояли под горячим душем, очевидно носившим символический характер, но также согревавшим, успокаивавшим и необходимо практичным. Когда они вышли оттуда, от них пахло чистотой и их окутывали приятные ароматы. Невинные. Как у цветов. До сих пор Ричер не говорил ничего определенного, но Эбби, видимо, считала, что это их последний вечер вместе. Казалось, она ни о чем не жалела. *Наверное, не навсегда.* Она была дерзкой. Смешной. Гибкой, опытной и искусной. В промежутках прижималась к нему, но не искала защиты. Периодически потягивалась, как кошка, и улыбалась широко и совершенно не смущаясь. *Замечательное чувство. Ты жив, а они — нет.*

Утром их разбудил ранний звонок Шевиков. Эбби включила громкую связь. Сначала Мария сообщила, что сканирование показало полный успех и впечатляющие улучшения. Их девочке стало лучше. Доктора танцевали джигу. Потом трубку взял Аарон и сказал, что они были потрясены переводом. У них едва не случился сердечный приступ. Ричер повторил ему то, что говорил раньше. «Отдайте остальное людям, оказавшимся в таком же положении. И еще немного адвокатам. Но только после того, как выкупите у банка дом. Может быть, к вам переедет Мэг, когда будет поправляться. Может быть, вы купите новый телевизор. Может быть, новую машину. Или старую. Что-нибудь интересное. Такую, которая доставит удовольствие. Например, "Ягуар". Очень хороший автомобиль». Ричер сказал, что ему известно об этом из достоверного источника.

А потом он ушел, миновал деловые городские кварталы, пересек Центральную улицу и далее держался в стороне от районов с дорогими домами. Через половину мили оказался возле автобусного вокзала, вошел внутрь, посмотрел на расписание и купил билет. В кармане у него лежали пять тысяч долларов. Из ломбарда. И это его радовало. Ему нравилась их тяжесть и полное равнодушие. Их хватит, чтобы оплачивать его расходы по меньшей мере две или три недели. Может быть, больше, если он будет тратить их аккуратно.

Десять дней спустя Ричер двигался на север вместе с летом. В автобусе он случайно нашел экземпляр «Вашингтон пост», в котором обнаружил большой документальный очерк. В нем рассказывалось, что в одном печально известном городе ликвидирована организованная преступность. Давнишняя проблема наконец решена. Две конкурирующие банды уничтожены. С вымогательством покончено. Исчезли наркотики и проституция. Прекратились случайные вспышки насилия. О правлении, основанном на страхе, можно забыть. Новый полицейский комиссар приписал все заслуги себе. Он назвал себя «новой метлой, с новыми идеями и новой энергией». Поговаривали, что он может пойти на выборы. Возможно, станет мэром или губернатором. Почему бы и нет? У него была безупречная биография.

# Оглавление

Литературно-художественное издание

ЛЕГЕНДА МИРОВОГО ДЕТЕКТИВА

**Ли Чайлд**

**ДЖЕК РИЧЕР, или СИНЯЯ ЛУНА**

Ответственный редактор *В. Хорос*
Редактор *В. Лебедев*
Художественный редактор *А. Сауков*
Технический редактор *Г. Романова*
Компьютерная верстка *В. Фирстов*
Корректор *Н. Сгибнева*

**ООО «Издательство «Эксмо»**
123308, Москва, ул. Зорге, д. 1. Тел.: 8 (495) 411-68-86.
Home page: www.eksmo.ru E-mail: info@eksmo.ru
Өндіруші: «ЭКСМО» АҚБ Баспасы, 123308, Мескеу, Ресей, Зорге көшесі, 1 үй.
Тел.: 8 (495) 411-68-86.
Home page: www.eksmo.ru E-mail: info@eksmo.ru
Тауар белгісі: «Эксмо»
**Интернет-магазин** : www.book24.ru

**Интернет-магазин** : www.book24.kz
**Интернет-дукен** : www.book24.kz
Импортёр в Республику Казахстан ТОО «РДЦ-Алматы».
Қазақстан Республикасындағы импорттаушы «РДЦ-Алматы» ЖШС.
Дистрибьютор и представитель по приему претензий на продукцию,
в Республике Казахстан: ТОО «РДЦ-Алматы»
Қазақстан Республикасында дистрибьютор және өнім бойынша арыз-талаптарды
қабылдаушының өкілі «РДЦ-Алматы» ЖШС,
Алматы қ., Домбровский көш., 3«а», литер Б, офис 1.
Тел.: 8 (727) 251-59-90/91/92; E-mail: RDC-Almaty@eksmo.kz
Өнімнің жарамдылық мерзімі шектелмеген.
Сертификация туралы ақпарат сайтта: www.eksmo.ru/certification

Сведения о подтверждении соответствия издания согласно законодательству РФ
о техническом регулировании можно получить на сайте Издательства «Эксмо»
www.eksmo.ru/certification
Өндірген мемлекет: Ресей. Сертификация қарастырылмаған.

Подписано в печать 07.02.2020. Формат 60×90 $^1/_{16}$.
Гарнитура «Petersburg». Печать офсетная. Усл. печ. л. 22,0.
Тираж 4000 экз. Заказ № 1451.

Отпечатано с готовых файлов заказчика
в АО «Первая Образцовая типография»,
филиал «УЛЬЯНОВСКИЙ ДОМ ПЕЧАТИ»
432980, Россия, г. Ульяновск, ул. Гончарова, 14

16+

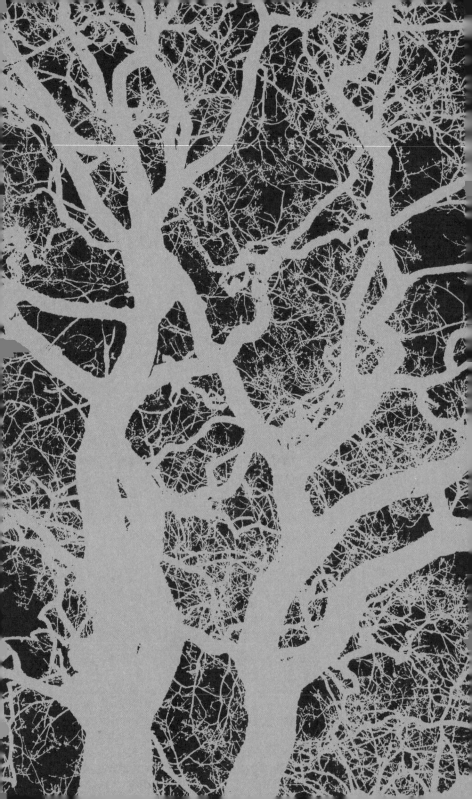